E. PLOEGSMA

Prisma Pocket 2638

Frederik Pohl

Jem

Prisma
Het Nederlandse Pocketboek

Frederik Pohl

PRISMA
POCKET

Prisma-Pockets worden voor Nederland in de
handel gebracht door:
Uitgeverij Het Spectrum BV
Postbus 2073
3500 GB Utrecht
Tel.: 03406-63737
en voor België door:
Uitgeverij Het Spectrum NV
Bijkhoevelaan 12
B-2110 Wijnegem
Tel.: 033-539800

Druk: Koninklijke Wöhrmann B.V. Zutphen

Oorspronkelijke titel: *Jem. The Making of a Utopia*
Uitgegeven door: Victor Gollancz Ltd., Londen

Vertaald door: Pon Ruiter
Eerder verschenen in 1980 als Prisma 1932
Eerste druk 1987 als Prisma Pocket 2638

01-2638.01 ISBN 90 274 1600 1

CIP

1

Toen Danny Dalehouse voor de eerste keer naar Sofia ging, wist hij niet dat dit het begin zou worden van een veel langere reis, en ook niet dat hij daar een aantal mensen zou ontmoeten die hem later zouden vergezellen. Hij had nog nooit gehoord van het doel van die veel grotere reis, dat de onaantrekkelijke naam N-OA Bes-bes Geminorum 8462 droeg, en van de mensen trouwens ook niet. Ze heetten Nan Dimitrova en kapitein Marge Menninger. Ze ontmoetten elkaar dankzij de Tiende Vergadering van de Mondiale Conferentie over Exobiologie, en voor geen van hen was het een slechte tijd. De lente was eindelijk gekomen, en even scheen de hele wereld uit te botten van zoet en vriendelijk leven.

Er waren drieduizend mensen in de Grote Zaal voor Cultuur en Wetenschap, maar omdat het de openingszitting was, bestond zó'n groot deel uit politici dat de vijf- tot zeshonderd geleerden om wie het werkelijk ging maar met moeite een plaatsje konden vinden. Zelfs de tolken zaten met zijn tweeën in een kabine. De knappe, grijze oude Carl Sagan, die eruit zag als een vitale tachtiger (als je hoorde hoe oud hij werkelijk was, zou je van verbazing achterover vallen) hield de openingstoespraak. Hij reed al naar de lessenaar toen Dan Dalehouse zich in een stoel achterin de zaal liet zakken.

Dalehouse was nog nooit in Bulgarije geweest. Hij had de zonnige parken heel aantrekkelijk gevonden, en zichzelf beloofd om eens te gaan kijken naar een museum met eeuwenoude ikonen, onder de St. Stephanskathedraal, niet eens zo ver weg. Maar Sagan wilde hij niet missen, en bij de eerste plenaire zitting kwam een serie rapporten over tachyon-transmissie ter sprake. Van een aantal ervan had hij nog nooit gehoord. Dat was waarschijnlijk Sagans werk, dacht hij. Zelfs al was die alleen maar ere-co-voorzitter, hij liet het hele programma door zijn nonsensfilter gaan. Wat er doorheen kwam, was de moeite van het aanhoren meer dan waard. Sagan hield zijn toespraak kort en opgewekt en reed weg onder een staande ovatie.

Omdat de eerste spreker een Amerikaan was geweest, moest de voorzitter van het panel over de tachyon-transmissie worden geleverd door een van de andere blokken. Dat was nou eenmaal internationale etiquette. Het was een Engelsman, uit Fred

Hoyles Cambridge-groep. Een paar politici van het Brandstofblok bleven uit solidariteit luisteren, maar de meeste andere politici gingen er zo onopvallend mogelijk vandoor, en Dalehouse wist een betere plaats te krijgen, veel verder vooraan en meer in het midden.
Hij leunde behaaglijk achterover om de eerste opmerkingen van de voorzitter over zich heen te laten gaan, aangenaam getroffen door de bloemengeur die door de open ramen kwam – in Bulgarije maakten ze nog minder gebruik van air-conditioning dan in de Verenigde Staten. Omdat Voedsel en Energie al aan het woord waren geweest, moest volgens het protocol de eerstvolgende spreker uit het Mensenblok komen. De eerste voordracht werd dus door een Pakistaan gehouden, en heette: 'Enige belangrijke rapporten van verkenners in een baan om Alpha Draconis, Procyon, 17-Kappa Indi en Kungs Semi-Stellair Object.'
Dalehouse zat half te suffen, maar toen de titel door zijn koptelefoon kwam, ging hij rechtop zitten. 'Van een paar van die sterren heb ik nog nooit gehoord,' zei hij tegen de vrouw naast hem. 'Wat is dit voor een man?'
Ze wees naar haar programma en de naam: Dr. Ahmed Dulla, Zulkifar Ali Bhutto Universiteit, Hyderabad. Toen Dalehouse zich naar haar overboog, ontdekte hij dat de bloemengeur niet van buiten kwam, maar van haar, en hij keek wat beter. Blond. Een tikje aan de mollige kant, maar een aardig, openhartig, knap gezicht. Leeftijd moeilijk te schatten, maar misschien even oud als hij, dus midden dertig. Na zijn scheiding was Dalehouse zich bewuster geworden van de seksualiteit van vrouwelijke collega's en vrouwen die hij toevallig tegen het lijf liep, maar hij was ook wat meer op zijn hoede voor dit soort contacten. Hij glimlachte even naar haar om haar te bedanken en zakte toen weer achterover in zijn stoel.
Het eerste deel was niet opwindend. De rapporten over de verkenner naar Alpha Draconis waren al gepubliceerd. Hij had niet zoveel belangstelling voor een herhaling van het verslag van de fotometrische calculaties waaruit de aanwezigheid bleek van een fotosynthetisch 'plantaardig' leven in een reductie-atmosfeer. Er waren hele series planeten van dat soort die waren bekeken door de tachyon-verkenners met hun lading instrumenten aan boord – het hele verkennertje was niet groter dan een grapefruit, maar op wonderbaarlijke wijze in staat om binnen een week interstellaire afstanden te overbruggen. De Paki-

staan scheen met alle geweld elk woord van de rapporten te willen herhalen, en kon natuurlijk ook niet nalaten commentaar te leveren op het aantal reductie-atmosfeerplaneten dat al was ontdekt, en het kennelijk lage niveau van de levensvormen die er voorkwamen. De Procyon-verkenner was zijn sluis kwijtgeraakt en het rapport was op z'n best nogal onduidelijk. Gelukkig ging Dulla niet in op het functioneren van het instrumentarium. 17-Kappa Indi klonk beter – de planeet had in ieder geval een zuurstofatmosfeer, al was de temperatuur hoogst ongunstig en waren er maar weinig gegevens over de aanwezigheid van bepaalde elementen, maar het klapstuk had de Pakistaan voor het eind bewaard.

Kungs Semi-Stellair Object was zelf niet veel groter dan een planeet. Voor een ster was het wel heel klein, nauwelijks groot genoeg om kernfusie te laten plaatsvinden en hitte te genereren, maar het had een planeet die heel veelbelovend klonk. Warm. Vochtig. Hoge luchtdichtheid, maar ongeveer de juiste hoeveelheid zuurstof om leven te kunnen herbergen – ook het leven van een verkenningsexpeditie, als iemand het geld ervoor over had om te gaan kijken. En de elementen die er volgens de meetapparatuur aanwezig waren . . . eersteklas. CO_2. Sporen methaan, maar niet meer dan sporen. Goede lichtsterkte. Het enige wat eraan ontbrak waren radiogolven, anders had het alles weggehad van Miami Beach.

De Pakistaan legde vervolgens uit dat Kungs Ster was ontdekt door de grote vaste radiotelescoop in Nagchhu Dzong, in de Thanglhaheuvels, en dat de ontdekking een rechtstreeks resultaat was van de wijsheid en het voorbeeld van wijlen Voorzitter Mao. Op zich was dat niet erg interessant, behalve dan voor de andere leden van het Mensenblok, die ernstig knikkend blijk gaven van hun instemming, maar het had er alle schijn van dat het werkelijk een vreemde planeet was. De tolken hadden moeite om de Pakistaan bij te houden, en Dalehouse was ook niet bijzonder gespecialiseerd op dit gebied, maar hij ving wel op dat de biotische studie maar een deel van één halfrond bestreek. Vreemd! En hij was niet de enige die gefascineerd was door het verhaal. Hij keek naar de rij tolken, ieder in zijn eigen glazen kooi, als snuisterijen achter de ruitjes van een automaat waarin je een munt moest gooien. De gordijntjes van elke kooi werden bijeengehouden door een brede goudkleurige band, heel Slavisch en heel eigenaardig, en erachter zaten de tolken, die eruitzagen als astronauten, met hun communicatiehelm op.

Een van hen was een jong meisje, met een lief, maar niet bepaald knap gezicht. Ze boog zich iets voorover naar de spreker met op haar gezicht een uitdrukking van ongeloof dan wel enorme geboeidheid. Haar lippen bewogen niet; ze leek al te zeer betoverd door wat hij te zeggen had om nog te functioneren.
Dalehouse leende een potlood van de vrouw naast hem en maakte een aantekening in de marge van zijn programma: *Kungs Ster naslaan?* De planeet noemde hij niet. Die had nog geen naam, al had hij een paar Fokkers er half-eerbiedig over horen praten als de Zoon van Kung. De wereld zou andere, nog ergere namen krijgen.

Wat valt er te zeggen over iemand als Danny Dalehouse? Middelbare school, hogere beroepsopleiding, universiteit; hij kreeg z'n Behoorlijk Zware Diploma op z'n zesentwintigste, en veel banen waren er niet. Hij wist een jaartje biologie te geven aan eerstejaars, toen zat hij een jaar met een beurs in Tbilisi, en toen kreeg hij meer dan een jaar een promotie-assistentschap, zodat hij de dertig al was gepasseerd voor hij die baan kreeg bij de nieuwe faculteit Exobiologie van Michigan State University. Het huwelijk, dat een jaar lang leven op kaas en witte wijn in Georgia, USSR, overleefd had, viel in East Lansing in duigen. Hij was van gemiddeld postuur, als je niet al te kritisch deed – ongeveer een meter zeventig met schoenen aan – en slank. Erg knap kon je hem ook niet noemen. Wat hij wel was, hij was slim. Zó slim dat hij zich binnen drie jaar had opgewerkt tot een van de meest vooraanstaande experts van het Voedselblok op het gebied van de interpretatie van de gegevens die een tachyon-verkenner overseinde en de vertaling ervan tot een redelijk accurate gok over de hoeveelheid leven op de wereld waar de verkenner heen was gestuurd. Zelfs over wat voor leven er was, kon hij iets zeggen.
Die avond kwam hij de blonde vrouw weer tegen, in de Aperitif Bar. Hij was erheen gegaan voor de persconferentie, maar er stonden een hele hoop mensen aan dat eind van de bar, en het leken voor het merendeel echte journalisten, dus hij vond het niet netjes om met zijn ellebogen te gaan werken om ertussen te komen. Tussen hun hoofden en camera's ving hij af en toe een glimp op van Sagan en Iosif Shklovskii, die in hun biologische functie-stoelen naast elkaar zaten en glimlachend opmerkingen en een zuurstofmasker uitwisselden terwijl ze werden gefoto-

grafeerd. Ten slotte rolden ze weg naar de liften en het grootste deel van de aanwezigen ging ze achterna. Dalehouse besloot een borrel te pakken en keek de bar rond.
De blonde vrouw zat whisky te drinken met twee kleine, donkere, glimlachende mannen – nee, *zij* zat whisky te drinken, en de twee mannen dronken jus d'orange.
De mannen stonden op zeiden: 'Goedenavond,' terwijl hij een plaatsje zocht en hij zag meteen zijn kans schoon. 'Mag ik hier komen zitten? Ik ben Danny Dalehouse, van Michigan State University.'
'Marge Menninger,' zei ze, en hij mocht bij haar komen zitten. Hij mocht ook nog een glas whisky voor haar bestellen, en toen mocht zij van hem een rondje geven, en hij mocht haar meenemen voor een wandeling onder de grote Bulgaarse lentemaan, en hij mocht haar ook meenemen naar zijn kamer om een fles Bulgaarse wijn open te trekken, en al met al was de dag dat Danny Dalehouse voor het eerst iets hoorde over Kungs Ster een zeer geslaagde en aangename dag voor hem.

De volgende dag was niet zo plezierig.
Hij begon mooi genoeg, in het eerste licht van de dageraad. Ze werden wakker in elkaars armen en deden het nog een keer, zonder van positie te veranderen. Het was nog te vroeg om iets te eten te halen, en dus dronken ze samen de rest van de fles op terwijl ze onder de douche gingen en zich aankleedden. Toen besloten ze een eindje te gaan lopen.
Het had die nacht een beetje geregend. De straten waren nat. Maar de lucht was warm en in de prachtige roze gloed van de opkomende zon hadden de Maria Theresia-gebouwen een lieve, zachte perzikkleur.
'Het volgende wat ik wil doen,' zei Danny Dalehouse weids, terwijl hij een arm om Margies middel sloeg, 'is een kijkje gaan nemen bij Kungs Ster.'
Marge keek hem met een heel ander soort belangstelling aan. 'Heb je daar de ruimte voor op je begroting?'
'Tja-' nuchter '-nee. Nee, dat denk ik niet. Michigan State heeft vorig jaar vier tactrans gelanceerd, maar we hebben nog nooit geld gehad voor een bemande verkenner.'
Ze duwde met haar hoofd tegen zijn schouders. 'Je bent slimmer dan je er uitziet, jongen.'
'Wat?'
'Je bent helemaal niet opvallend, Danny Boy, je lijkt helemaal

niet zo'n sterke figuur, maar je weet elke minuut van de dag wat je doet, hè? Net als gisteravond. Die twee Arabieren probeerden me te versieren, maar ze kwamen nergens. En toen kwam jij er zo vlot tussen.'
'Ik geloof dat we een beetje langs elkaar heen praten.'
'O ja?'
'Ja.' Maar ze scheen niet duidelijk te willen maken wat ze bedoelde, en dus ging hij verder met wat hem werkelijk interesseerde. 'Het klinkt geweldig, die planeet, bedoel ik, Margie. Misschien is er zelfs wel industrie! Heb je dat gehoord? Dat er sporen waren van CO_2 en ozon?'
Nadenkend wierp ze tegen: 'Er waren geen radioseinen.'
'Nee. Bewijst niks. Van de Aarde zouden ze tweehonderd jaar geleden ook geen radioseinen hebben opgevangen, maar toch was daar toen al een beschaving.'
Ze tuitte haar lippen. De gedachte kwam in hem op dat iets haar dwarszat, misschien een van die vrouwelijke dingen die hij nooit goed had kunnen begrijpen. 'Het zou een tocht van op z'n minst twee jaar zijn,' zei ze. 'Zou je er echt heen willen gaan?'
Hij begreep haar verkeerd. 'Ik, eh, ik zou je geloof ik missen, Margie.'
Ongeduldig: 'Nee, geen gelul nou. Als je geld toegewezen kreeg, zou je er dan heen gaan?'
'Nou en of.'
'Die Pak was zo verrekte tevreden over zichzelf. Hij heeft Erfgenaam-van-Mao waarschijnlijk allang zover dat de Fokkers een bemande verkenner sturen.'
'Nou, mij best. Ik wil er niet om politieke redenen heen. Het kan me niet schelen welk land de beschaafde buitenaardse wezens het eerst ontmoet; ik wil er gewoon héén.'
'Dat kan *mij* wel schelen,' zei ze. Ze maakte zich van hem los om een sigaret op te steken.
Dalehouse bleef staan en keek hoe ze haar holle hand om de aansteker hield om hem niet uit te laten waaien in de zachte ochtendbries. Ze hadden een hoop gedronken en niet veel geslapen, en ten gevolge daarvan voelde hij zich nu wel wat gammel, maar Marge Menninger scheen daar geen last van te hebben. Dit was de eerste keer dat hij met een vrouw naar bed was geweest zonder dat ze een paar hoofdstukken van hun autobiografie hadden uitgewisseld. Hij kende haar geestelijk helemaal niet, alleen via zijn zintuigen.
Margie Menninger was niet in het minst zoals de afwezige Polly,

die donker was geweest, klein, vlug en zich altijd heel gauw verveelde. Wat was Marge Menninger eigenlijk voor een vrouw? Dalehouse was het er niet met zichzelf over eens. Ze scheen uit een paar verschillende mensen te bestaan. Gisteren, in de Grote Zaal voor Cultuur en Wetenschap, was ze gewoon een academische collega geweest, afgelopen nacht precies wat een gezonde Amerikaanse jongen graag in zijn bed vond. Maar wie was ze vanochtend? Ze wandelden niet meer met de armen om elkaar heen. Marge liep een meter bij hem vandaan en iets voor hem; ze liep energiek, rookte gespannen en staarde recht voor zich uit. Ze scheen tot een besluit te komen en keek hem even aan. 'Michigan State University, Instituut voor Extra-Solaire Biologie. Daniel Dalehouse, B.A., M.Sc., Ph.D. Ik heb je niet verteld dat ik een voordruk van je artikel heb gezien, net voor ik uit Washington vertrok.

'Ja?' Hij was verrast.

'Interessant artikel. Volgens mij meen je het, dat je naar Kungs Ster wilt. Danny, jongen, misschien kan ik je wel helpen.'

'Hoe dan?'

'Met geld, beste jongen. Dat is het enige wat ik te vergeven heb. Maar ik denk dat ik jou er wel wat van kan geven. Dat doe ik voor m'n beroep, maar je zult m'n naamplaatje wel niet gezien hebben toen je m'n kleren uittrok. Ik werk voor SERDCOM.'

'Geprezen zij COM, van waar alle zegeningen komen,' zei Danny eerbiedig; de jaarlijkse subsidies van de *Space Exploration, Research and Development Commission* zorgden ervoor dat zijn Instituut kon blijven draaien. 'Maar hoe komt het dan dat ik je nooit heb gezien als ik weer eens naar Washington was geweest met m'n bedelnap?'

'Ik werk daar pas vanaf februari. Ik ben Plaatsvervangend Hoofd van het Bureau Nieuwe Projecten. Die baan bestond tot 1 januari niet, en ik heb 'm weten te krijgen. Daarvoor gaf ik college aan m'n ouwe alma mater . . . dit soort dingen, maar ook andere vakken; we deden niet veel aan extra-solaire vakken. Het is een kleine school en ze hadden het al moeilijk toen ik nog niet eens afgestudeerd was. Nou? Wat zeg je ervan?'

'Waarvan?'

'Was je zo maar wat aan het lullen of wou je echt geld hebben voor een bemande reis naar Kungs Ster?'

'O ja! Jezus Christus, nou en of!

Ze nam zijn hand in de hare en klopte er met de andere op. 'Dat is dan geregeld. Hee, wat is dat?'

‘Maar . . .’
‘Geregeld, zei ik.’ Ze keek niet meer naar hem. Iets had haar aandacht getrokken. Ze waren bij een groot park gekomen, en rechts van hen leidde een met bomen omzoomde laan naar een monument. Links en rechts van het begin van de laan stonden twee heroïsch uitziende beeldengroepen.
Dalehouse was achter haar aan gelopen; bovenop zijn kater was nu nog eens de verbijstering gekomen over wat ze net had gezegd. Hij had het nog niet verwerkt. ‘Ik zal wel een officieel voorstel in moeten dienen,’ zei hij deemoedig.
‘Nou en of. Stuur me eerst een kladje voor je het officiële verzoek indient.’ Ze staarde naar de beelden. ‘Moet je nou toch eens kijken!’
Dalehouse keek, zonder veel belangstelling. ‘Een oorlogsmonument. Soldaten en boeren.’
‘Jawel, maar zó oud is het nog niet. Die soldaat daar heeft een machinepistool in zijn handen . . . en daar zit er een op een motorfiets. En kijk eens, er zijn ook een paar vrouwen bij.’
Ze bukte zich en keek naar de cyrillische letters op de sokkels. ‘Verdomme. Ik kan niet lezen wat er staat. Maar het zijn de arbeiders en de boeren die hun bevrijders welkom heten, hè? Moet de laatste Grote Oorlog zijn, Tweede Wereldoorlog. Laat ’s zien, we zijn hier in Bulgarije, dus dat moet het Rode Leger zijn dat de Duitsers verjaagt en alle Bulgaren brengen hen bloemen en hartelijke handdrukken vol broederschap en solidariteit en glazen helder bronwater. Goeie God. Hé, Danny, wist je dat allebei mijn grootvaders in deze oorlog hebben meegevochten, en één grootmoeder? Twee aan de ene kant, en de derde aan de andere.’
Dalehouse keek haar geamuseerd en met een zekere genegenheid aan, al begreep hij haar niet helemaal; het was wat ongewoon om in deze tijd iemand tegen te komen die zo’n belangstelling had voor het echte bloederige knokken – iedereen wist dat oorlog voeren veel te duur was voor elk land dat wilde blijven leven. ‘En je andere grootmoeder? Een doetje, zeker?’
Ze keek hem even aan. ‘Omgekomen bij een van de bombardementen,’ zei ze. ‘Hee, dit is leuk.’
De bronzen beelden waren in ieder geval militaristisch genoeg voor de meest fanatieke oorlogsfan. Uit elke gestalte sprak moed, vreugde en vastberadenheid – het socialistisch realisme had zich er helemaal in uitgeleefd. En ze waren zó opgesteld op twee grote rechthoekige sokkels, hun houding zó aangepast dat

ze allemaal vlak naast elkaar konden staan. Ze hadden wel wat weg van een doos bevroren sardines die zich om elkaar heen kronkelden. Margies belangstelling voor de beelden trok nu op zijn beurt belangstelling, zag Dalehouse; de gendarmes waren terug komen lopen en stonden nu welwillend naar hen te kijken.
'Wat is er zo lollig aan soldaten?' vroeg hij.
'Ik heb er elke dag mee te maken, Dan – zo verdien ik m'n brood. Wist je dat niet? Marjorie Maude Menninger, rang: kapitein, U.S.A., afgestudeerd aan de Militaire Academie te West Point, nu op sterven na dood, helaas, of misschien wel niet zo helaas. Je zou me eens in uniform moeten zien.' Ze stak weer een sigaret op en toen ze die aan hem doorgaf en hij een trekje nam, merkte hij dat er geen tabak in zat.
Ze hield de rook lang in haar longen, en blies hem toen in een grote grijze pluim uit. 'Ah, dat was me nog eens een tijd,' zei ze dromerig, terwijl ze naar de beelden keek. 'Kijk eens naar die zak daar, met het kind in zijn arm. Weet je wat hij tegen die andere soldaat zegt? "Ga je gang, Ivan, ik hou het kind wel vast terwijl jij haar moeder verkracht. Dan is het mijn beurt." '
Dalehouse schoot in de lach. Hierdoor aangemoedigd ging Margie verder: 'En dat jongetje daar zegt: "Chocola? Russki cigaretti? Hee, mooie soldaat, wat vind je van m'n zuster?" En de Milva die de bloemen aanneemt van die vrouw daar, zegt: "Zo, Kameraad! Landbouwprodukten stelen uit de parken van het volk! Dat worden heel wat jaartjes werkkamp!" Natuurlijk was het met de Duitsers toch al gebeurd tegen de tijd dat de Sovjets hier waren, maar . . .'
'Margie.'
'. . . het moet toch een interessante tijd zijn geweest.'
'Hee, Margie! Laten we verder lopen,' zei hij, slecht op zijn gemak. Hij had plotseling gemerkt dat de gendarmes niet meer glimlachten, en herinnerde zich, wel wat laat, dat alle politiemannen van de stad les hadden gekregen in de moderne talen, ter gelegenheid van de conferentie hier.

2

Wat er over Ana Dimitrova viel te zeggen, hoefde je nauwelijks echt met zoveel woorden te zeggen omdat het meteen als je haar ontmoette al duidelijk was: het was een lief, opgewekt meisje, met niets dan liefde in haar hart. Soms had ze last van afschuwelijke hoofdpijnaanvallen – die hoorden erbij als je corpus callosum was doorgesneden, en dan was ze gedesoriënteerd, geprikkeld, soms bijna ziek van de pijn. Maar ze probeerde ervoor te zorgen dat ze alleen was als ze zo'n aanval had.

Ze werd vroeg wakker en sloop naar de keuken om thee te zetten, met haar eigen handen. Geen gemalen rotzooi voor Ahmed! Toen ze met het kopje naar binnen kwam, sloeg hij die hartebrekende lange wimpers op en glimlachte naar haar, zodat de huid om de donkerbruine ogen rimpelde. 'Je bent te goed voor me, Nan,' zei hij in het Urdu. Ze zette het kopje naast hem neer en bukte zich om zijn wang met de hare aan te raken. Ahmed geloofde niet in kussen, behalve in gevallen waar ze onder andere omstandigheden van genoot, maar die geen deel uitmaakten van haar plannen voor de eerstvolgende uren.

'Laten we ons vlug aankleden,' zei ze. 'Ik wil je mijn goede monster laten zien.'

'Monster?'

'Dat zie je straks wel.' Ze maakte zich van hem los en liep naar de douche, waar ze het water een hele tijd op haar slapen liet striemen. De transistorhelm bezorgde haar vaak hoofdpijn, en vandaag wilde ze daar geen last van hebben.

Later, toen ze haar lange bruine haar droogde, kwam Ahmed stilletjes binnensluipen en streek met zijn vingers over het smalle litteken op haar schedel. 'Lieve Nan, zo'n hoop moeite gedaan om Urdu te leren. Ik heb het voor niets geleerd.'

Ze leunde even tegen hem aan, wikkelde toen de handdoek om zich heen en zei, zacht bestraffend: 'Hier hebben we geen tijd voor, anders zien we mijn monster niet in het vroege ochtendlicht. En verder heb ik mijn hersens niet laten delen om talen te leren, maar alleen om beter te kunnen vertalen.'

'In Pakistan zouden we zoiets niet doen,' zei hij, maar ze wist dat hij alleen maar lief wilde zijn.

Terwijl ze buiten de badkamerdeur stond en luisterde hoe hij gilde en gromde toen het koude water op hem viel, dacht Nan ernstig na over Ahmed. Nan was een praktisch meisje. Ze was zeer wel bereid om een materieel voordeel op te geven voor een principe of een emotie, maar ze wist altijd graag van te voren wat ze precies op het spel zette. En de inzet bij deze liefde was heel hoog. Van alle voedselexporterende landen was Bulgarije een van de verdraagzaamste waar het Mensenlanden betrof, net als de Sovjet Unie trouwens, maar de lijnen van de internationale politiek lagen vast. Ze zouden elkaar maar zelden, en dan nog met veel moeite, kunnen zien, tenzij een van hen zijn staatsburgerschap opgaf. En ze wist dat Ahmed dat nooit zou doen.

Hoever wilde ze het laten komen met deze lieve Pakistaan, hoe diep wilde ze de verhouding laten zijn? Kon ze zijn leven delen in de overvolle, trage steden van het Mensenblok? Ze had ze gezien. Aardig, dat wel, maar je hele leven bijna niets anders dan granen eten, bijna geen persoonlijke machines, het naar binnen gekeerde gedachtenleven van het Mensenblok – was dat wat ze wilde? Leuk voor een bezoek, een dag lang, een maand lang, en anders dan anders . . . maar de rest van je leven?

Ze kleedde zich snel aan, zonder een definitief besluit te nemen; een deel van haar geest hield zich bezig met wat ze deed, het andere met het repeteren van haar plannen voor het werk van die dag voor de conferentie; voor Ahmed bleef geen aandacht over. Ze maakte het bed op terwijl hij zich aankleedde, ruimde de afgewassen borden en glazen weg en sleepte hem bijna mee, de deur uit.

De hemel was helderroze, maar de zon kwam net op; als ze zich haastten waren ze nog op tijd. Ze draafde voor hem uit, de trap af, zonder te wachten op het kleine hijsliftje, en de binnenplaats op. Toen liepen ze snel van de universiteitsgebouwen vandaan, tot ze bij een kruispunt van twee boulevards kwamen. Ze bleef staan en draaide zich om. 'Daar – zie je wel?'

Ahmed kneep zijn ogen dicht tegen het licht van de opkomende zon. 'Ik zie een kathedraal,' bromde hij.

'Ja, precies. En het monster?'

'Monster? Zit dat in de kathedraal?'

'Het *is* de kathedraal.'

'De St. Stephan is een monster? . . . O! Ja, ik snap het geloof ik al. Die ramen daar, dat zijn de ogen, hè? En die rij ramen eronder. Dat zijn de tanden.'

'Het lacht naar ons, zie je wel? En daar zitten de oren, en de neus.'

Ahmed keek niet meer naar de kathedraal, maar naar haar. 'Je bent zo'n vreemd meisje. Ik zou wel eens willen weten wat voor Pakistaan er van je worden zou.'
Nan verstrakte. 'Nee! Daar kan ik niet tegen – zulke dingen moet je niet zeggen.' Ze pakte hem bij de arm. 'We gaan gewoon een eindje lopen.'
'Ik heb nog niet gegeten, Ana.'
'Tijd genoeg.' Ze liep samen met hem door het kleine park naar de Universiteit, en toen naar het grotere park. Ze lachte. 'Heb je me vergeven? Ik heb je zo slecht in het Bulgaars vertaald!'
'Ik zou niet hebben geweten hoe slecht het was als jij het me niet had verteld.'
'Het was héél slecht, Ahmed. Ik keek naar jou toen je over Kungs Ster praatte, en ik vergat helemaal om wat je zei te vertalen.'
Hij keek haar behoedzaam aan. 'Weet je dat Erfgenaam-van-Mao persoonlijk belangstelling heeft voor deze planeet? Hij heeft de naam voor dit quasi-stellaire object uitgekozen. Hij was aanwezig in het observatorium toen de ster werd ontdekt. Ik denk . . .'
'Wat denk je, Ahmed?'
'Ik denk dat er opwindende dingen staan te gebeuren,' zei hij duister.
Ze lachte en pakte zijn hand en streek ermee langs haar wang.
'Ana,' zei hij, en bleef midden op de boulevard staan. 'Luister naar me. Het is echt niet onmogelijk. Zelfs als ik een tijdje wegging, daarna zou het toch niet onmogelijk zijn. Voor jou en mij, bedoel ik.'
'Lieve Ahmed, alsjeblieft . . .'
'Het is niet onmogelijk! Ik weet ook wel,' zei hij verbitterd, zonder acht te slaan op het feit dat ze midden op de weg stonden, 'dat Pakistan een arm land is. We hebben geen voedseloverschotten die we kunnen exporteren, zoals jullie en de Amerikanen, en we hebben geen olie, zoals het Midden-Oosten en de Engelsen. Daarom werken we samen met de landen die overblijven.'
'Ik respecteer Pakistan zeer.'
'Je was nog een kind toen je er voor het laatst was,' zei hij streng. 'Maar ondanks alles is het niet onmogelijk om gelukkig te zijn, zelfs in het Mensenblok.'
Er kwam een trolleybus aan, drie wagens lang en bijna geruisloos op zijn rubberen wielen. Nan trok hem mee, blij dat ze niet

hoefde te reageren.
De moeilijkheid met internationale conferenties, zei ze bij zichzelf, was dat je politieke tegenstanders tegenkwam en dat het soms helemaal geen tegenstanders leken. Ze was nooit van plan geweest om emotioneel betrokken te raken bij iemand van de andere kant. En het ongemak en de pijn – dat wilde ze zeker niet. Ze was tolk van beroep, beheerste vier talen volledig en een stuk of zes deels, en was in heel wat landen geweest. Ja, natuurlijk lagen die heel vaak binnen het Voedselblok, maar toch – Moskou en Kansas City en Rio en Ottawa . . . Ze had overlopers van andere bloks ontmoet. Een Welsh meisje in Sydney; een paar Japanners aan de universiteit hier in Sofia, buren van haar. Ze deden altijd verschrikkelijk hun best om erbij te horen, maar ze waren altijd anders, outsiders.
Maar de ochtend en Ahmed waren te mooi voor zulke ongelukkige gedachten. Het deel van haar geest dat dagdroomde en zich zorgen maakte ging van zorgen over op dagdromen; het andere deel van haar geest, het observerende en interpreterende deel, volgde al enige tijd een reeks gebeurtenissen bij de boulevard, en trok nu al haar aandacht.
'Zeg,' zei ze, blij met een excuus om Ahmeds gedachten op een ander spoor te zetten, 'wat is daar aan de hand?'
Het was bij het Monument voor de Bevrijding. De blonde vrouw die ze bij een van de recepties had gezien, stond ruzie te maken met twee soldaten van de Volksmilitie. De een had haar bij haar arm gepakt. De ander betastte zijn verdoofstok en praatte streng in op een man, een jong, academisch type, ook van de conferentie.
Ahmed zei, zonder belangstelling: 'Amerikanen en Bulgaren. Laat de Vreters hun problemen zelf maar oplossen.'
'Nee, echt,' hield Nan vol. 'Ik moet erheen. Misschien kan ik helpen.'

Maar het enige wat Nan Dimitrova met haar bemoeienis bereikte, was dat zij ook werd gearresteerd.
Het was de schuld van de Amerikaanse vrouw. Zelfs een Amerikaan had beter moeten weten. Smerige chauvinistische grappen maken over het Rode Leger, en nog wel binnen gehoorafstand van de politie van de meest Russofiele staat die er was! En zelfs al had ze dat niet door, dan had ze nog niet zo dom moeten zijn om op haar rechten te gaan staan en te eisen dat de Amerikaanse ambassadeur van het incident op de hoogte werd gesteld.

Daarvóór zochten de twee militiemannen alleen maar een goede gelegenheid om hun reprimande af te ronden en verder te lopen. Maar toen ze dat eenmaal gezegd had, werd het een affaire met internationale politieke implicaties.
Het enige goede aan de hele zaak was dat Ahmed er niet bij betrokken raakte. Nan stuurde hem weg. Hij ging zonder bezwaar te maken, met een geamuseerde glimlach zelfs. De rest, de twee Amerikanen en Nan, werd naar het Volkspaleis van Justitie gebracht. Omdat het zondagochtend was, moesten ze uren op kale houten banken blijven zitten tot er een functionaris op kwam dagen.
Niemand bemoeide zich met hen. Nan wist zeker dat niemand bezwaar zou hebben gemaakt als ze de uitnodiging van de openstaande deur hadden aanvaard en ervandoor waren gegaan. Maar ze wilde niet op haar eentje weglopen. De Amerikanen wilden het risico niet nemen, de vrouw omdat ze scheen te denken dat het om een principekwestie ging, de man duidelijk omdat de vrouw erbij betrokken was. Ze keek het tweetal afkeurend aan, vooral de vrouw, met haar gebleekte blonde haar – minstens vijf kilo te zwaar, zelfs voor het Voedselblok. Je kunt je bondgenoten niet uitzoeken, dacht ze. De man leek haar niet onaardig. Niet te kieskeurig wat betreft de vrouwen met wie hij zijn seksuele capriolen uithaalde. Maar toen de uren voorbijgingen, en ze van de militiemannen croissants en thee kregen, kwam er door hun opsluiting toch een gevoel van saamhorigheid over het drietal. Ze praatten opgewekt, totdat uiteindelijk de Volksmagistraat arriveerde, bars weigerde om naar gepraat over ambassadeurs of internationale verdragen te luisteren, ze gebood om in de toekomst het gezonde verstand te gebruiken dat God hun gegeven had en de goede manieren die ze van hun ouders hadden geleerd, en ze liet gaan.
Het was toen al veel te laat voor de ochtendzitting – die was om tien uur begonnen. Bijna even erg was dat ze de lunches hadden gemist die speciaal voor de afgevaardigden op touw waren gezet. Omdat het zondagochtend was, en lente, waren alle restaurants in Sofia gereserveerd door trouwgezelschappen, en ze kregen geen van drieën een hap te eten.
Dit was de eerste keer dat ze elkaar tegenkwamen; de tweede keer was veel later, en heel, heel ver van Sofia vandaan.
Danny Dalehouse ontdekte dat een collega zijn voordracht had voorgelezen, en dat zijn afwezigheid dus niet een volledige ramp was geworden, en het er zelfs naar uitzag dat het hem een

schitterende kans had opgeleverd. Margie was slim genoeg om te beseffen dat ze stom was geweest, en zelfbewust genoeg om het toe te geven ook. Hoe ernstig Margie haar aanbod ook gemeend had toen ze over de boulevard liepen, vol wijn, hasj en rozen, ze herinnerde zich haar belofte om geld voor hem los te krijgen, al had ze er nu een beetje spijt van.
De hele vlucht naar huis zat Dalehouse met een kladblok op zijn knie en werkte aan zijn voorstel, tot het tijd was om naar bed te gaan. Toen de nieuwe dag aanbrak was de clamjet boven Labrador, wit en bruin, en minderde vaart in de koude nachtlucht. Dalehouse at zijn ontbijt alleen, afgezien van een slaperige TWA-stewardess die zijn omelet bakte en zijn koffie inschonk, keek naar de wolken waar de clamjet doorheen slingerde en schokte, en vroeg zich af hoe de planeet van Kungs Ster eruit zou zien.

3

De dag nadat Marge Menninger weer achter haar bureau in Washington was gaan zitten, kreeg ze van Dalehouse een eerste schets van wat hij wilde. Ze was al begonnen met de procedure om zijn verzoek toegewezen te krijgen.
Ze was voor het eind van de conferentie uit Sofia weggegaan om een NASA hydrojet te kunnen halen naar Houston, waar ze woonde - een hardhandige, dure, maar ook heel snelle manier om van de ene plaats naar de andere te komen. In Houston had ze de Plaatsvervangend Onderminister van Buitenlandse Zaken gebeld. Het was al na kantoortijd, maar ze kreeg hem zonder veel moeite te pakken. Marge kon heel goed met de Plaatsvervangend Onderminister opschieten. Ze was zijn dochter. Nadat ze hem verteld had dat ze een goede reis had gehad, kwam ze meteen ter zake. 'Pappa, ik heb geld nodig voor een bemande interstellaire vlucht.'
Een korte stilte. Toen zei hij: 'Waarom?'
Marge krabde zich onder haar navel en dacht aan alle redenen die ze had kunnen geven. Ter bevordering van de kennis van de mensheid? Voor het potentiële economische voordeel dat de Verenigde Staten ervan zouden hebben, plus de rest van de voedselproducerende wereld? Vanwege haar belofte aan Danny Dalehouse? Het waren allemaal redenen die voor iemand van belang waren, en een paar ervan waren voor haarzelf van belang, maar ze gaf het antwoord waarvan ze wist dat het het meeste gewicht in de schaal zou leggen: 'Omdat als wij het niet doen die vervloekte Paks het doen.'
'Op hun eentje?' Zelfs op een afstand van drieduizend kilometer hoorde ze de sceptische klank in zijn stem.
'De Chinezen leveren de spullen. Die zijn er ook bij betrokken.'
'Je weet wat het gaat kosten.' Het was geen vraag – allebei wisten ze het antwoord. Zelfs een tactran-infocapsule van het ene zonnestelsel naar het andere kostte al een paar miljoen dollar, en zo'n capsule woog maar een paar kilo. Wat haar voor de geest stond, was op zijn minst tien mensen met bagage; ze vroeg een bedrag dat in de miljarden liep.
'Een hele hoop,' zei ze, 'maar het is het waard.'
Haar vader grinnikte. 'Je bent altijd al een duur kind geweest, Margie. Hoe krijg je het door het Joint Committee?'

'Dat lukt me denk ik wel. Laat mij me daar nou maar zorgen om maken, pappa.'
'Hm. Nou, ik wil hier m'n best wel doen. Wat wil je nu meteen van me?'
Marge aarzelde. Het was een open telefoonverbinding, dus ze koos haar woorden met zorg. 'Ik heb die Pak om een volledig rapport gevraagd. Tot ik dat heb, kan ik natuurlijk niet veel doen.'
'Natuurlijk niet,' zei haar vader instemmend. 'Nog iets?'
'Nee, ik kan niet veel uitrichten tot ik dat rapport in handen heb.'
'Begrepen. Hoe gaat 't verder met je? Wat vond je van onze dappere Bulgaarse bondgenoten?'
Ze schoot in de lach. 'Je zult wel hebben gehoord dat ik ben gearresteerd.'
'Ik vraag me alleen maar af waarom dat niet vaker gebeurt. Je bent een verschrikking, kind. En van *mijn* kant komt het niet.'
'Ik zal mamma vertellen wat je gezegd hebt,' beloofde ze, en hing op, en toen ze terug was in Washington, had ze een gemicrofilmd exemplaar in handen van het hele rapport van de Pakistaan, vertaald en al. Ze las het ijverig door, en maakte druk aantekeningen. Toen schoof ze het van zich af en leunde achterover in haar stoel.
Die rot-Pak had een héle hoop achtergehouden. In zijn persoonlijke rapport, drie keer zo dik als het verhaal dat hij in Sofia had afgestoken, stond een beschrijving van belangrijke levensvormen. Daar had hij het in Sofia helemaal niet over gehad. Alle drie de soorten schenen een zekere maatschappelijke organisatie te hebben: een krabachtige insektoïde, een tunnelgravende soort met warm bloed en een zachte huid, en een vogelachtig ras — nee, nee, vogels waren het niet. Ze bleven het grootste deel van hun leven in de lucht, maar vleugels hadden ze niet. Het waren ballonvaarders, geen vogels.
Drie soorten met een sociale structuur! En wie weet was een van de drie, of meer dan een, wel zó intelligent dat contact op hoog niveau mogelijk was.
Dat bracht haar gedachten terug bij Danny Dalehouse, zijn voordracht over eerste contacten met intelligente levensvormen op sub-technologisch niveau, en zijn voorlopige voorstel voor het uitrusten van een expeditie.
Weer keek ze naar de onderste regel van de pagina, en grinnikte. Danny Dalehouse had precies gevraagd wat hij wilde, zonder

een greintje scrupules. De onderste regel was zeventien miljard dollar.
Zeventien miljard dollar, bedacht ze, was om en nabij de boekwaarde van Manhattan Island . . . het Bruto Nationaal Produkt van een heel land – er waren er vijfentwintig, dertig die er niet bovenuit kwamen . . . ongeveer een zesde van wat de Verenigde Staten per jaar op tafel legden om hun brandstoftekorten aan te vullen. Een hoop geld.
Ze stopte de paperassen en haar aantekeningen in een felrode map met TOP SECRET erop, en sloot die weg. Toen begon ze Danny Dalehouse te bezorgen wat hij hebben wilde.
Over Marge Menninger was heel wat te zeggen, en het belangrijkste was wel dat ze altijd wist wat ze wilde. Ze wilde een hoop, en een hoop verschillende dingen. Haar motivaties had ze duidelijk in haar hoofd op een rij staan. Het derde of het vierde ding van boven kreeg ze waarschijnlijk wel voor elkaar. Het tweede was vrijwel zeker. Maar dat ze nummer een uit het vuur sleepte, daar kon je je hele hebben en houden om verwedden.

Een week later had ze Danny's definitieve voorstel binnen, en had ze een afspraak gemaakt om te getuigen voor het House-Senate Joint Committee on Space Development. Ze gebruikte de week heel nuttig, eerst door Dalehouse mee te delen (over de telefoon, en meteen daarop schriftelijk) hoe hij zijn voorstel zó moest veranderen dat hij een maximale kans op goedkeuring maakte, en toen door een stapel boeken door te werken om de gaten in haar kennis van wat er nodig was te dichten.
Om een capsule of een schip vol mensen van de ene ster naar de andere te sturen moet je ze eerst in een baan om de aarde brengen.
Tachyon-transport zelf is een schoolvoorbeeld van technologische elegance. Zodra je je capsule op zijn plaats hebt gebracht, is hij onderworpen aan de tachyon-wetten. Hij beweegt zich heel gemakkelijk voort met snelheden die hoger liggen dan die van het licht – een interstellaire reis naar een willekeurig punt binnen de Melkweg neemt niet meer dan dagen in beslag. Daarbij wordt een verrassend kleine hoeveelheid energie verbruikt. De paradox van de tachyon is dat er meer energie voor nodig is om langzaam te gaan dan om snel te gaan.
Maar de capsule in een baan om de aarde krijgen, dát is het moeilijkste deel. Én de lancering, want daarvoor heb je een vrij

groot platform nodig. Dat platform is duur. En verder is het ook nog zwaar.
Het platform in een baan om de aarde brengen is helemaal niet elegant. Er is alleen maar brute kracht voor nodig. Honderd kilo brandstof voor elke gram die je per tachyon verstuurt. Brandstof is brandstof. Je kunt olie gebruiken, of iets dat je maakt met behulp van olie – vloeibare waterstof en vloeibare zuurstof, bij voorbeeld. Hoe dan ook, meer dan vijfhonderdduizend ton olie waren nodig om tien mensen en hun spullen naar Kungs Ster te sturen.
Vijfhonderdduizend ton!
Het was niet alleen de tegenwaarde in dollars. Het was vier supertankers vol brandstof, en alle vier moesten ze uit een van de brandstof exporterende landen komen, en die lieten de laatste tijd merken dat ze niet wars waren van politieke chantage.
De QUIP-Three Conferenties tussen de drie blokken over quota voor importen en prijzen verliepen slecht voor de voedsel exporterende landen. Als Marge er niet voor wist te zorgen dat de noodzakelijke brandstof veilig in de grote tanks van Galveston of Bayonne zat, konden de oplopende brandstofprijzen de kosten tot ver boven Danny's begroting jagen.
Toen alle cijfers veilig in haar hoofd zaten, deed Marge haar bureau in Washington op slot en ging op weg naar Zaal 201 in het oude Rayburn kantoorgebouw, in de wetenschap dat haar werk optimaal was voorbereid.
De te nemen hindernissen hadden een ander kunnen afschrikken, maar dat woord kwam in haar woordenschat niet voor. Haar gedisciplineerde geest hakte het probleem in stukken, en voor elk stuk had ze weer een andere aanpak bedacht. Het probleem waar ze nu voor stond, viel uiteen in vier stukken: de Voorzitter, de Leider van de Minderheidspartij, de Adviseur van het Joint Committee, en senator Lenz. Haar aanpak was in elk geval weer anders.
De leider van de Minderheidspartij was haar vaders vriend en kon veilig aan hem worden overgelaten.
De Voorzitter wilde graag president worden. Hij zou waarschijnlijk moeilijkheden maken als hij een kans zag om daardoor in de publiciteit te komen. Tegenover hem moest ze zich dus een beetje gedeisd houden; verder moest ze hem geen gelegenheid geven om erin te springen. Nadat ze de eed had afgelegd en haar van te voren uitgeschreven verklaring had afgelegd, begon hij als eerste met vragen.

Voorzitter: Mevrouw, ik twijfel er niet aan dat uw motieven uiterst nobel zijn, maar weet u hoe hard we hier in Washington werken om het begrotingstekort zo klein mogelijk te houden?
Kapitein Menninger: Natuurlijk, senator.
Voorzitter: En toch verwacht u dat we u God weet hoeveel miljard dollar geven voor dit project?
Dat was veelbelovend! Hij had niet gezegd 'dit idiote project' of 'deze extravagante geldsmijterij'.
Kapitein Menninger: Ik *verwacht* het niet, senator, ik hoop het. Ik hoop dat het Joint Committee het voorstel goedkeurt omdat het naar mijn mening een investering is die in de loop van de eerstvolgende jaren een rendement zal opleveren dat vele malen groter is dan de geïnvesteerde som.
Voorzitter: Heeft een van mijn collega's nog vragen voor deze getuige?
Die hadden ze, maar ze waren voor het grootste deel nogal oppervlakkig. De belangrijke mensen, zoals senator Lenz, en de leider van de Minderheidspartij, bewaarden hun opmerkingen voor een andere gelegenheid; de minder belangrijke leden wilden eigenlijk alleen maar hun naam in de notulen krijgen.
De Adviseur was een lastiger probleem. Hij was slim. Hij wilde ook heel graag zijn chefs een goeie indruk laten maken door het Joint Committee uit de problemen te houden. Maar toen hij zijn vragen gesteld had – en iedereen half in slaap gevallen was door technische uiteenzettingen over de zwaartekracht van de planeet, nul komma zesenzeventig van die van de Aarde, terwijl de atmosferische druk dertig procent hoger lag – en de zitting werd verdaagd, vond Marge dat de zaak al met al de goede kant op ging.
Senator Lenz bleef wel een probleem. Hij had veel meer invloed in het Joint Committee, en in de Senaat in het algemeen, dan de andere leden. Meer invloed zelfs dan de Voorzitter. Hij moest persoonlijk worden aangepakt, en Margie had haar plannen daarvoor al klaar.
Ze boekte een clamjet naar Houston, maar niet rechtstreeks – via Denver. Haar vader bracht haar met zijn auto naar Dulles Airport. Eigenlijk was het trouwens niet *zijn* auto. De auto was het eigendom van de regering. Godfrey Menninger in feite ook. De auto was zowel een statussymbool als een onmisbaar hulpmiddel bij het werk dat hij deed; twee keer per dag werd het voertuig met elektronische verklikkers en radiopeilers gecontroleerd op bommen en afluisterapparatuur.

'Je hebt je goed geweerd,' zei Menninger tegen zijn dochter.
'Bedankt, pappa. En ook bedankt voor het rapport van die Pak.'
'Stond erin wat je nodig had?'
'Ja, Doe je 'n goed woordje voor me bij de Leider van de Minderheidspartij?'
'Heb ik al gedaan, liefje.'
'En?'
'O, dat zit wel goed. Als je Gus Lenz aan je kant weet te krijgen, hoef je je geen zorgen te maken. Hij zei niet veel bij de hoorzitting.'
'Verwachtte ik ook niet.'
Haar vader wachtte, maar toen Marge verder niets zei ging hij er niet op door. Hij zei: 'Ik heb wat nieuws over die Pakistaanse vriend van je. Hij neemt deel aan een vergadering in K'ushui, samen met een stel behoorlijk hoge pieten.'
'K'ushui? Wat is een K'ushui?'
'Tja, ik wou dat ik je een beter antwoord kon geven dan ik weet. Het is een plaats in Sinkiang, in China. We hebben nog geen, eh, gedetailleerde rapporten binnen. Maar het is niet ver van Lop Nor, en niet echt ver van de radioschotel, en het afgelopen jaar is Erfgenaam-van-Mao er een keer of vijf, zes geweest.'
'Dat lijkt erop dat ze aan het werk zijn gegaan.'
'Denk ik ook, ja. Ik heb jouw schattingen ingevoerd, en de meest waarschijnlijke computer-interpretatie is dat Erfgenaam-van-Mao bezig is met hetzelfde wat jij wilt dat wij doen.'
'Godverdomme!'
'Maak je geen zorgen. Ik heb het tegen de Leider van de Minderheidspartij gezegd, in het volste vertrouwen. En die zal het heus wel overbrieven aan de Adviseur, Gianpaolo. Het legt alleen maar meer gewicht in de schaal.'
'Ik wilde de eerste zijn!'
'De eerste raakt niet altijd de roos, liefje. Hoeveel mensen hebben Amerika niet ontdekt voor de Engelsen het in hun zak staken? Maar vertel me eens wat er zo interessant is aan die planeet.'
Margie keek naar de woontorens van de voorsteden van Virginia, kolossale gebouwen, aan de zuidzijde voorzien van de zwart-op-zwart oneffen vierkanten van zonnepanelen. 'Het stond allemaal in Ahmed Dulla's rapport.'
'Niet gelezen.'
'Jammer. Nou, er is een kleine ster met een hoop kleine snertplaneetjes en één grote. Ongeveer net zo groot als de Aarde.

Zwaartekracht is een tikje minder. De lucht is wat dichter, al is het zuurstofgehalte gelijk. Het is een hoop land, pappa. En het stikt er van organisch leven.'
'Dat hebben we al eerder gevonden.'
'Mossen en kwallen! Kristallen dingen die je leven zou kunnen noemen als je wilde. Dit is anders. Misschien is het leven op deze planeet wel even gevarieerd als op aarde. Misschien is er zelfs een beschaving. De planeet is ook in een ander opzicht interessant. Hij draait niet, ten opzichte van de zon niet, bedoel ik, net zoals de maan niet draait ten opzichte van de Aarde. De ene helft wordt dus continu beschenen door de zon . . .'
Haar vader luisterde op z'n gemak terwijl hij zich net onder zijn navel krabde. Toen zijn dochter ophield om adem te halen, zei hij: 'Wacht even,' en boog zich voorover om de radio aan te zetten; zelfs in een auto die zo vaak op afluisterapparatuur werd gecontroleerd, liet Menninger niets aan het toeval over. Boven het janken van synthetische gitaren uit zei hij: 'Ik moet je iets vertellen dat voor deze zaak van belang kan zijn. De brandstoflanden hebben het over een prijsverhoging van zestig procent.'
'Jezus! Ik drink nooit meer een slok whisky!'
'Nee, dit keer zijn het de Britten niet. Het zijn de Chinezen, vreemd genoeg.'
'Maar die exporteren mensen, geen brandstoffen!'
'Ze exporteren wat ze maar willen,' verbeterde haar vader. 'De enige reden dat ze in het Mensenblok zitten is dat ze daar meer invloed hebben. Erfgenaam-van-Mao speelt zijn eigen spel. Dit keer heeft hij de Vetpotters laten weten dat China op eigen houtje de prijzen zou verhogen, wat de rest van het blok ook deed. Dat was het enige zetje dat de haviken in Caracas en Edinburgh nodig hadden. De Saoedi's waren er natuurlijk voor – die willen zo lang mogelijk doen met wat ze over hebben. En de Indonesiërs en de rest van de kleintjes moeten met de grote jongens meedoen.' Hij zweeg nadenkend. 'En nu kom jij met een aanvrage voor een half miljoen ton olie, en kijk, dat wordt een tikje gecompliceerd.'
'Dat snap ik, pappa. Wat gaan we doen? Ik bedoel niet mijn project, ik bedoel het land.'
'Wat we niet gaan doen,' zei hij grimmig, 'is de graanprijzen verhogen. Dat kunnen we niet. De grap van Erfgenaam-van-Mao z'n maatregel is dat de prijsverhoging alleen geldt voor de export. En daar valt volgens hem olie die wordt verkocht aan andere Fokkers niet onder. Hij verkoopt dus

goedkoop aan de andere Fokkers en dat betekent dat die wat ze voor irrigatie en kunstmest nodig hebben op een koopje krijgen. Als we onze prijzen verhogen wordt het over een jaar of drie, vier economisch haalbaar voor ze om de import van graan te staken. Dat zouden wij hier wel aankunnen, misschien, maar de Sovjets, de Indochinezen, de Bulgaren, de Brazilianen en de rest van Zuid-Amerika – die kunnen dat niet aan. Daar loopt de hele economie in het honderd. Het blok zou uiteenvallen. En natuurlijk is dat precies waarop Erfgenaam-van-Mao mikt!'
Hij parkeerde de auto vlak bij de ingang van het vliegveld. Voor hij de radio afzette zei hij: 'Het gebeurt pas over een paar maanden, denk ik. Je moet dus proberen zoveel mogelijk vaart te zetten achter dat project van je.'
Marge glipte de klamme, warme avondlucht van Virginia in. Over de heg om de parkeerplaats heen rezen de gebochelde ruggen op van een paar clamjets die zo meteen zouden vertrekken. Ze hoorden het lawaai waarmee er twee warm stonden te draaien, en het wat minder agressieve geluid waarmee een derde vertrok.
Marge volgde haar vader toen hij haar tas pakte en op weg ging naar het hoofdgebouw van het vliegveld. 'Pappa,' zei ze, 'mag ik de senator vertellen dat ik – eh – dit weet?'
'Jezus, nee! Waarschijnlijk weet hij het al, maar daar gaat het niet om – *jij* mag het niet weten.'
Tot zijn verbazing lachte ze. 'Ik was toch al een andere aanpak van plan. Hee, pappa, wacht eens, ik neem de vlucht naar Houston niet.'
'Nee?'
'Nee. Ik neem een andere jet.'
Menninger kuste zijn dochter vaarwel bij de passagiersbalie voor de jet naar Denver. Hij keek haar na toen ze in de tunnel verdween, met in zijn hart een mengeling van bewondering en wrevel. Hij had haar willen vragen hoe ze senator Lenz aan wilde pakken, maar die vraag was nu onnodig geworden. Dit was de vlucht die ook senator Lenz zou nemen.

Omdat het een nachtvlucht was, bleef de jet twintig minuten staan om voor te verwarmen voor hij kon vertrekken. De passagiers moesten aan boord zijn, en de stewards draafden op en neer met oordopjes en sympathie. De beste hittebron die er is, is een straalturbine. De motoren die tijdens de vlucht het toestel door de lucht zouden stuwen, waren nu naar binnen gedraaid,

en de schelpvormige smoorplaten verspreidden hun enorme hitte over de hef-sectie.
Marge benutte de tijd goed; ze waste haar gezicht, borstelde haar haar en deed nieuwe make-up op. Ze had de senator aan boord zien komen. Ze overwoog om haar uniform uit te trekken en zich om te kleden in iets vrouwelijkers, en besloot om het niet te doen. Was niet nodig. Was niet verstandig, ook: het kon een berekenende indruk maken, en Marge vermeed heel berekenend om een berekenende indruk te maken.
Het geraas van de opwarmende straalmotoren zweeg, en iedereen maakte zijn gordels vast voor het vertrek. Dat ging met minder lawaai gepaard. De clamjet wipte een paar keer op en neer en schoot toen steil omhoog.
Zodra ze op kruishoogte waren, verliet Marge haar cabine en bestelde een borrel in de 1e klasse salon, voorin het schip. Een paar minuten later stond senator Lenz met een glimlach naast haar. 'Margie,' zei hij. 'Ik wist dat dit een plezierige vlucht zou worden, maar nu pas weet ik waarom.'
Margie klopte op de stoel naast haar. 'Ga je me m'n zeventien miljard geven?'
Lenz schoot in de lach. 'Je verknoeit je tijd ook niet.'
'Kan ik me niet permitteren. De Fokkers gaan erheen als wij niet gaan. Waarschijnlijk gaan ze sowieso. Het is een race geworden.'
Hij fronste zijn voorhoofd en knikte naar de stewardess, die tenger en donker was, en haar United Air Lines uniform als sari droeg. Toen de glazen voor hen stonden, zei hij: 'Ik heb naar je getuigenverklaring geluisterd, Margie. Wat je te zeggen had klonk goed. Maar zó goed dat het zeventien miljard waard is? Ik weet het nog niet.'
'Misschien heb je niet alle bijgevoegde stukken kunnen lezen. Heb je gezien dat de planeet een eigen zon heeft?'
'Weet ik niet meer.'
'Hij is klein, maar niet ver weg. De straling is voornamelijk in de lagere golflengten. Er is niet zoveel zichtbaar licht. Maar een hoop hitte. En de planeet draait niet om zijn eigen as, zoals de Aarde . . .'
'Nou, en?'
'*Energie,* senator! Zonne-energie! Kost bijna niks.'
'Ik begrijp niet precies wat je bedoelt. Is dit sub-stellaire ding heter dan onze zon?'
'Nee, bij lange na niet zo heet. Maar de afstand tussen planeet en zon is veel kleiner. Het belangrijkste is dat hij niet beweegt. Wat

is het grote probleem met zonne-energie hier? De zon blijft niet waar hij is; hij dwaalt de hele hemel door, en de helft van de tijd is hij er helemaal niet omdat het nacht is en hij aan de andere kant van de wereld staat. Kijk maar naar dit schip. We moesten bijna een half uur voorverwarmen voor het gas licht genoeg was om op te stijgen, omdat het al donker was. Aan de kant van de planeet die naar de zon gekeerd is – de enige kant die me interesseert, Gus – is het nooit donker.'

Lenz knikte en nam een slok van zijn glas.

'Het is er nooit donker. Het is er nooit winter. De zon blijft waar hij is, dus je hoeft je Fresnels niet verplaatsbaar te maken. En, wat bijna even belangrijk is, het weer is geen probleem. Je weet hoe laag het rendement is van onze eigen zonne-energie installaties. Als je clamjets overdag niet meetelt, want die zitten een groot deel van de tijd boven de wolken, raken we wel vijfentwintig procent potentiële energie kwijt omdat de wolken het zonlicht blokkeren.'

Lenz keek verbaasd. 'Heeft deze planeet geen wolken?'

'O, zeker wel. Maar dat maakt geen verschil. De straling bestaat bijna helemaal uit hitte, en die gaat dwars door de wolken heen! Reken maar uit. Hier raken we de helft van de potentiële energie kwijt omdat het dan nacht is. Nog een paar procent aan zonsopgang en zonsondergang, omdat de zon dan zo laag staat dat hij niet veel energie geeft. De helft van het jaar verlies je soms wel zestig procent omdat het winter is. En nog eens vijfentwintig procent omdat er wolken tussenin zitten. Tel dat alles bij elkaar op en je mag van geluk spreken als je tien procent haalt van je maximum. Op deze planeet kan een goedkopere installatie bijna honderd procent halen.'

Lenz dacht daar even over na. 'Klinkt interessant,' zei hij voorzichtig, en gebaarde naar de stewardess om hun glazen nog eens vol te schenken. 'Margie, wat heb jij tegen Paks?'

'Paks? Niks, eigenlijk.'

'Je schijnt de concurrentie van deze Ahmed nogal serieus te nemen.'

'Niet persoonlijk, Gus. Ik ben niet dól op Paks. Maar ik heb met een stelletje best goed op kunnen schieten. Ik had een Pak oppasser toen ik les gaf aan West Point. Aardige knul. Zorgde dat mijn kleren altijd gestreken waren en viel me nooit lastig als ik 'm niet in de buurt wilde hebben.'

'Handig apparaat,' zei Lenz.

'Ja, ja, ik begrijp best wat je bedoelt. Maar daar gaat het nu niet

om. Ik ben niet tegen Ahmed omdat het een Pak is. Ik ben tegen de Paks omdat ze tot het andere kamp behoren. Ik kan er niks aan doen, senator – ik ben voor m'n eigen club.'
'Je bent een aardige meid, Margie, maar een tikje te fel, vind ik. Jammer dat je naar West Point bent gegaan.'
'Mis, Gus. Jammer dat zo weinig jonge Amerikanen daar nu de kans toe krijgen.'
Hij schudde zijn hoofd. 'Ik heb voor het plan gestemd om de militaire academies af te bouwen en te snoeien in het militaire budget.'
'Weet ik. Je hebt er nooit verder naast gezeten.'
'Nee. we hadden geen keus. *We kunnen ons geen oorlog permitteren, Margie.* Kun je dat niet begrijpen? Zelfs Pakistan zou ons van de kaart kunnen vagen! Om nog maar te zwijgen van de Chinezen en de Turken en de Polen en de rest van het Mensenblok. Om nog maar te zwijgen van de Britten, de Saoedi's, de Venezolanen. We kunnen ons niet permitteren om met een van die landen in conflict te raken, Margie, en dat geldt voor hen net zo hard. En iedereen weet het. Het zijn onze vijanden niet . . .'
'Maar het zijn wel onze concurrenten, senator,' zei Marge Menninger, terwijl ze rechtop ging zitten. Ze legde grote nadruk op haar woorden. 'Op economisch gebied. Op politiek gebied. Op elk ander gebied. Zo zit het leven toch in elkaar? Het Brandstofblok verhoogt keer op keer de prijzen. En het Mensenblok vraagt elke keer meer geld voor de arbeiders die ze exporteren, anders houden ze ze thuis, en dan zitten we zonder huishoudelijk personeel en stewardessen. En wij beconcurreren hen weer, en Gus, als ik concurreer ben ik een harde. Ik wil winnen! Die planeet van Kungs Ster is iets dat ik wil winnen. Ik geloof dat we een hoop kunnen halen van deze planeet. Ik wil dat alles wat we er vinden aan *ons* ten goede komt. En *ons,* dat is het Voedselblok, de Verenigde Staten, Texas, Houston en hoe ver je maar wilt doorgaan, tot en met blonde ex-leraren aan West Point. Maar hoe klein of groot de groep ook is, als ik er bij hoor dan wil ik dat mijn groep de eerste en de beste is, en het meeste succes heeft! Dat is wat je vaderlandsliefde noemt, senator. Patriottisme. En ik geloof eigenlijk niet dat u daar tegenin wilt gaan.'
'Hm,' Nadenkend keek Lenz haar aan, lichtjes heen en weer bewegend in zijn stoel door het zachte op en neer wiegen van de clamjet. 'We zullen nog wel zien.' Hij glimlachte naar haar. 'Wat zullen we doen met deze nacht die God ons gegeven heeft,

Margie? Het is te laat om goed na te denken, en te vroeg om te gaan slapen. Wil je een poosje naar de sterren kijken?'
'Dat is precies wat ik wil,' zei ze, terwijl ze haar glas leegdronk en opstond. Ze liepen door de bijna lege salon naar het voorste observatiedek en steunden met hun ellebogen op de gepolsterde leuning. De clamjet vloog geruisloos over de golvende heuvels van Virginia. Voor hen volgde Venus de boog van de maan naar de horizon. Even later sloeg Lenz zijn arm om haar heen.
'Even kijken of je nog steeds zo'n grimmige ouwe soldaat bent.'
Margie leunde tevreden tegen hem aan. Lenz was geen grote man. Hij was ook niet erg knap, maar hij was warm en gespierd en zijn arm om haar heen was lekker. Er waren minder plezierige manieren om stemmen te winnen, bedacht ze, terwijl ze haar gezicht naar hem ophief.

Hij deed het. Het Joint Committee keurde het voorstel unaniem goed, en op een warme middag in Georgia, een paar maanden later, werd Margie weggeroepen van haar compagnie omdat er een belangrijk gesprek voor haar was. Zomeroefeningen bootsten de condities van een echte oorlog altijd zo goed mogelijk na. Ze zweette, zat onder de camouflageverf en de vette klei, en wist dat ze behoorlijk stonk. Verder stond haar compagnie op het punt om een heuvel te veroveren die ze persoonlijk had verkend, dus toen ze aan het toestel kwam, was haar stemming om op te schieten. 'Kapitein Menninger,' snauwde ze, 'en wee je gebeente als dit niet belangrijk is!'
Haar vaders stem lachte in haar oor. 'Nou en of,' zei hij opgewekt. 'De President heeft net tien minuten geleden het wetsvoorstel getekend.'
Marge liet zich neervallen op de smetteloze stoel van de compagniessergeant, zonder acht te slaan op diens geschokte blik. 'Jezus, pappa, dat is schitterend!' Ze staarde naar de wanden van de commando-caravan zonder ze te zien, terwijl ze zich afvroeg of het belangrijker was om terug te gaan naar de weekend-soldaten en die heuvel te veroveren of voor Danny Dalehouse het licht op groen te zetten. '. . . wat?' Ze hoorde nu pas dat haar vader nog niet uitgesproken was.
'Ik zei dat er ook ander nieuws was, en dat is niet zo gunstig. Over je Pak-vriend.'
'Wat is er met hem?'
'Weet je nog dat hij op – eh – vakantie zou gaan? Nou, hij is vorige week vertrokken.'

4

De piloot was Vissarion Iljitsj Kappeljoesjnikov. Hij was klein en donker, zoals kosmonauten altijd geweest waren, maar in zijn stamboom zaten veel meer Tartaren dan je op grond van zijn naam zou vermoeden. De eco-technicus van de expeditie was ook een inwoner van de Sovjet-Unie, maar zo lang als een Kozak, en met blond haar; hij heette Pete Krivitin. De officiële commandant van de expeditie was een Amerikaan, Alex Woodring. En ze waren alle drie tegelijk bezig. Alex probeerde te bemiddelen tussen de twee Russen, geassisteerd door Harriët Santori, de tolk. Ze assisteerde niet erg, maar de commandant kwam ook niet erg ver met zijn bemiddelingspogingen. Kappeljoesjnikov wilde landen, dan hadden ze de reis tenminste achter de rug. Krivitin wilde nog één keer naar de rapporten van de verkenner kijken voor hij zijn goedkeuring hechtte aan de landingsplaats. Harriët wilde dat ze zich allemaal gedroegen als volwassen mensen met verantwoordelijkheidsgevoel, goeie *god* nog aan toe. Woodrings probleem was dat, tot ze waren geland, Kappeljoesjnikov de kapitein van het schip was en zijn gezag niet gold. En de ruzie was al meer dan een uur aan de gang.

Danny Dalehouse slikte de aandrang weg om weer tussenbeide te komen. Hij maakte de gespen van zijn versnellingsbank los en tuurde door de patrijspoort. Daar was de planeet – hij vulde het hele venster. Op een afstand van minder dan honderdduizend kilometer, zodat ze hem niet meer in de verte zagen, maar er op neer keken, als het ware. Waarom gaan we er verdomme niet héén, dacht hij geërgerd. Deze mensen schenen niet te beseffen dat ze maar wat aan rotzooiden met zíjn expeditie, en ze hadden ook niet door dat geen van allen hier zou zijn als hij die blonde legerkapitein niet zo gek had gekregen om haar schouders eronder te zetten.

Een stem in zijn oor zei: 'Denk je dat we er ooit zullen komen?' Danny schoof wat naar achteren. De vrouw naast hem was Sparky Cerbo, een van de aardigste mensen die mee waren gegaan, maar na negen dagen op elkaar gepakt te hebben gezeten, begonnen ze allemaal gespannen en geprikkeld te raken. Het gebekvecht vlak bij hen hielp ook niet mee.

'Het ziet er niet zo mooi uit, hè?' ging Sparky dapper door. Dalehouse dwong zich om antwoord te geven. Het was haar

schuld niet dat hij meer dan genoeg had van haar stem, haar gezicht, haar geur, en bovendien had ze gelijk. Zoon van Kung zag er helemaal niet uit als een fatsoenlijke planeet. Danny wist hoe planeten eruit moesten zien. Soms waren ze rood en zwart, zoals Mars. Vaker waren ze wit, of witgevlekt, zoals alle andere planeten in het zonnestelsel, van Venus tot en met de gasreuzen. Deze deed niet eens moeite om er een béétje uit te zien.
Het was niet zozeer de schuld van de planeet als wel van Kung zelf; als ster was Kung incompetent. Als Zoon van Kung in een baan om de Aarde had gedraaid, zou hij er prima hebben uitgezien – zoveel verschillen met de Aarde waren er niet. Maar de planeet had geen behoorlijk zonlicht. Kung gloeide dof, niet veel feller dan de Maan tijdens een volledige maansverduistering. Het enige licht dat op Zoon van Kung viel was bloedrood, en vanuit het ruimteschip zag de planeet eruit als een open wond.
Het zou hebben geholpen als er een duidelijke scheidslijn was geweest tussen dag en nacht, maar Kungs licht was zo zwak dat er alleen maar een vaag overgangsgebied te zien was. Kritivin had ze verzekerd dat zodra ze waren geland en hun ogen zich hadden aangepast aan het duister, ze redelijk goed zouden kunnen zien. In de ruimte dacht iedereen daar zo het zijne over.
En hiervoor, dacht Danny, heb ik een prima baan bij Michigan State University laten schieten.
Het Russische geschreeuw bereikte een climax en verstomde toen plotseling. Kritivin trok zich om de met touwen vastgesjorde machines in het midden van de hoofdcabine heen en keek hen aan, terwijl hij heel kalmpjes lachte, alsof het getier niet meer was geweest dan een beminnelijk praatje over het weer.
'Sara, liefje,' zei hij in zijn volmaakte Engels, 'we hebben je voorin nodig. Jou ook, Daniël.'
'Gaan we landen?' vroeg Sparky.
'Zeker niet! Kappy beseft eindelijk dat het nodig is om er nog één keer omheen te gaan voor we landen.'
'Barst,' zei Sparky; zelfs haar ontembare verlangen om iedereen ter wille te zijn bezweek nu. Dalehouse deelde haar gevoelens; nog een omloop duurde bijna een hele dag, en hij had niets te doen behalve bij iedereen uit de buurt zien te blijven.
'Ja, dat ben ik met je eens,' zei Kritivin, 'maar Alex wil dat je nog een keer probeert om de seinen van de Fokkers af te luisteren.'
Harriët begon te klagen, maar Dalehouse luisterde al niet meer. Hij maakte zijn riemen los en stak vermoeid zijn hand uit naar

de cassettes met gegevens die hij had weggeborgen om later af te luisteren.
Hij deed er een in de houder, stopte de luidspreker in zijn oor en raakte de knop aan. Zacht gesis van de band, af en toe een krakend of klikkend geluid, en in de verte een somber gehuil. Dat waren de geluiden van de wolfsklemlander. De eerste opdracht van het automatische apparaat was het vangen van biologische specimina, gevolgd door een onderzoek in de ingebouwde laboratoria; maar de microfoons hadden geluiden opgevangen die niet uit het apparaat zelf afkomstig waren. Hij had al vijftig keer naar ze geluisterd. Na een tijdje haalde hij zijn schouders op, zette de band stil en pakte een andere cassette.
Dit keer waren de geluiden luider en duidelijker. In dit geval was de lander een zwever geweest, met een kleine reserve aan stuwvermogen en een locator voor kooldioxide; als een vrouwelijke muskiet die op zoek was naar een bloeddonor om haar eitjes te leggen, moest dit ding rondzweven tot het CO_2 vond, en het spoor dan volgen naar de prooi. Vervolgens bleef het in de buurt zweven zolang er geluiden werden geproduceerd die konden worden doorgegeven. Maar wat voor geluiden! Soms leek het wel een troep doedelzakspelers, soms een groep tieners die deden wie het hardst kon klepperen en ratelen. Dalehouse had de frequenties in een grafiek uitgezet, van ver onder het gehoorbereik van de mens tot een heel eind boven het piepen van een vleermuis, en minstens twintig fonemen geïdentificeerd. Dit waren geen vogelgeluiden. Dit was een taal.
Warmte trof zijn huid, en hij draaide zich om naar de patrijspoort. Kung was in zicht gekomen – de zon zag eruit als een uitgeholde pompoen met de gloeiende vuurresten van Hades onder het gevlekte oppervlak. Hij kneep zijn ogen dicht en trok een neutrale-lichtsterkte scherm voor het raam; een blik op de zon was niet gevaarlijk, maar als je er te lang naar staarde kon je best je ogen beschadigen.
In de warmte voelde hij zich slaperig worden. Waarom ook niet, dacht hij, terwijl hij de band afzette. Hij leunde achterover, sloot zijn ogen en gleed net weg toen hij zijn naam hoorde roepen.
'Dalehouse! Kritivin! DiPaolo! Hierheen komen, iedereen.'
Hij schrok wakker, wou dat hij een kop koffie kon krijgen en trok zich naar de werkruimte. Alex Woodring zei: 'De Fokkers hebben weer een rapport verstuurd, en Harriët heeft het voor ons op de band gezet. Let goed op.'
Dalehouse kwam nog een beetje dichterbij, net toen het video-

scherm begon te flakkeren en oplichtte. Er was een plant te zien, roestrood en varenachtig, met framboosachtige vruchten aan de bladeren. 'Draaien die band, Harriët,' zei Woodring ongeduldig. De beelden op het scherm sprongen en flakkerden, en werden toen weer stil.
Eerst dacht Dalehouse dat het weer een bloem was, misschien een vetplant uit een woestijn: rode en gele vlekken, met erlangs druipend iets dat wel een soort sap zou zijn – toen bewoog het. 'Goeie God,' fluisterde iemand. Dalehouse voelde zijn maag in opstand komen.
'Wat is het?'
'Ik denk dat het een witte muis is geweest,' zei Morrissey, de bioloog.
'Wat is ermee *gebeurd?*'
'Dat,' zei de bioloog, grimmig, maar met een spoortje professionele voldoening, 'is wat ik nog niet weet. De Fokkers verstuuren hun gesproken berichten in code.'
'Ze zouden iedereen laten delen in wat ze ontdekten,' snauwde Dalehouse.
'Misschien doen ze dat ook wel. Ik denk dat Erfgenaam-van-Mao zijn UNESCO-delegatie wel een rapport zal laten uitbrengen. En als het in New York is vrijgegeven, stuurt Houston ons vast wel een exemplaar. Maar dat zal nog wel even duren, denk ik. Het beeld is duidelijk: Klong is niet zo gastvrij als we graag zouden willen.' Hij aarzelde, en ging toen verder: 'Ik geloof niet dat het een besmettelijke ziekte is. Meer een allergische reactie, zo te zien. Ik kan me trouwens ook niet voorstellen dat een buitenaards micro-organisme zich zo snel aanpast aan de chemische opbouw van ons lichaam. Ik vermoed dat we voor hen even giftig zijn als zij voor ons, dus we eten niets en we drinken niets behalve onze eigen verzegelde voedselvoorraden en gedestilleerd water.'
'Bedoel je dat we toch gaan landen?' vroeg de Canadese elektronicus ongelovig.
Kapitein Kappeljoesjnikov grauwde: '*Da*!' Hij knikte heftig en zei toen iets tegen de tolk, die effen meedeelde:
'Hij zegt dat we daarvoor hierheen zijn gegaan. Hij zegt dat hij alle nodige voorzorgsmaatregelen zal nemen. Hij zegt dat we na deze omloop naar beneden gaan.'

Dalehouse speelde de vreemde liedjes die de muskietverkenner had doorgeseind een paar keer af, maar de apparatuur die hij nodig had voor een serieuze analyse zat ergens waar hij niet bij kon, en het had niet veel zin om de hele zaak op te zetten. Hij moest het wachten zien door te komen. Soezerig staarde hij naar de planeet en viel langzaam in slaap terwijl hij nadacht over de naam die ze hem zouden geven. Kungson, Kind van Kung, Zoon van Kung – 'Klong, Zoon van Kung' had een van de Amerikanen gezegd – hoe je de wereld ook noemde, je er zorgen over maken deed je toch wel. Toen hij wakker werd, kreeg hij een tube dikke petroleumgelei om zijn hele lichaam mee in te smeren. Misschien dat het hielp tegen giftige planten of wat ze ook aantroffen. Hij kleedde zich weer aan, en wachtte. De elektronicus had zich tussen haar apparatuur geïnstalleerd om verdere berichten van de grond te kunnen opvangen, en wees plaatsen aan op een likriskaart van de naar de zon gekeerde kant van Klong.

'Er schijnt vanuit *twee* stations te worden uitgezonden,' zei Dalehouse.

'Ja. Zal het basiskamp wel zijn en iemand die op expeditie is of zoiets, denk ik. Daar is de basis van de Fokkers . . .' ze raakte een stip aan die aan de rand lag van een paarsachtige zee, aan de ene oever van een honderd kilometer brede baai, '. . . en daar komen de andere seinen vandaan, van de andere kant van de baai. We weten dat dáár hun basis is; die hebben we de vorige omloop gefotografeerd. Niet veel bijzonders. Ze zijn nog niet echt klaar met inrichten, denk ik. De seinen zijn in een pulscode, waarschijnlijk wetenschappelijke gegevens, op weg naar het deel van hun schip dat nog om Klong heen draait. Vandaar worden ze met een tachyonverkenner naar de Aarde vervoerd.'

'Wat is er aan de andere kant van de baai?'

'Niet veel bijzonders. Een soort nest van die krabachtige wezens, maar *die* hebben geen radio.' Ze trok de koptelefoon van haar hoofd en gaf hem åan Dalehouse. 'Luister maar eens naar dat sein.'

Dalehouse stopte de luidspreker in zijn oor. Het geluid was een staccatotweetonig gepiep, klaaglijk herhaald, keer op keer.

'Klinkt droevig.'

De vrouw knikte. 'Ik denk dat het een noodsein is,' zei ze, en fronste haar voorhoofd. 'Alleen schijnen ze er niet op te reageren.'

5

Wat kan over een wezen als Sharn-igon worden gezegd om hem duidelijk en echt over te laten komen. Misschien kunnen we het probleem via een omweg benaderen. Zo, bij voorbeeld:
Stel je voor dat er een vriendelijke, vrolijke man is, een man die kinderen meeneemt naar de speeltuin, polka's danst, Elizabethaanse poëzie leest en weet waarom Renata Tebaldi de grootste Mimi aller tijden is geweest.
Is dat Sharn-igon?
Nee. Dat is alleen maar een analogie. Als we je dan eens vragen of je deze man ooit hebt ontmoet. Je aarzelt, en zoekt de kaartenbak van je geheugen na op toevallige ontmoetingen. Nee, zeg je dan, een vinger tegen je neus, ik geloof het niet, ik heb zo iemand nog nooit ontmoet.
En als wij dan tegen je zeggen: Zeker wel! Donderdag een week geleden. Hij bestuurde een bus, de A 37 die je nam toen je van het station naar de Belastinginspectie ging, en je kwam te laat op een afspraak met de Inspecteur omdat deze man geen biljet van vijf dollar kon wisselen.
Wat zou je dan zeggen? Misschien zeg je wel: Jezus, man! Dat herinner ik me nog heel goed! Maar dat was geen vriendelijke volksdanser. Dat was een buschauffeur!
Zo zou het ook gaan met Sharn-igon. Het is gemakkelijk genoeg om je voor te stellen dat je hem ontmoet (als je je tenminste geen zorgen maakt over hoe je op zijn wereld komt). Laten we een geestelijk experiment uitvoeren om te zien wat er gebeurt. Stel je voor dat je buiten de tijd en de ruimte staat, als een god die vanuit een wolk omlaag staart. Je raakt Sharn-igons planeet aan en trekt het dek weg. Je bekijkt hem eens goed.
Wat zie je dan?
Je zou hem kunnen proberen te beschrijven door te zeggen dat Sharn-igon politiek conservatief was, zeer moreel en in essentie eerlijk. Je zou kunnen proberen sympathie voor hem op te wekken door te zeggen dat hij (ken je er nog meer zo?) binnenin gilt van ongenezen pijn.
Maar zou je dat zien?
Of zou je kijken, hijgen van schrik, vol weerzin je vinger terugtrekken en zeggen:
Jezus, man! Dat is geen gewoon mens. Het is een buitenaards

wezen! Het leeft (leefde? zal leven?) duizend lichtjaren ver weg, op een planeet die om een ster draait die ik nog nooit eerder gezien heb! En bovendien ziet het er erg *eng* uit. Als ik zou moeten zeggen hoe het eruit zag, en ik zou zo vriendelijk mogelijk zijn, dan zou ik moeten zeggen dat het eruit zag als de helft van een voor een deel verpletterde krab.
En natuurlijk zou je het gelijk aan je kant hebben . . .

Zoals Sharn-igon zichzelf zag – dat was heel anders.
Hij is bijvoorbeeld niet van het ene ogenblik op het andere uit de lucht komen vallen. Hij is een individu. Hij staat in een bepaalde verhouding tot andere individuen. Hij maakt deel uit van een gemeenschap van individuen. Hij beweegt zich voort door een dicht web van zeden, wetten, gebruiken en tradities. Hij was niet als iedere andere Krinpit (zoals zijn volk zichzelf noemde), hoe volkomen identiek ze op het eerste gezicht ook mogen lijken als je ze ziet. Hij was Sharn-igon.
Om een voorbeeld te noemen: Sharn-igon haatte Ring-Groeten, al was het nu juist de tijd voor het Ring-Groeten. Voor hem was dat het eenzaamste en ergste deel van de cyclus. Hij had iets tegen de drukte, hij haatte de valse, hypocriete sentimenten. Alle winkels en bordelen hadden een drukke tijd, want iedereen probeerde geschenken te krijgen en zwanger te worden, maar het was een lege spotternij in Sharn-igons leven, omdat hij alleen was.
Als je het hem gevraagd had, zou Sharn-igon hebben gezegd dat hij Ring-Groeten altijd had gehaat, in ieder geval altijd sinds zijn laatste rui. (Toen hij nog maar een jong zaadje was, dat net begon te wuiven op zijn man-moeders rug was hij er dol op, natuurlijk. Alle zaadjes waren er dol op. Ring-Groeten was voor kinderen iets geweldigs.) Dat was niet helemaal waar. De vorige cyclus hadden hij en zijn hij-vrouw, Cheee-pruitt, een heel vrolijke Ring-Groeten gehad.
Maar Cheee-pruitt was er niet meer. Sharn-igon seinde naar zijn scherm, bijna struikelend over een oneetbare geest die ervoor lag. Geen antwoord. Hij aarzelde. Iets – misschien de geest – scheen zijn naam te roepen. Maar dat was belachelijk. Na een ogenblik van besluiteloosheid schoof hij over de overvolle brug naar – laten we het een café noemen – voor een paar snelle kauwhappen.
Kijk nu eens naar Sharn-igon, kauwend op slierten hallucinogene varens, twee tot drie hoog opgestapeld rond de Krinpit die

ze kneedde en uitdeelde. Het was een mooi individu, zijn ras kon trots op hem zijn. Hij was mannelijk breed – meer dan twee meter van rand tot rand – en aangenaam slank, niet meer dan veertig centimeter tot aan de bovenkant van zijn pantser. Ondanks zijn stemming vonden ongepaarde mannen en vrouwen van allerlei kaliber hem aantrekkelijk. Hij was jong, gezond, seksueel potent en geslaagd in het beroep dat hij had uitgekozen.

Maar eigenlijk is dat niet helemaal waar, omdat we hier met een paradox te maken hebben.

Sharn-igons werk was een vorm van sociaal werk. Hoe meer succes hij had, gedefinieerd als het voldoen aan zijn persoonlijke behoeften, des te slechter de samenleving waarvan hij deel uitmaakte er aan toe was. Alleen als Krinpit in de problemen zaten, wendden ze zich tot iemand als Sharn-igon. De Krinpit waren maatschappelijk van elkaar afhankelijk, en wel in een mate die bij een technologische cultuur op Aarde meestal niet voorkomt. Misschien vind je een voorbeeld van hecht met elkaar verbonden individuen bij de Eskimo's of de Bosjesmannen, waar ieder lid van de clan van ieder ander lid opaan moest kunnen, omdat ze anders allemaal zouden sterven. Het Ring-Groeten bracht de gebruikelijke oogst van beschadigde ego's, het gevolg van eenzaamheid in de vreugde van deze bijzondere dag. Hij had het drukker dan ooit tevoren, en dus was hij minder gelukkig.

Sta op je wolk en kijk neer op Sharn-igon. Je vindt hem er heel vreemd uitzien, en misschien wel heel afstotelijk, zeker. Zijn halfronde schild is bezaaid met dingen die eruit zien als zeiltjes van chitine. Sommige zijn een paar centimeter hoog, andere veel kleiner, en eromheen snellen, klikkend en krassend, kleine dingen die eruit zien als luizen. In feite zijn het helemaal geen luizen. Het zijn zelfs geen parasieten, behalve wanneer je een foetus ziet als een parasiet op de moeder; het zijn de jongen. Sharn-igon is niet de enige Krinpit in het café die jongen bij zich heeft. Van de honderd individuen in het café zijn er een tiental in de broed-man fase. Soms valt een van de rondrennende wezens van een schild, of wordt meegevoerd op het pantser van een andere Krinpit die per ongeluk langs het pantser van de ouder schuurt. Ze begrijpen meteen wat er gebeurd is en proberen wanhopig om weer terug te komen.

De beide uiteinden van Sharn-igons pantser zijn van gevlochten chitine, aan elkaar verbonden met kraakbeen. Dat deel is steeds in beweging, uitwaaierend als een accordeon, opzij gaand, uit-

dijend als een pauwestaart. Hij glijdt over de aangestampte aarden vloer of over de lichamen van de Krinpits onder hem (in de gemoedelijke sfeer van het café vindt niemand het erg als er over hem wordt gelopen), gedragen door twaalf benen.
Nadat hij drie snelle kauwhappen had genuttigd voelde hij zich wat beter, liep het café uit en over het met gras begroeide veld, zonder zich te haasten, zonder een bepaald doel voor ogen – bij wijze van spreken. Aan weerszijde van het pad staan dingen die je zou kunnen omschrijven als tamelijk haveloze Japanse kamerschermen. Ze zijn niet versierd, maar ze zijn voorzien van scharnieren en zijn open of dichtgeklapt, en er zijn allerlei formaten. Ze scheiden huizen en de gelegenheden waar men bijeenkomt om handel te drijven of gewoon samen te zijn. Van de tweede categorie zijn een aantal vol Krinpit, zoals het café, terwijl andere ruimten vrijwel leeg zijn. Ook de schermen zijn bezaaid met kleine, zeilachtige uitsteeksels, maar verder niet versierd, of van tekens voorzien. Wat een mens meteen zou zien is dat ze niet gekleurd zijn. De Krinpit begrijpen kleur niet, en in het licht van Kungs Ster, bloedrood en dof, zou je trouwens niet veel kleur kunnen onderscheiden, ook als het er was.
Zo zou het toneel eruitzien voor menselijke ogen. En voor de ogen van de Krinpit? Een zinloze vraag, omdat de Krinpit geen ogen hebben. Ze hebben fotosensitieve receptoren op hun schaal, maar er is geen lens, geen netvlies, geen mozaïek van gevoelige cellen dat een beeld kan analyseren en vertalen in gegevens.
Maar hoe duister het toneel ook was, het was wel lawaaierig.
Iedere Krinpit uitte voortdurend schallend hard zijn naam. Niet echt zijn 'naam', zoals Eleanor de naam was van de vrouw van Franklin Roosevelt. De naam was niet een arbitraire conventie. De naam bestond uit het geluid dat elke Krinpit maakte. Geluid stuurde hen, met geluid tastten ze de wereld om zich heen af en verwerkten de informatie in hun snelle en heel competente brein. De geluidspulsen die ze voortdurend uitzonden om de echo's te lezen waren hun 'naam'. Elke naam verschilde van alle andere namen, en elke naam werd ook voortdurend verklankt, zolang de eigenaar ervan leefde, in feite. Het belangrijkste lichaamsdeel bij het produceren van geluid was de onderkant van de buik, die zo hard en strak was als een trommel. Er zat een opening in zoals bij een dolfijn, die in staat was een opmerkelijk groot aantal klanken te produceren. De 'knieën' van de benen konden hier en daar de 'klinkers' die de buik maakte kracht

bijzetten met trommelachtige 'medeklinkers'. Ze waren omringd door muziek, waar ze ook liepen. Ze konden zich niet geruisloos voortbewegen. De precieze geluiden die ze voortbrachten waren te beïnvloeden; ze hadden als soort een uiterst ingewikkelde, geavanceerde taal ontwikkeld. De geluiden die hun herkenningssignaal werden, konden ze waarschijnlijk het gemakkelijkst produceren, maar ze konden daarnaast vrijwel elk ander geluid binnen het frequentiebereik van hun 'oren' voortbrengen. Wat dit betreft hadden hun stemmen veel weg van die van mensen.

Waar Sharn-igon dus ook heen liep, hij was voortdurend omringd door dat geluid: 'Sharn', een hoger wordend, aanhoudend geluid als een zingende zaag, met een achtergrond van witte ruis, 'igon', een staccato dubbele tromslag die aan het eind weer zakte. En niet alleen Sharn-igon deed dit. Alle Krinpit brachten voortdurend hun naamgeluid voort als ze geen andere geluiden maakten. En niet alleen de Krinpit maakten geluiden. Hun omgeving zong tegen hen. Elk met schermen afgesloten vak was voorzien van geluid makende machines, aangedreven door de wind. Bijna allemaal waren ze voorzien van ratels, of ruispijpen of snorrebotten of rondgebogen snaren, die allemaal hun eigen, herkenbare geluid maakten.

Een mens zag Sharn-igon dus als een scheve krab die tussen een kletterende massa andere krabben voortscharrelde, in een hels dofrood licht, terwijl van alle kanten een inferno van herrie en rauwe geluiden opsteeg.

Sharn-igon zag het heel anders. Hij slenterde doelloos over een straat, een straat die hij zich goed herinnerde. De straat had een naam; een vrij getrouwe vertaling zou 'de Grote Witte Weg' zijn.

Bij de kruising van de Grote Witte Weg met de Poel der Parenden raakte Sharn-igon in gesprek met een kennis.

'Hebt u kennis van verblijfplaats van Cheee-pruitt?'

'Negatief. Gissing: statistisch waarschijnlijk dat hij aan meerzijde van dorp is.'

'Waarom?'

'Sommige individuen gekwetst of ziek. Vele toeschouwers. Een aantal afwijkende geesten gemeld.'

Sharn-igon beduidde dat hij de ander begrepen had en ging de kant van het meer op. Hij herinnerde zich dat er enige tijd geleden een geest bij Cheee-pruitts woning scheen te zijn ge-

weest. En de geest was afwijkend van de norm. Er waren twee soorten geesten. De Geesten Boven waren heel gewoon, en gemakkelijk 'zichtbaar' omdat ze zoveel geluid maakten, al kaatsten ze vrijwel geen echo terug als de Krinpit hun sonar op ze richtten. Ze waren goed eetbaar als je ze tenminste te pakken kon krijgen. De Geesten Beneden waren bijna onzichtbaar. Ze maakten zelden zichtbare geluiden, en kaatsten weinig echo terug; meestal zag men hen als hun graven een Krinpit gebouw of boerderij beschadigde. Ook zij waren goed eetbaar, en als de Krinpit het geluk hadden een nest met jongen te vinden, werd er systematisch op deze geesten gejaagd.
Maar wat waren deze afwijkende geesten, die nog tot de Geesten Boven noch tot de Geesten Beneden behoorden?
Sharn-igon liep langs de Poel der Parenden, tot hij bij het Plein der Visverkopers kwam, en langs de waterkant naar de heftige beroering bij de Aanlegplaats van Vlotten. Iets bijna onzichtbaars danste op en neer met het zachte wiegen van het water in de baai. Al gebruikten de Krinpit maar weinig metaal, Sharn-igon herkende de heldere weerkaatsing ervan; maar het heldere metaal scheen te drijven boven iets dat zo zacht en immaterieel was dat het vrijwel geen echo opleverde. Het heldere deel weerkaatste niet alleen Sharn-igons geluiden op bijna verblindende wijze, maar produceerde ook zelf geluid: een zacht, hoog, gestaag gejank, een onregelmatig droogzand geritsel. Sharn-igon kon de geluiden niet identificeren, maar hij had dan ook nog nooit een TV-camera of een radio-transponder gezien.
Hij hield een van de Krinpit staande die geïrriteerd wegliep uit de groep en vroeg wat er aan de hand was.
'Een paar Krinpit probeerden de geest te eten. Ze zijn beschadigd.'
'Heeft de geest ze beschadigd?'
'Negatief. Na het eten raakten ze beschadigd. Eén geest is nog steeds aanwezig. Adviseer negatief over eten.'
Sharn-igon kaatste wat zorgvuldiger geluiden tegen de vreemde Krinpit. 'Heb jij ook van de geesten gegeten?'
'Een heel klein beetje, Sharn-igon. Ook ik ben beschadigd.'
Sharn-igon raakte met zijn scharen de scharen van de ander aan en liep verder, bezorgd om Cheee-pruitt. Hij hoorde hem nergens in de menigte, maar het lawaai was verblindend. Minstens tweehonderd Krinpit gleden en kropen krassend en knarsend over elkaars pantsers en verdrongen zich om de bloederige massa die eens een van de 'geesten' was geweest. Sharn-igon

bleef staan en tastte besluiteloos de omgeving af.
Van achter hem dacht hij zijn eigen naam te horen, slecht uitgesproken maar herkenbaar: *Sharn-igon*. Toen hij zich omdraaide, identificeerde zijn hoogontwikkelde vermogen om geluiden te lokaliseren de bron. Het was de geest. De geest scheen zijn naam uit te spreken. Sharn-igon liep behoedzaam naar voren; hij had weinig op met de geur en het gesmoorde, schimmige echo-geluid van de geest. Maar het was wel heel eigenaardig. Eerst zijn eigen naam: Sharn-igon. En er tussendoor – ja, wat? Een andere naam? Het was in ieder geval geen Krinpit naam, maar de geest herhaalde hem, keer op keer. Hij klonk als OCK med doel LAH.

Aan de andere kant van de baai van de Culturele Revolutie, vijftig kilometer van de Krinpit nederzetting vandaan, spoelde Feng Hua-tse de latrine-emmers in het paarsige water en droeg ze terug naar de serie blaasbellen die het hoofdkwartier vormden van de expeditie van het Mensenblok. Van de oever kon je het landingsvaartuig helemaal niet zien. De bellen eromheen onttrokken het aan het gezicht. Door de transparante wanden van de dichtstbijzijnde bel (ze hadden ze ondoorzichtig kunnen maken, maar de groepsbeslissing was geweest dat zuinig zijn met energie belangrijker was dan privacy) kon hij de vage schaduwen zien van de twee vrouwen die waren aangewezen om voor de zieken te zorgen. Dat was niet gebeurd omdat het vrouwen waren, maar omdat ze eigenlijk zelf in bed hadden moeten liggen. Maar ze konden zich wankelend voortbewegen en min of meer voor zichzelf en de twee ernstig zieken zorgen. Er was niemand anders die dit werk kon doen.
Feng zette de schone emmers in de ziekenbel. Hij vond het zonde, deze verkwisting van kostbare meststoffen. Maar het was zijn eigen beslissing om de uitwerpselen van de zieken in de baai te gooien in plaats van ze te gebruiken voor hun minuscule tuin. Tot ze wisten wat een lid van de expeditie het leven had gekost en vier anderen ziek had gemaakt – in één klap bijna de helft van de groep uitgeschakeld! – wilde Feng niet het risico van verdere besmetting lopen. Het was jammer dat de bioloog het ziekste was; zijn kennis was hard nodig.Maar Feng was in zijn jeugd een 'blote voeten' bioloog geweest, en hij zorgde dat de experimenten met de dieren werden voortgezet, stuurde regelmatig tactran rapporten naar Peking en onderzocht vier keer per dag de zieken.

Hij bleef even staan in de radiokamer. Het videoscherm waarop de beelden werden geprojecteerd die werden opgevangen door de camera van de kleine groep die de baai was overgestoken, vertoonde nog steeds hetzelfde monotone beeld. Blijkbaar was de camera op het vlot achtergelaten, en blijkbaar was het vlot heen en weer gaan draaien in de trage, grillige stroming van de baai, zodat de camera slechts af en toe een stukje van de kust liet zien, vierhonderd meter verderop. Soms zag je een krabachtige lopen, en ving je een glimp op van hun lage, wrak uitziende gebouwen. Maar Ahmed Dulla of de man uit Costa Rica die met hem mee was gegaan, had hij nog niet gezien.
Buiten de bel voor de communicatie-apparatuur schepten de twee West-Indiërs moedeloos aarde in geweven mandjes. Feng sprak ze scherp toe, en even werkten ze wat sneller door. Zij waren ook ziek, maar het was nog niet duidelijk of het dezelfde ziekte was als de anderen hadden. Ze zouden zich hier thuis moeten voelen, bedacht hij bitter. De hitte en de vochtigheid waren bijna onverdraaglijk – alsof je middenin een tropisch regenwoud zat. Wat nog erger was, was het licht, altijd hetzelfde doffe rood, nooit helder genoeg om goed te kunnen zien, nooit donker. Feng had sinds de landing al hoofdpijn, en zelf dacht hij dat het alleen maar kwam omdat zijn ogen zo hard moesten werken. In ieder geval had hij niets gegeten dat van Zoon van Kung afkomstig was. Hij was fortuinlijker – of wijzer – geweest dan de vier in de ziekenboeg en de man die gestorven was, om maar te zwijgen van de ratten en marmotten waarop ze het hadden uitgeprobeerd. Waarom had hij zich door zo'n arrogante kwast als die Dulla over laten halen om de groep in tweeën te delen? Zeker, het was gebeurd voor het vijftal zo ziek werd. Maar toch was het een vergissing geweest, Wanneer hij terugkeerde in Shensi, zei Feng bij zichzelf, zou een lange dag van zelfkritiek volgen.
Als hij terugkeerde.
Hij tilde twee manden aarde op zijn juk en ging de dam inspecteren. Dat was zijn grootste hoop. Als de dam klaar was, zouden ze genoeg elektriciteit hebben. Elektriciteit voor de ultraviolette lampen, nu nog opgeborgen in het ruim van het landingsvaartuig, die van de zwakke, bleke zaailingen sterke planten zouden maken, een rijke oogst op zouden leveren. Er was niets verkeerd met deze grond! Hoeveel mensen er ook ziek werden, zelfs al stierven ze – het was niet de schuld van de grond. Feng had hem fijngewreven tussen wijsvinger en duim,

eraan geroken, had hem met een spade gekeerd en verwonderd gekeken naar de kruipende dingen die erin zaten. Die waren vreemd, maar het betekende wel dat de grond vruchtbaar was. Wat ontbrak, was behoorlijk zonlicht. Dat zouden ze zelf moeten maken, zodra de dam klaar was, en dan, zwoer Feng, zouden ze een oogst krijgen waarop een collectieve boerderij in Shensi jaloers kon zijn.
Het begon te regenen toen hij terug liep, trage, dikke, warme druppels, die onder zijn katoenen jasje over zijn rug gleden. Dat was ook goed: er was meer dan genoeg water. Niet alleen was het goed voor de planten, maar het zorgde ook dat er niet teveel sporen kwamen, en Feng had er zo'n vermoeden van dat zij wel eens de oorzaak konden zijn van de ziekte. Zelfs door de wolken kon hij de warmte van Kung Fu-tze voelen. De zon was niet zichtbaar, maar gaf de wolken de dreigende, rossige kleur van een hemel boven een grote stad in de verte. Zo zou het blijven totdat de luchtmassa die de bewegingen van de wolken beheerste wegtrok; dan zouden ze dat verre hete kooltje zien, en de purperzwarte hemel, bezaaid met sterren.
Feng liep over het bospad terug naar het hoofdkwartier om de vallen te controleren. In een ervan zaten twee veelpotige wezens, die wel wat weghadden van landkrabben. De een was dood, de ander at de dode krab. Feng gooide ze er allebei uit en nam niet de moeite om de val weer op scherp te zetten. Ze zaten te krap in hun mensen om nog meer proefdieren aan te kunnen. Drie van de vallen waren dichtgeslagen, maar leeg, en een was gewoon verdwenen. Feng mompelde bozig in zichzelf toen hij verder liep. Er was een hoop onbekend over de fauna van dit varenbos. Wat had bijvoorbeeld de val gestolen? De meeste wezens die ze hadden gezien, waren insektoïden of krabachtigen, niet groter dan een hand. Er waren grotere – de intelligente wezens (als ze werkelijk intelligent waren) in de nederzetting aan de andere kant van de baai waren daarvan het bewijs; zij waren even groot als een mens. Maar de wilde, als ze bestonden, bleven uit het gezicht. En er was iets dat in de hoge, bossige varens leefde. Je kon ze horen, af en toe zelfs een glimp van ze opvangen, maar niemand had er tot dusverre een weten te vangen of zelfs maar te fotograferen. Het was logisch dat als er kleine wezens waren er grotere waren die ze aten, maar waar waren die dan? En hoe zouden ze eruit zien? Wolvetanden, katteklauwen, krabscharen? – Feng zette deze gedachten van zich af; ze waren nauwelijks geruststellend. De plaatselijke fauna zou ongetwijfeld de men-

sen even onverteerbaar vinden als de mensen de plaatselijke fauna.
Maar misschien hadden ze dat niet meteen door.
Het begon er naar uit te zien dat mensen op Klong niets eetbaars zouden vinden. De bioloog had op een gegeven moment monsters van micro-organismen van de leden van de expeditie moeten nemen en er een cultuur van gemaakt op platen agar-agar – de laboratoriumdieren waren allemaal al dood. En dan probeerde hij elk veelbelovend uitziend stuk dier of plant dat ze hem brachten, en liet een paar druppels van het papje dat hij ervan maakte op de agar-agar vallen, en stuk voor stuk vernietigden ze de donker wordende kring van groeiende bacteriën. Het zouden volmaakte antibiotica geweest zijn, alleen doodden ze de patiënt nog sneller dan de ziektekiemen die hem bedreigden.
Maar toch. Snij een ring bast uit de bomen. Laat ze maar doodgaan. Draineer het natte land . . . Maar de bomen schenen niet echt een bast te hebben. Eigenlijk waren het helemaal geen bomen. Platbranden zou misschien wel niet gaan. Maar er was vast wel een andere manier! De akkers van Zoon van Kung zouden vrucht dragen, hoe dan ook!
Hij merkte dat zijn naam werd geroepen.
Hij draaide zich om en draafde naar de nederzetting terug. Toen hij bij het strand arriveerde, waar het gebladerte minder dicht werd, zag hij een van de lopende zieken opgewonden zwaaien. Hijgend liep hij erheen. 'Wat, wat?'
'Een radiobericht van de langneus, Dulla! Een noodsein, Hua-tse.'
'Tsjach! Wat zei hij?'
'Hij zei niets, Hua-tse. Het is het automatische noodsein. Ik probeerde hem op te roepen, maar hij reageerde niet.'
'Natuurlijk!' snauwde Feng, terwijl hij woedend zijn handen in elkaar klemde. Weer iets dat hij voor het front van de commune zou moeten bekennen. Twee leden van de groep in gevaar, misschien al dood, omdat hij zo dwaas was geweest om toe te staan dat de groep zijn krachten splitste. Twee onvervangbare leden – een man uit de heuvels en een Zuidamerikaan, dat wel, maar toch: mensen. Hun afwezigheid zou ernstige gevolgen hebben. En niet alleen mensen waren weg. Een van hun drie televisiecamera's. De radiotransponder. Het kostbare plastic dat was gebruikt om de boot te maken. Er was maar een beperkte hoeveelheid plastic. Ze hadden een groot deel ervan verspild

aan de bellen waarin ze hun zieken hadden gelegd, hun apparatuur, hun schamele bezittingen. Dat was ook dwaas geweest; het varenbos was een onuitputtelijke voorraad houtige stammen die ze konden gebruiken voor de constructie van hutten, en de bladeren konden ze gebruiken voor het dak en de muren. In deze vochtige hitte hadden ze niet meer nodig dan dat, maar hij was zo zwak geweest om bellen te laten maken in plaats van te gebruiken wat in de natuur voorhanden was.
Konden ze een tweede boot maken? Het was helemaal niet zeker dat er genoeg plastic zou zijn voor romp en zeilen, en als het plastic op was, hoe kwamen ze dan aan meer? Wie kon hij sturen? Van de oorspronkelijke elf expeditieleden was er een dood, twee werden vermist en vier waren er ziek. Was het niet nog dwazer om hun krachten verder te versnipperen, om te proberen de schade te herstellen die hun eerste dwaasheid had aangericht? En wat konden ze doen als ze erin slaagden om een tweede boot te maken en naar de andere kant van de baai zeilen? Wat er met de heuvelman en de Zuidamerikaan was gebeurd kon ook de mensen overkomen die achter hen aan werden gestuurd. Ze hadden maar heel weinig dat als wapen kon worden gebruikt, en dat beetje hadden Dulla en de andere man nog meegenomen – zonder dat ze er veel aan hadden gehad, kennelijk . . .
'Doen we iets, Hua-tse?'
Zijn gedachtengang werd abrupt afgebroken. 'Wat?'
'Gaan we proberen om onze kameraden te helpen?'
Feng klemde zijn handen nog harder in elkaar. 'Waarmee?' snauwde hij.

6

Op een planeet die geen nachten kent, zijn de dagen eindeloos, bedacht Danny Dalehouse, een meter diep in de grond van Klong – en hij moest nog minstens een meter dieper. Zijn spieren deelden hem mee dat hij al minstens acht uur deze latrine aan het graven was. De ontmoedigend kleine hoop grond naast het gat sprak dat tegen, en de rossige gloed achter de wolken boven hem hielp ook al niet. Latrines graven was niet de reden waarom hij met de expeditie was meegegaan. Maar het was iets dat gebeuren moest, en hij was duidelijk de man die het beste gemist kon worden. Alleen – waarom moest het nou zo lang duren?

Ze waren pas drie dagen op de planeet (niet dat er dagen waren, maar oude gewoonten waren taai), en het plezier van het avontuur was al behoorlijk aan het slijten. Wat niet echt onaangenaam was, zoals latrines graven, was gewoon vervelend. Wat niet vervelend was, was eng, zoals de dolle storm die een paar uur na hun landing hun eerste tent had meegesleept, of irriterend en onaangenaam, zoals de jeukplekken die ze allemaal hadden en de ingewandsstoornissen die de latrines zo essentieel maakten. En om het nog erger te maken, schenen ze gezelschap te hebben. Kappeljoesjnikov was vloekend in het Russisch komen rapporteren dat er een derde tactranvaartuig was verschenen en in een baan om Klong draaide. Vetpotters natuurlijk. Dat betekende dat alle drie de wereldblokken nu een expeditie op Klong hadden. Daar ging de schone hoop van elke pionier.

Zijn schop raakte lucht.

Danny verloor zijn evenwicht, dook voorover en belandde op zijn hurken in de put, zijn gezicht bijna in het gat dat plotseling was verschenen. Er kwam een koele, wat muffe geur uit, die hem deed denken aan dichte kelders en kooien met witte muizen, en hij hoorde snelle, steelse bewegingen.

Slangen? Hij zette de gedachte meteen weer van zich af. Dat was een angst die zijn leven op Aarde hem ingaf, en bij Klong paste het niet. Maar wat het ook was, het kon gemakkelijk nog veel dodelijker zijn dan een nest ratelslangen. Hij schoot dan ook snel het gat weer uit en schreeuwde: 'Morrissey!'

De bioloog stond maar een paar meter bij hem vandaan; hij stopte plantenmonsters in conserverende vloeistof en verzegelde

ze daarna in plastic zakken. 'Wat is er?'
'Ik heb net een gat geraakt. Misschien een tunnel. Wil je eens zien?'
Morrissey keek naar de paarsachtige zaadpeul in zijn forceps, en toen weer naar Dalehouse z'n gat, in duidelijke tweestrijd. Toen zei hij: 'Ja, goed, alleen moet ik eerst deze wegbergen. Niet meer graven.'
Dat was een welkome order en Dalehouse gehoorzaamde dankbaar. Hij begon eraan gewend te raken om orders te accepteren. Zelfs als latrine-graver kon hij van het ene ogenblik op het andere in z'n kraag worden gepakt voor een klusje: Harriët liet hem helpen bij het opzetten van haar radio, Morrissey bij het dichtsmelten van zijn plastic zakken, Sparky Cerbo bij het opsporen van de tomaten-in-blik en de messen die tijdens de storm waren verdwenen . . . Hij had al twee keer het chemische toilet van het landingsvaartuig moeten legen in een ondiepe kuil en de grond van Klong eroverheen moeten scheppen omdat de rest van de bemanning niet kon wachten tot hij het karwei geklaard had waar ze hem steeds vandaan haalden zodat hij het niet kon klaren.
Het was allemaal heel vervelend. Maar hij liep op Zoon van Kung! Hij kon de vreemde geuren van de planeet ruiken – kaneel, en schimmel, en gemaaid gras, en iets dat leek op eigengebakken appeltaart, maar eigenlijk allemaal toch iets anders. Hij kon het landschap zien – hij zag daar zelfs heel wat van, een spade per keer.
Het was wat hij had verwacht, een expeditie van specialisten. Dalehouse was geen kok, geen boer, geen arts, geen radiotechnicus. Hij bezat niet een van de gespecialiseerde vaardigheden van de anderen. Hij was het enige lid van de expeditie dat meer dan één ding kon, en dat zou zo blijven tot ze in contact kwamen met de intelligente wezens die de planeet bewoonden en hij gebruik kon gaan maken van zijn talenten om met ze te communiceren – die scheen hij te hebben. Ondertussen deed hij het nederigste werk dat er was.
De Russische piloot, Kappeljoesjnikov, schreeuwde zijn naam. 'Jij, Danny, hier komen. Drinken! Zweet terugstoppen!'
'Best.' Danny zag tot zijn tevredenheid dat Kappy een glas in zijn handen had waarin een centimeter water zat, en breed grijnsde. Hij had eindelijk het destilleertoestel aan de praat gekregen. Dalehouse slikte de paar druppels door en veegde dankbaar zijn mond af, en toen zijn natte voorhoofd. Wat dat

betreft had Kappy gelijk. In de klamme, vochtige lucht zweetten ze allebei behoorlijk. Het destilleertoestel was voorzien van een kleine oliespraybrander – je kon net zo goed biljetten van honderd dollar verstoken. Later zouden ze het naar de oever van het meer slepen en het laten werken op zonneënergie, maar nu hadden ze water nodig om te drinken. 'Lekker, hè?' zei Kappeljoesjnikov. Je voelt geen zwakte, alsof 't een soort vergif is? Nee? Okee. Dan gaan we drinken brengen naar Gasha.'

De tolk had zich benoemd tot supervisor en organiseerde nu het opzetten van het kamp, zonder dat iemand zich daartegen verzette. Ze zat uren boven haar radio en probeerde wat ze binnenkreeg te herleiden tot iets begrijpelijks, maar ze zei dat de andere helft van haar brein in staat was om ieders werkzaamheden te controleren. Misschien was dat ook wel zo, dacht Dalehouse. Harriët was het onaangenaamste lid van de expeditie, en niemand wilde haar eigenlijk tegen de haren in strijken. Ze was ook vrijwel het onaantrekkelijkst, met sliertig zwart haar en een uitdrukking van permanente teleurstelling op haar gezicht. Maar ze was dankbaar voor het water, zij het niet van harte, 'Dank je dat je de destillator aan de gang gekregen hebt. En Danny, jij bedankt voor het graven van de latrine, natuurlijk. Als jullie tweeën nu . . .'

'Ik ben nog niet klaar. Jim wil eerst naar een gat kijken. Is er iets nieuws op de radio?'

Harriët glimlachte, met haar lippen op elkaar. 'We hebben een bericht ontvangen van de Fokkers.'

'Over die vent die daar in de penarie zit?'

'Nee hoor. Kijk zelf maar.' Ze gaf hem een vel folie waarop gedrukt stond:

> De Volksrepublieken steken een hand van vriendschap uit naar de tweede expeditie die op Kind van Kung is gearriveerd. Door vreedzame samenwerking zullen wij komen tot een roemrijke triomf voor de hele mensheid. We nodigen u uit om samen met ons de vijftienhonderdste verjaardag te vieren van de geschriften van Confucius, naar wie onze ster is vernoemd.

Dalehouse stond perplex. 'Is dat geen winterfeestdag?'

'Wat weet je veel vandaag, Dalehouse. Het is een feestdag in december. Onze instructeur noemde het het Confuciaanse antwoord op Chanoekah, wat natuurlijk het Joodse antwoord is op het Kerstfeest.'

Hij fronsde zijn voorhoofd en probeerde zich te herinneren

welke dag – het begon al moeilijk te worden. 'Maar het is nog niet eens oktober op Aarde.'
'Heel goed, Danny. Vertaal dan ook maar wat hier staat.'
'Weet ik veel. Zeggen ze iets dat neerkomt op val ons een paar maanden niet lastig?'
'Het heeft meer weg van val dood,' zei de piloot.
'Nee, dat denk ik niet. Ze zijn niet onvriendelijk,' zei Harriët, terwijl ze de fax terugpakte en er met toegeknepen ogen naar keek. 'Zie je dat ze Kung Fu-tze de Latijnse naam gegeven hebben die wij altijd gebruiken? Dat is nogal beleefd. Maar toch . . .' Ze fronste haar voorhoofd. Harriëts ogen puilden altijd een beetje uit, zoals bij een konijn, omdat ze heel sterke contactlenzen droeg. Nu tuitten haar lippen zich ook als de mond van een konijn. 'Aan de andere kant zeggen ze wel dat wij de *tweede* expeditie zijn.'
'En zij dus de eerste, bedoelen ze. Maar wat maakt dat nou uit? Ze kunnen toch geen gebied opeisen, enkel en alleen omdat zij hier eerder waren dan wij, dat staat allemaal in de VN-overeenkomsten. Niemand kan meer opeisen dan het land in een straal van vijftig kilometer rond een zelfstandige basis.'
'Maar ze wijzen erop dat ze dat wel hadden kunnen doen.'
Kappy vond het allang best. 'Nog liefdesbrieven van de Vetpotters, Gasha?'
'Alleen een bevestiging van ontvangst van ons bericht. Wat betreft die latrine . . . '
'Zo meteen, Harriët. Hoe staat 't met die gestrande Pak?'
'Nog steeds gestrand. Wil je de laatste banden horen?' Ze wachtte niet op antwoord; ze wist wel wat dat zou zijn. Ze zette een rol band in de recorder en speelde hem af. Het was het automatische noodsein van de Fokkers; om de dertig seconden een gecodeerd SOS, gevolgd door een vijf seconden durende piep om de zender te kunnen lokaliseren. Tussen twee seinen bleef de microfoon open staan en zond de binnengekomen geluiden uit.
'Ik heb het meeste dooie hout eruit gehaald. Hier is zijn stem.'
De twee mannen beheersten geen van tweeën Urdu. 'Wat zegt hij?'
'Hij vraagt alleen maar om hulp. Maar hij is er niet best aan toe. Het grootste deel van de tijd praat hij helemaal niet, en ontvangen we dit.'
Wat uit de recorder kwam, leek een beetje op een immens luidruchtig krekelgesjirp en leek heel wat op een knallend Chi-

nees Nieuwjaar waarin Australische inboorlingen uit alle macht op hun instrumenten speelden. 'En wat is dát nou weer?'
'Dat,' zei Harriët zelfvoldaan, 'is ook taal. Ik ben ermee bezig geweest en heb er een paar sleutelbegrippen uitgehaald. Ze verkeren in moeilijkheden, maar wat voor moeilijkheden weet ik niet precies.'
'Nooit zoveel moeilijkheden als de Pak,' bromde Kappeljoesjnikov. 'Kom mee, Danny, tijd om te werken.'
'Ja, die latrine is . . . '
'Niet aan latrine. Andere dingen in leven dan stront, Gasha.'
Ze keek hem wantrouwig aan. Aan Kappeljoesjnikov hadden ze net zo weinig als aan Danny Dalehouse. Minder nog, misschien. Dalehouse kon, hoopten ze, contact maken met de wezens hier, maar de piloot kon bijna alleen maar dingen besturen. Het liefst een ruimtevaartuig, desnoods een clamjet, een raceauto of een kano. Die bestonden geen van alle op Klong.
'Moet *Wasserstoff* maken, nu we water hebben, Gasha.'
'Waterstof? Wat ter wereld moet je nou met waterstof?'
'Dan krijg ik weer wat te doen, Gasha. Dan kan ik weer vliegen.'
'Ga jij vliegen? Met waterstof?'
'Begrepen, Gasha,' lachte de Rus breed. Hij wees. 'Net als zij.'
Danny keek op en rende toen naar de tent om de enige goede verrekijker te pakken – de andere twee waren ook spoorloos verdwenen na de storm.
Daar waren ze, de door de wind voortgedreven zwerm ballonvaarders, hoog in de lucht, vlak bij de wolken. Ze waren op zijn minst twee kilometer weg, te ver om de geluiden van hun lied te horen, maar in de verrekijker kon Dalehouse ze heel duidelijk zien. In de paarsige hemel vielen hun felgele en groene tinten dadelijk op. Het was waar – sommigen lichtten op, net als vuurvliegjes! Aderen (of wat het ook waren) liepen over de grote, wel vijf meter lange gasbuidel van de grootste en dichtstbijzijnde, en hij zag snelle vonken luminescentie heen en weer schieten.
'Verdomd! Wat zei je daar, Kappy? Denk je dat je de lucht in komt?'
'Met grootste gemak, Danny,' zei de piloot plechtig. 'Is alleen een kwestie van bellen maken en *Wasserstoff* erin stoppen. Dan vliegen.'
'Ik ben je man! Zeg maar wat ik moet doen, dan doe ik het. Ik – wacht eens even! Wat is dát nou?'
De zwerm ballonvaarders verspreidde zich en achter hen, nu op

de plek die ze zojuist hadden vrijgemaakt, was iets anders verschenen, iets dat ritmisch flitste.
Toen bereikte het geluid hem. 'Een helikopter!' riep hij verbaasd.

De helikopterpiloot was klein, donker en Iers. En niet alleen was hij Iers, hij was teruggegaan naar Engeland na elf jaar in Houston, Texas te hebben gewoond. Hij en Morrissey waren meteen de beste maatjes. 'Herinner je je de Bismarck nog?' 'Ooit naar La Cafare geweest?' 'Ooit geweest? Daar wóónde ik zo ongeveer!'
En toen ze allemaal bij elkaar waren zei hij: 'Prettig met u kennis te maken. Mijn naam is Terry Boyne, en ik breng u de officiële groeten van onze expeditie, de Organisatie van Brandstof Exporterende Landen, aan die van u – u dus. Prima plekje hebben jullie uitgekozen,' ging hij verder, terwijl hij goedkeurend om zich heen keek. 'Wij zitten ergens in de buurt van de warmtepool, en als je het mij vraagt hebben jullie een betere plek hier. Waar wij zitten staat ongelooflijk veel wind en bovendien is het er bloedheet.'
'Waarom zijn jullie daar dan gaan zitten?' vroeg Morrissey.
'Ach,' zei Boyne, 'we doen wat ons wordt opgedragen. Gaat het bij jullie niet precies zo? En wat mij vandaag werd opgedragen, was dat ik hierheen moest om een beleefdheidsbezoekje af te leggen.'
Harriët moest natuurlijk reageren. 'Uit naam van de Voedsel Exporterende Staten aanvaarden we in dank uw groet en . . .'
'Kop dicht, Harriët,' bromde Kappeljoesjnikov. 'Maar wij zijn niet enige kolonie op Klong, Terry Boyne.'
'Wat is "Klong"?'
'Zo noemen we deze wereld,' legde Dalehouse uit.
'Hm. "Klong". Wij moeten 'm "Jem" noemen, een verkorte versie van "Geminorum" – begrijp je? De hemel mag weten wat voor naam de Fokkers hebben bedacht.'
'Ben je daar ook geweest?'
Boyne kuchte even. 'Nou, dat is eigenlijk min of meer het doel van mijn bezoek, als je begrijpt wat ik bedoel. Hebben jullie hun uitzendingen gevolgd?'
'Jazeker. Die van jullie ook.'
'Nou, dan hebben jullie hun noodseinen dus opgevangen. Arme zak die daar vastzit, bij die beesten. Onze vertaler zegt dat ze zichzelf "Krinpit" noemen. De Fokkers reageren niet. We boden aan om te helpen, en ze deelden ons met zoveel woorden

mee dat we op konden lazeren.'
Morrissey keek naar Harriët. De tolk van de Vetpotters was verder dan zij. 'Wij hebben vrijwel dezelfde ervaring, Terry. Ze hebben duidelijk gemaakt dat we niet welkom waren in hun deel van de wereld. Natuurlijk hebben ze het recht niet om zo op te treden . . .'
'. . . – maar jullie willen geen problemen tussen twee blokken onderling,' vulde Boyne knikkend aan. 'Nou, om humanitaire redenen . . .' Hij verslikte zich en nam een grote slok van de borrel die Morrissey hem had gegeven. 'Jezus, laten we eerlijk zijn. Uit pure nieuwsgierigheid, en gewoon om te zien wat er gaande is, daar – maar ook om humanitaire redenen – willen we daarheen en die vent uit de puree halen. De Fokkers kunnen het niet, dat is wel duidelijk. We vermoeden dat de reden waarom ze jullie en ons op een afstand houden, is dat ze ons niet willen laten zien hoe beroerd ze eraan toe zijn. Jullie kunnen niet . . .' Hij aarzelde even, uit fijngevoeligheid, echt of gespeeld. 'Natuurlijk is het gemakkelijker om in de helikopter te gaan dan een expeditie over land te sturen. Wij zijn bereid om de helikopter in te zetten. Maar alleen gaan doen we niet.'
'Ik begrijp precies wat u bedoelt,' snoof Harriët. 'U wilt dat een ander de schuld met u deelt.'
'We willen er een gezamenlijke hulpexpeditie van maken,' verbeterde Boyne. 'Ik sta klaar om erheen te vliegen en die vent weg te halen, nu meteen. Maar ik wil graag dat een van jullie meegaat.'
Acht van de tien expeditieleden begonnen door elkaar heen te praten, overstemd door Kappeljoesjnikovs bulderende 'Ik ga!' Harriët keek nijdig naar haar collega's en zei toen boos: 'Ga dan maar, als je wilt, al hebben we hier iedereen nodig . . .'
Danny Dalehouse wachtte niet tot ze uitgesproken was. 'Precies, Harriët! Daarom moet ik gaan. Mij kunnen jullie best missen en bovendien . . .'
'Nee! Ik, *ik* kan hier gemist worden, Danny! En ik ben piloot . . .'
'Sorry, Kappy,' zei Danny vol zelfvertrouwen. 'We hebben al een piloot – Terry Boyne hier – en bovendien moet jij je *Wasserstoff* maken zodat je met me kunt gaan vliegen wanneer ik terug ben. En contacten leggen met buitenaardse wezens is echt *mijn* werk. En bovendien . . .' hij wachtte niet op een reactie van de Rus '. . . bovendien denk ik dat ik de vent ken die daar vastzit. Ahmed Dulla. De politie heeft ons samen te grazen genomen in Bulgarije, een paar maanden geleden.'

Woek, Woek, Woek veranderde in *wickwickwickwickwick* toen de piloot de snelheid van de rotor opvoerde en de helikopter schokkend omhoog schoot in de richting van een wolk. Danny klemde zich vast aan de stoel, verbijsterd over de roekeloze wijze waarop het Brandstofblok zijn schatten verkwistte – vier ton helikopter, in een baan om de Aarde gebracht door het verstoken van een hoeveelheid olie waar hij maar liever niet naar raadde.
'Je wordt toch niet luchtziek, hè?' schreeuwde Boyne boven het geraas van de rotor uit. Danny schudde zijn hoofd en de piloot grinnikte en zette de rotor zo dat de helikopter voorover ging hangen en achter een massa cumuluswolken aan schoot. Tot Danny's teleurstelling was de zwerm ballonvaarders niet te zien, maar er waren toch nog kleine en grote wezens in de lucht. Dalehouse kon ze niet erg duidelijk zien omdat ze op een afstand bleven en hij vermoedde dat dat ook de bedoeling was – ze bleven aan de grens van zijn gezichtsbereik en verdwenen in de wolken als de helikopter in de buurt kwam. Maar onder hem! Daar kon hij naar hartelust van genieten terwijl de helikopter schokkend voortraasde, minder dan vijftig meter boven de grond. Bossen bomen die wel wat op bamboe leken, dertig meter hoge varens, in groepen bij elkaar, verwarde dingen, net mangrovebomen, twintig of meer stammen die zich samenvoegden tot een grote verwarde kluwen vegetatie. Hij kon kleine dieren weg zien schieten, hij zag allerlei kleuren. De gestage rode gloed van de dwergster egaliseerde rotsen en water tot een grote, rossige massa, maar de felste kleuren waren geen weerkaatsingen. Die berustten op fosforescentie en hetzelfde effect als vuurvliegjes op Aarde gebruikten. Deze planten maakten zelf licht.
Natuurlijk had Dalehouse de kaarten van Klong bestudeerd, gemaakt op basis van foto's van verkenners, plus gegevens van zijspreidradar. Maar het was iets heel anders om het landschap onder je voorbij te zien schieten. Aan het water lag hun eigen kamp, op een smalle landtong die een baai scheidde van de bredere oceaan (of een meer), een kilometer of twee verderop. Dan het meer (of de oceaan) zelf, in een bocht als een schijf meloen met een hap eruit, en in het licht van Kung leek het nog watermeloen ook. Verderop langs de kust bevond zich het kamp van de Fokkers. Nog verder, naar dat deel van Kong dat pal onder de ster lag, bevond zich het kamp van de Vetpotters. Natuurlijk waren de kampen geen van tweeën te zien. De heli-

kopter draaide af naar het water. Boyne wees en Dalehouse knikte; hij kon het doel van hun tocht net vaste vorm zien aannemen door de sombere nevel, aan de andere kant van het water.
Boyne was niet helemaal eerlijk geweest, ontdekte Dalehouse. Hij had niet gezegd dat dit niet zijn eerste vlucht naar de nederzetting van de Krinpit was. Hij was er minstens twee keer overheen gevlogen omdat er foto's waren van de nederzetting. Boyne haalde een hele stapel uit een elastische zak in de deur van de helikopter, schiftte ze snel en gaf er een aan Danny.
'Daar, aan de rand van het water!' schreeuwde hij. Zijn vinger wees naar een opgerolde gestalte, een paar meter van de waterrand. Er vlak bij was een plastic bootje op het strand getrokken, en overal waren schuren en vreemde bouwsels te zien. Er waren ook een aantal nogal onaangenaam uitziende wezens, net vierkante krabben: Krinpit. Een paar stonden verdacht dicht bij de in elkaar gedoken gestalte.
'Leeft hij nog?'
'Weet ik niet. Een dag of twee geleden nog wel. Wat water betreft heeft hij geen problemen, maar hij zal nu wel verrekte veel honger beginnen te krijgen. En waarschijnlijk is hij ook ziek.'
Vanuit de lucht zag het Krinpit-dorp eruit als een serie omheiningen voor vee, omdat de meeste gebouwen bestonden uit muren zonder een dak. De Krinpit waren overal, zag Danny, en bewogen zich verbazingwekkend snel voort, in ieder geval in vergelijking met krabachtigen op Aarde. En ze waren zich er duidelijk van bewust dat de helikopter eraan kwam. Sommigen richtten hun blinde gezichten naar het toestel, en een onheilspellend groot aantal scheen samen te drommen aan de rand van het water.
'Zien d'r eng uit, hè?' schreeuwde Boyne.
'Hee, hoe halen we Dulla daar vandaan? Ze zien er niet alleen eng uit. Ze zien er heel gemeen uit.'
'Ja.' Boyne draaide het raampje omlaag en leunde naar buiten, terwijl hij de helikopter een cirkel liet beschrijven. Hij schudde zijn hoofd, en wees toen. 'Is dat 'm?'
De gestalte was van plaats veranderd sinds de foto was genomen, en lag nu niet meer in de beschutting van een van de schuren, maar een paar meter verder, languit, zijn gezicht naar beneden. Dulla zag er niet erg levend uit, maar hij was ook niet onmiskenbaar dood.

Boyne fronste nadenkend zijn voorhoofd en zei toen: 'Doe die kist tussen je voeten eens open en geef me een paar van die dingen.'
De 'dingen' waren metalen cilinders met een draadlus aan het eind. Boyne nam er zes, gaf een ruk aan de lus en gooide ze zorgvuldig mikkend tussen de Krinpit. Toen ze neerkwamen kolkte er gele rook uit, die een dichte wolk vormde. De Krinpit wankelden weg, alsof ze volkomen gedesoriënteerd waren.
'Gewoon traangas,' grinnikte Boyne. 'Daar hebben ze goed de pest aan.' Hij staarde naar beneden. Bijna alle wezens die om de man hadden gestaan waren op de vlucht geslagen – op één na allemaal.
De overblijver was duidelijk in een benarde positie, maar hij bleef toch hardnekkig bij de bewusteloze of dode man. Hij scheen pijn te hebben en schoot snel naar links, naar rechts, naar voren, naar achteren, alsof hij heen en weer geslingerd werd tussen twee tegenstrijdige impulsen: vluchten en blijven, misschien zelfs wel vechten. 'Wat gaan we aan dat mormel doen?' vroeg Boyne zich hardop af, terwijl hij in de lucht bleef hangen. Maar net op dat ogenblik liep het wezen moeizaam weg en nam hij zijn besluit. Hij liet de helikopter neer op de grond tussen de Krinpit en de bewusteloze Pakistaan. 'Grijp 'm Danny!' gilde hij.
Danny smeet de deur open en sprong de helikopter uit. De Pakistaan optillen koste hem meer moeite dan hij had verwacht. Dulla woog hier niet veel meer dan vijftig kilo, maar hij leek wel van rubber, zo slap was hij, en meewerken deed hij niet, want hij scheen in coma te zijn. Danny sjorde hem bij de oksels overeind en sleepte hem naar de helikopter, terwijl Boyne bezorgd vloekte. De rotoren zetten zich in beweging en ze gingen omhoog toen aan de andere kant een kletterend lawaai opklonk. Een volwassen Krinpit, tweehonderd kilo zwaar, stortte zich op een van de zijschotten van de helikopter. Boyne tierde en raasde en greep snel in op het instrumentenpaneel. De helikopter wankelde en scheen op zijn kant te willen gaan staan, maar hij wist hem weer recht te krijgen en steeg verder op.
'Wat ben je van plan, Boyne?' schreeuwde Danny, terwijl hij Dulla's benen naar binnen probeerde te trekken, zodat hij de deur dicht kon krijgen. 'Je kan dat ding niet zomaar laten liggen.'
'Moet jij eens zien of ik dat niet kan!' Boyne staarde bezorgd naar de gescharnierde poten die probeerden om door het plastic

te komen, en zette toen koers naar zijn basis. 'Ik heb altijd al een huisdier willen hebben. We zullen proberen deze knaap thuis te brengen.'

Toen Dalehouse weer in zijn eigen kamp terug was, vol verbijstering en zorgen, was hij zó bekaf dat hij de rest van de expeditie snel vertelde wat er gebeurd was en toen zijn bed indook. 'Nacht' was volkomen arbitrair op Klong. Toen hij wakker werd was de hemel nog net zoals altijd, vol wolken en met de dofrood gloeiende sintel van Kung schuin boven hem.
Hij kon weer verder met werken, zoals gewoonlijk. Kappeljoesjnikov, of een ander, had wat graafwerk voor hem gedaan, zodat hij minder dan een uur nodig had. Dat was plezierig, omdat hij meer dan een uur nodig had om een en ander te overdenken.
Nadat ze de Pakistaan hadden gered, was Boyne rechtstreeks naar zijn basis gevlogen. Hij had niet eens gevraagd of Dulla nog leefde; al zijn aandacht werd in beslag genomen door het afzichtelijke, uiterst actieve wezen, dat maar een paar centimeter van zijn linkeroor vandaan zat, en door de toeren die hij moest uithalen om de helikopter in de lucht te houden. De Vetpotters, over de radio gewaarschuwd, hadden voorbereidselen getroffen en de Krinpit werd in een net gevangen en veilig opgeborgen voor hij wist wat hem overkwam. Toen een snelle maaltijd, terwijl Dulla eerste hulp kreeg – die bestond voornamelijk uit hem wassen en zijn wonden schoonmaken – en een beetje glucose kreeg toegediend. Toen over de kale, hete grond naar het kamp van de Fokkers, waar ze de zieke achterlieten, een hooghartig bedankje kregen van de Chinees die er de leiding had, en verder gingen naar het kamp van de Voedsel Exporterende Landen om Dalehouse thuis af te leveren. Al met al was hij vijf, zes uur weggeweest. En elke seconde van die tijd had hij nieuwe indrukken opgedaan waarover hij zich nu zorgen maakte.
Wat hij ze werkelijk misgunde was de Krinpit. Er was geen twijfel over mogelijk: het wezen was intelligent. Als de gebouwen van de nederzetting daar al niet afdoende bewijs voor waren geweest, dan wezen de methodische pogingen om de helikopter in te komen en het geduldige aanvaarden van zijn nederlaag toen het plastic te hard bleek toch op door intelligentie gestuurd gedrag. De Krinpit had zich maar even verzet toen de Vetpotters de netten over hem heen gooiden, en liet zich

toen de stalen kooi in slepen. Pas toen de deur achter hem was dichtgevallen, sneed hij methodisch door de koorden van het net om zijn ledematen te bevrijden. Dalehouse had het wezen zo lang hij kon bestudeerd en geprobeerd iets te maken van de geluiden die het uitstootte. Als hij tijdens zijn studie zijn hersens maar had laten tweedelen! Harriët, of zelfs dat Bulgaarse meisje, Ana, hadden wel een linguïstisch patroon kunnen ontdekken, maar zijn oren hoorden alleen maar lawaai.

En verder het verbijsterende kamp van de Vetpotters zelf! Stalen tralies! Een helikopter! Bedden op poten, met een metalen springveermatras! Hij had er geen flauw idee van hoeveel onvervangbare olie ze hadden moeten verstoken om al dit spul op Klong te krijgen, maar het moest een gigantische hoeveelheid zijn. Ze hadden zelfs airconditioning! Zeker, die hadden ze nodig ook – het was meer dan veertig graden in het kamp, zo dicht bij de warmtepool. Maar niemand dwong ze om zich te vestigen op een plek waar ze airconditioning nodig hadden om in leven te blijven – airconditioning die aan één stuk door energie vrat.

En dan de Fokkers, een heel contrast. De Fokkers waren pathetisch. De ouwe hoe-heet-ie-ook-weer had zich nog groot proberen te houden, maar het was wel duidelijk dat de terugkeer van Dulla vooral betekende dat hij er weer een gewonde bijkreeg, terwijl vrijwel niemand gezond genoeg was om voor de zieken te zorgen. En zeker niet gezond genoeg om iets anders te doen. Hij had de bezoekers trots te verstaan gegeven dat een tweede expeditie op weg was – 'bijna even groot als de onze'. Maar hoe groot was dat?

Jim Morrissey onderbrak zijn gedachtengang. De bioloog was niet in het kamp geweest toen Danny terugkeerde en had zijn verslag dus niet gehoord; nu wilde hij het hele verhaal nog een keer horen, uit de eerste hand. Danny gehoorzaamde, en vroeg toen: 'Heb je nog iets gevangen in de muizevallen die je in de tunnel hebt laten zakken?'

'Hè? O.' Voor Morrissey was dat duidelijk iets uit een al ver verleden. 'Nee. Ik heb een aftaster aan een draad de tunnel in laten rijden, maar hij liep de ene keer na de andere dood. Ze zijn heel slim, wie "ze" ook zijn. Zodra je met je schop hun tunnel raakte sloten ze die af.'

'Je hebt dus geen dieren om naar de Aarde te versturen?'

'Geen dieren? Vergeet het maar! Ik heb een halve dierentuin, Danny! Krab-ratten en insekten, kruipende en vliegende dingen. God mag weten wat het allemaal zijn. Ik vermoed dat de krab-ratten verwant zijn aan de Krinpit, maar je kunt verwantschappen niet nagaan tot je aan paleontologie begint, en Jezus, ik ben nog niet eens aan een classificatie begonnen. En planten – nou, ja, ach, je zou het net zo goed planten kunnen noemen. Ze hebben geen stomata en geen mesophyllcellen – geloof het of niet.'

'Ik geloof het best, Jim.'

'Hoe de fotosynthese plaatsvindt – ik heb er geen idee van,' zei de bioloog bevreemd, 'maar het komt op hetzelfde neer als op Aarde. Zetmeelproduktie onder invloed van zonlicht. Of wat hier voor zonlicht doorgaat. Zes Cee O Twee plus Zes Ha Twee O levert nog steeds Cee-Zes Ha-Twaalf O-Zes plus wat zuurstof op, op Aarde en zo ook in de hemel. Of andersom.'

'En dat is zetmeel?'

'Nou en of. Maar eet er maar niks van. En wrijf je lichaam in met gelei als die oude laag eraf gaat. Er is hier genoeg rommel om je om zeep te helpen.'

'Ja hoor.' Dalehouse dacht al aan andere dingen en hij luisterde nauwelijks toen Morrissey de vegetatie catalogiseerde die hij tot dusverre had aangetroffen. Iets grasachtigs dat de vlakte bedekte, vetplanten met holle stengels, zoals bamboe, waarvan ze gebruik konden maken om dingen te bouwen. Bossen, bestaande uit planten die eruit zagen als varens, maar vrucht droegen en houtige stammen (of stengels?) hadden. Af en toe groeiden ze groepsgewijs, zoals bij een mangrove, soms waren het ook torenhoge, indrukwekkende solitairen, zoals sequoia's. Er waren slingerplanten die op druiven leken, en zich verspreidden via dieren, die hun zaden, omsloten door een harde peul, opaten, maar niet konden verteren. Sommige planten waren lichtgevend. Sommige waren vleesetend, zoals de Venus vliegenval op Aarde. Sommige . . .

'Dat zetmeel,' interrumpeerde Dalehouse, die zich in één detail van Morrisseys verhaal had vastgebeten. 'Kunnen we dat niet eten? Er het gif uit koken of zoiets, net als bij tapioca?'

'Schoenmaker, hou je bij je leest.'

'Nee, echt, ik meen het. We moeten een hoop ruimte reserveren voor voedsel, en dat gaat ten koste van andere dingen. Kunnen we dat spul niet eten?'

'Nee. Nou ja, misschien. In zekere zin. Maar er is maar heel weinig protëine voor nodig om een reactie te veroorzaken waartegen ik niets kan doen, dus haal geen experimenten uit.

Denk aan de witte muizen van de Fokkers.'
'Als het planten zijn, waarom zijn ze dan niet groen?'
'Ze zijn groen, min of meer. In dit licht zien ze er paars uit omdat Kung zo rood is. Maar als je er een sterke lichtbundel op richt, zijn ze groenig geel. Maar het is niet de chlorophyl die je op Aarde vindt,' ging hij ernstig verder. 'Niet eens een porfinederivaat. Ze schijnen gebruik te maken van een magnesium-ion . . . '
'Ik moet dit afmaken, hoor,' zei Danny, terwijl hij Morrissey op de schouder sloeg.
Het was bijna gebeurd. Hij sleepte het chemische toilet de lander uit, zette het boven het gat en ging toen naar Harriët. 'Gebeurd. Eersteklas Amerikaanse kakdoos, klaar voor gebruik.'
Ze kwam inspecteren en kneep haar dunne lippen op elkaar. 'Dalchouse, denk je dat we dieren zijn? Zet er een tent overheen. En voor het weer gaat regenen, als het niet teveel moeite is. Verdomme, Danny, waarom moet ik altijd iedereen achterna lopen om 'm te vertellen wat hij moet doen?'

Hij zette de tent op. Maar toen de regen kwam, ging hij gepaard met een zware storm. Bliksemschichten joegen door de hele hemel, van de wolken naar de grond en van wolk naar wolk. Kung werd volkomen aan het gezicht onttrokken. Op de plek waar de zon moest zijn, zagen ze niet eens een doffe gloed. Het enige licht was de bliksem zelf. Het eerste slachtoffer van de orkaan was de dynamo. De tweede was Danny's tent, die werd meegesleept door de windvlagen, die af en toe tachtig kilometer per uur maten. Toen de bui voorbij was, waren ze kletsnat en miserabel, en druk bezig met pogingen om het kamp weer op poten te zetten. In East Lansing waren geen stormen geweest zoals deze, en Danny zag de eerstvolgende paar jaar op deze verraderlijke planeet somber in. Toen hij besefte dat hij al twintig uur geen oog had dichtgedaan, viel hij in bed en droomde over een warme ochtend in Bulgarije met een mooie blonde vrouw.
Toen hij wakker werd, stond Jim Morrissey hem in zijn zij te porren.
'Eruit. Nu mag ik.'
Het was eigenlijk niet eens een bed, alleen maar een slaapzak op een luchtbed, maar in ieder geval was het warm en droog. Met enige tegenzin stond Dalehouse zijn plaats af. 'Het kamp heeft het dus overleefd?'

'Min of meer. Maar blijf uit Harriëts buurt. Een van haar radio's is verdwenen, en ze denkt dat het iedereen z'n schuld is.' Toen hij zich in de slaapzak liet glijden en zich behaaglijk uitrekte zei hij: 'Kappy wil je iets laten zien.'
Danny ging niet meteen – hij bedacht dat het hoogstwaarschijnlijk weer een zwaar en vervelend karwei was. Het kon wel wachten tot hij iets te eten had gehad, hoewel, bedacht hij, terwijl hij koppig op een gegarandeerd volledig rantsoen essentiële vitamines en mineralen kauwde (het zag eruit als een hondekoekje) eten nou ook niet zóveel lolliger was dan latrines graven.
Maar daar had Kappeljoesjnikov hem niet voor nodig. Toen Danny zijn hoofd om de hoek van de tent stak, zag hij dat de destillator, die nu op zonneënergie werkte, een dun stroompje water leverde, dat in een elektrolysetank werd omgezet in waterstof en zuurstof. De waterstof werd door een kleine compressor in een zware metalen cilinder gepompt.
'Ziet er mooi uit, Kappy. Waar wil je het voor gebruiken?'
'Ballonnen. Voor meteorologie. Gasha wil stormen van tevoren weten,' grinnikte Kappeljoesjnikov, terwijl hij knipoogde naar Harriët die net op dat ogenblik binnenkwam. De vrouw keek op en snauwde: 'Hou op met die onzin, Vissarion. Ik heb geen zin in die flauwe grappen van je. Zeg Dalehouse waarom je dit doet.'
De Rus keek verbaasd, maar haalde toen zijn schouders op. 'Best. Arme Amerikaan Danny, jij bent hulpeloos zonder je machines. Maar ik niet. Ik ben piloot! Ik wil geen aardworm zijn zoals die dingen waar we op kakken in latrine van jou, Danny. Ik wil vliegen. Ze willen me geen brandstof geven. Ze willen me geen materiaal geven om zweefvliegtuig te maken – zou gemakkelijk zijn, behalve lanceren; hoop wind hier. Maar Gasha zegt nee, dus wat kan ik dan nog doen? Ik kijk omhoog en zie ballonvaarders zweven en ik zeg: ik word ook ballonvaarder!' Hij beukte met zijn vuist op de kleine computer. 'Heb gas. Heb gegevens over wind. Heb Sovjet know-how. Heb ook kleine bonus in de vorm van lage zwaartekracht en hoge luchtdruk. Nu maak ik dus kleine ballon, groot genoeg voor mij, en dan ben ik weer piloot.'
Een golf van enthousiasme ging door Dalehouse heen. 'Hee, dat is geweldig. Zou dat echt gaan?'
'Tuurlijk zou het gaan!'
'We zouden je ballon kunnen gebruiken om die ballonvaarders

achterna te gaan. Dicht bij ze te komen. Harriët, hoor je dat? Nu hebben we een kans om met ze te praten.'
'Mooi,' zei ze, en Dalehouse keek haar eens goed aan. Zelfs als je Harriëts gebruikelijke humeur in aanmerking nam, klonk dit niet erg opgewekt. 'Wat is er aan de hand?' vroeg hij.
'Ik heb de radio gevonden.'
'Die in de storm is weggewaaid?'
Ze lachte. Het klonk alsof een stripfiguur lachte: Hè hè hè. 'Om dat te geloven moet je wel een heel grote idioot zijn. Hoe kan zo'n ding nou wegwaaien? Het kreng weegt twintig kilo. Ik kwam op het idee dat hij misschien wel uitzond, en dus luisterde ik, en hij zond inderdaad uit. Ik probeerde hem te peilen, en dat lukte. Recht onder ons,' zei ze, terwijl ze hen aanstaarde. 'Het verrekte ding zit recht onder ons in de grond.'

Een minuut was nog steeds een minuut. Danny controleerde dat, omdat hij eraan was beginnen te twijfelen. Zijn polsslag was nog steeds tweeënveertig per zestig seconden. Hij kon drie keer die zestig seconden zijn adem inhouden, en misschien iets langer. Het wisselgeld van de tijd was niet in waarde veranderd. Maar éénduizend vierhonderd en veertig minuten – dat leek niet langer een dag. Soms leek het wel of een hele dag voorbij was gegaan en dan was het volgens de klok maar zes of zeven uur. Soms kwam het bij hem op om moe te worden, en dan zag hij aan de klok dat hij meer dan dertig uur geleden voor het laatst geslapen had. Harriët probeerde ze allemaal een regelmatig werk- en slaapschema aan te laten houden, niet omdat dat nodig leek, maar omdat het zo hoorde. Het lukte haar niet. Binnen – hoe lang? een week? – sliepen ze wanneer ze wilden en aten ze wanneer ze honger hadden en maten het voorbijgaan van de tijd af aan gebeurtenissen. De eerste keer dat de ballonvaarders dichterbij kwamen, was na de grote storm, en vóór de Fokkers versterking kregen. De keer dat Kappeljoesjnikov een driehoeksmeting uitvoerde en ontdekte dat Harriëts verdwenen radio op zijn minst twintig meter onder de grond zat, was nadat ze hun eerste rapporten en monsters hadden teruggestuurd naar de Aarde. En toen de ballonvaarders op bezoek kwamen – .
Maar dat was iets heel anders, een gebeurtenis die alles ervoor en erna verandert.
Dalehouse werd wakker met zijn gedachten bij de hemel. Hij deed de karweitjes die hem werden opgedragen. Hij hielp Morrissey met het controleren van de vallen, maakte een maal-

tijd van gedroogd stoofvlees klaar en repareerde een koppeling in de douchekabine bij het meer. Maar waaraan hij dacht, dat was aan Kappeljoesjnikovs ballons. Danny had hem overgehaald om niet één grote ballon te gebruiken – die was te groot, te onhandig, te moeilijk te maken, en fataal voor de passagier als hij lek raakte. Daarom hadden ze met veel moeite honderd kleine volgemaakt en de Rus had een groot net geknoopt om alle ballons in te doen. Als je meer gewicht wilde tillen deed je er gewoon ballons bij, en nu gaf het ook niet als er een klapte; dan zweefde je gewoon langzaam naar de grond.
Het was een hele teleurstelling toen Kappy duidelijk maakte dat hij als eerste naar boven ging. Hoe lang zat Danny nu al op Klong? Toch zeker een paar weken, en de auteur van *Preliminaire studies over eerste contacten met subtechnologische buitenaardse rassen* moest zijn eerste subtechnologische buitenaardse wezen nog tegen komen. O, hij had ze wel gezien. Er zaten gravers onder hem en hij was er zeker van dat hij iets had gezien toen Morrissey een springlading had laten ontploffen onder de plek waar ze een tunnel vermoedden. De Krinpit was een half uur lang zijn medepassagier geweest. En de ballonvaarders waren heel vaak aan de hemel te zien, al kwamen ze zelden dicht in de buurt. Drie afzonderlijke rassen! En het produktiefste wat hij tot nu toe had gedaan, was een latrine graven!
Hij liep Harriëts tent binnen in de hoop dat ze wonderbaarlijke vorderingen had gemaakt bij de vertaling van een van de talen – als het talen waren. Ze was er niet, maar de banden wel. Hij speelde de beste af, tot Kappeljoesjnikov binnenkwam, zwetend en opgewekt. 'Statische test is goed. Meer dan genoeg hefvermogen. Nu kijken of er lekken zijn; we laten ze een tijdje met rust. Danny, waarom luisteren naar banden als je buiten naar echte ballonvaarders kunt luisteren?'
Verrast hief Danny zijn hoofd op. Het was waar. De geluiden die hij hoorde, kwamen van buiten de tent. 'Verder,' ging Kappeljoesjnikov streng verder, 'breek je Gasha's rijstkom. Zij is vertaler, niet jij, en heel moeilijke dame. Ga nu mee, dan luisteren we naar je roze en groene vrienden.'

De ballonvaarders waren nog nooit zo dichtbij geweest, en er waren ook nog nooit zoveel geweest. Het hele kamp staarde omhoog naar de zwerm, die honderden individuen groot was zodat ze elkaar aan het gezicht onttrokken, en ook een deel van de hemel. De rode gloed van Kung scheen schimmig door ze

heen terwijl ze heen en weer gleden voor de ster, maar er waren er heel veel die met een heel eigen licht gloeiden – 'vuurvliegen' noemde Kappy ze, roze en lichtgroen. Hun lied was luid en duidelijk verstaanbaar. Harriët stond al met een microfoon elke noot op te nemen, kritisch luisterend met een uitdrukking van afkeer op haar gezicht. Dát betekende niets – zo stond haar gezicht nu eenmaal altijd.
'Waarom zijn ze zo dichtbij?' zei Danny verwonderd.
'Ik wil *jouw* rijstkom ook niet breken, beste Danny. Jij bent de expert. Maar ik denk het is mogelijk dat ze prettig vinden wat we hebben klaargezet voor piloot helikopter.' En hij gebaarde naar de stroboscopische schijnwerper op de toren.
'Hm.' Danny dacht een ogenblik na. 'We zullen eens zien. Zou jij een van de draagbare zoeklichten willen halen? Dan zien we ze beter en misschien komen ze nog dichterbij.'
'Waarom niet?' De Rus verdween in de voorraadtent en kwam terug met het zoeklicht in zijn ene hand en de accu in de andere. Vloekend probeerde hij niet over de draden te struikelen, rommelde wat en toen schoot de felle bundel naar de horizon en toen omhoog naar de ballonvaarders. Ze schenen er heel opgewonden van te raken. Hun getsjilp, gegil, boerende en cellotonen werden talrijker en nadrukkelijker en ze schenen de lichtbundel te volgen.
'Hoe doen ze dat?' vroeg Harriët. 'Voor zover ik kan zien, hebben ze geen vleugels of zoiets?'
'Net als ik, beste Gasha,' schalde de stem van de Rus. 'Op en neer, om een echt goede luchtstroming te vinden. Hier, houd licht vast. Ik moet naar experts kijken en leren hoe het moet.'
De ballonvaarders kwamen dichterbij. Het was duidelijk dat het licht hen aantrok. Nu waren ze dichtbij genoeg om de kleuren te onderscheiden, en er bleek een verrassende variatie te zijn in de patronen. Er waren wolkachtige kronkels, massieve strepen, kruiselingse strepen, ogenschijnlijk betekenisloze patronen die wel wat weghadden van de camouflage die ze in de Eerste Wereldoorlog gebruikten. 'Vreemd,' zei Dalehouse, terwijl hij verlangend naar de zwerm keek. 'Waarom hebben ze al die kleuren terwijl ze die het grootste deel van de tijd niet kunnen zien?'
'Is jouw mening dat ze dat niet kunnen,' zei Kappeljoesjnikov. 'Licht als bietensap is vreemd voor ons; wij zien alleen het rood. Maar voor hen is misschien . . . Ho, Morrissey! Goed schot!'
Dalehouse schoot een kwart meter de lucht in toen de enige

buks in het kamp knalde, vlak achter hem. Boven hun hoofden dwarrelde een van de ballonvaarders naar de grond. 'Ik haal,' schreeuwde Kappeljoesjnikov, en rende weg naar de plek waar het wezen neer zou komen.
'Wat doe je nou verdomme, idioot?' vloog Dalehouse op.
De bioloog keek hem geschrokken en verdedigend aan. 'Ik wilde er alleen maar een te pakken krijgen om te bestuderen.'
Harriët lachte onaangenaam. 'Schande, Morrissey. Je had Dalehouse eerst toestemming moeten vragen om een van zijn vrienden neer te halen. Dat is de prijs die je betaalt wanneer je gespecialiseerd bent in intelligente wezens – je wordt verliefd op je onderzoeksmateriaal.'
'Doe niet zo lullig, Harriët. Mijn werk is moeilijk genoeg, en dit maakt het nog onmogelijk. Op ze schieten is de beste manier om ze weg te jagen.'
'Tuurlijk, Dalehouse. Iedereen kan zien dat ze er in paniek vandoor gaan.' Ze gebaarde naar de zwerm, die nog steeds spiralen draaide door het licht en verheerlijkt zong.
Kappeljoesjnikov kwam terug met een rubberige zak over zijn schouder.
'Moest bijna een van die Krinpit te lijf gaan om 'm te pakken te krijgen,' gromde hij. 'Was grote, lelijke monster. Weet niet wat ik had gedaan als hij echt moeite gedaan had. Maar hij ging er vandoor.'
'Er zijn geen Krinpit in de buurt,' zei Harriët scherp.
'Nu wel, Gasha. Geeft ook niet. Kijk eens hoe mooi ons nieuwe huisdier is.'
Het wezen was niet dood. Het scheen niet eens gewond te zijn, er was in ieder geval geen bloed. De hagelkorrels hadden een gat gemaakt in de gaszak en verder niets. Het kleine gezicht bewoog; het zag eruit als het gezicht van een grote teek, met grote ogen die hen aanstaarden. Het maakte zachte, vrijwel onhoorbare geluidjes, bijna alsof het naar adem snakte.
'Weerzinwekkend,' zei Harriët, terwijl ze een stap achteruit deed.
'Waarom gilt dat . . . ding niet?'
'Als ik de antwoorden wist op dat soort vragen,' zei Morrissey, terwijl hij zich op een knie liet zakken om het wezen beter te kunnen bekijken, 'dan zou ik geen exemplaren af hoeven schieten om ze te bestuderen. Maar om er een slag naar te slaan – hij zou gillen als ik 'm de adem niet uit het lijf had geschoten. Ik denk dat hij de waterstof gebruikt om geluiden te maken.

God mag weten wat hij ademt. Moet zuurstof zijn, natuurlijk, maar . . .'
Hij schudde zijn hoofd, en keek naar boven. 'Misschien zou ik er nog een paar moeten schieten.'
'Nee!'
'Jezus, Dalehouse! Je bent net zo erg als Harriët zegt. Nou ja, we zien wel. Laten we in ieder geval kijken hoe fototropisch ze zijn. Geef me die patronen eens aan.' Kappeljoesjnikov gaf hem de plastic riem met patronen en Morrissey haalde er een seinpatroon uit.
'Je steekt ze nog in brand, Morrissey! Er zit waterstof in die gasbuidels!'
'Grote God!' zei de bioloog geïrriteerd. Maar hij mikte toch nauwkeurig naast de zwerm. Steeds meer ballonvaarders waren nu de lichtbundel van het zoeklicht in gevlogen. Harriët had het op de grond gezet, zodat de bundel nu niet meer bewoog en de hele diffuse zwerm was op één plek samengepakt.
Toen de lichtpatroon ontbrandde, scheen de hele zwerm als één organisme te bewegen, krampachtig leek het wel. Ze vlogen niet naar de patroon toe. Ze bleven bij elkaar in de lichtbundel, maar hun lied bereikte een dolzinnig crescendo en binnenin de zwerm scheen een systematische reorganisatie plaats te vinden. De kleinere en minder fel gekleurde individuen gleden naar beneden, terwijl de grote, hel gekleurde omhoog gingen. Dalehouse keek gefascineerd toe, zó geboeid door het schouwspel dat hij pas besefte dat zijn gezicht kleverig en nat was toen Kappeljoesjnikov opeens gromde van verbazing.
'Hee! Regent het?'
Maar het was geen regen. Het smaakte zoet en doordringend op hun lippen, met een nasmaak die dierlijk en een beetje vies was; het viel als zachte dauw op hun omhooggeheven gezichten en klemde zich vast aan hun huid.
'Niet inslikken!' riep Morrissey in paniek, maar zijn waarschuwing was aan de late kant – sommige mensen likten zich al de lippen af. Niet dat dat iets uitmaakte, dacht Dalehouse, want het spul bedekte hen van top tot teen. Als het giftig was, was het met hen gebeurd.
'Idioten dat jullie zijn,' gilde Harriët, terwijl ze woedend op de grond stampte. Ze was nooit aantrekkelijk geweest, en nu zag ze eruit als een heks, het gelige gezicht vertrokken in een grimas, haar tanden bloot. 'We moeten dit spul van ons af zien te krijgen. Kappeljoesjnikov! Jij en Morrissey gaan nu meteen

emmers water halen.'
'*Da*, Gasha,' zei de piloot dromerig.
'Nu meteen!' gilde Harriët.
'O, natuurlijk, nu meteen.' Hij sjokte weg, bleef na een paar stappen staan en keek koket over zijn schouder. 'Aljoesja, liefje. Kom je me helpen om belangrijk water te halen?'
De navigator giechelde. Ze antwoordde hem in het Russisch; Kappeljoesjnikov grinnikte en Harriët vloekte. 'Weten jullie dan niet dat we allemaal in geváár verkeren?' riep ze, terwijl ze smekend Danny's hand beetpakte. 'Jij, Danny, jij bent altijd aardiger voor me geweest dan al die andere schoften. Help me om water te gaan halen.'
Hij kneep zacht in haar hand en fluisterde: 'Nou en of, schat, laten we water gaan halen.'
'Danny!' Maar ze was niet boos meer. Ze lachte en liet zich door hem meetrekken naar het strand. Weer liet hij zijn tong langs zijn lippen glijden. Wat de dauw ook voor iets was, hoe meer hij ervan proefde, des te lekkerder hij het vond: niet zoet, niet zuur, niet zoals vruchten of vlees, niet zoals bloemen. Hij had nog nooit zoiets geproefd, maar het was een smaak waar hij meer van wilde hebben. Hij zag hoe Harriët haar spitse tong langs haar eigen dunne lippen liet gaan en voelde plotseling de onweerstaanbare drang om die nevel van haar mond te proeven. Hij voelde de klamme lust in zich opkomen en greep haar ruw bij haar middel.
Ze kusten elkaar, wild, terwijl ze met hun handen begerig elkaar de kleren van het lijf trokken.
Het kwam niet in hen op zich te verbergen. Het kon ze niets schelen wat de andere leden van de expeditie van hen zouden denken, en de anderen bekommerden zich niet om Harriët en Dalehouse. In duo's en groepen lag de hele expeditie op de grond en copuleerde, massaal en furieus, terwijl boven hen de heen en weer glijdende ballonvaarders zongen in het zoeklicht en hun ijle nevel neerdaalde op de mensen onder hen.

7

TechTorenTwee nam de hele oever van de Charles River in beslag en was meer dan twee keer zo groot als alle oude bakstenen gebouwen bij elkaar. Er waren geen collegezalen in TechTorenTwee. Er was ook geen administratie gevestigd. Hij was volledig bedoeld voor research, van de computerkamers in de onderste kelder tot aan de zonne-energie experimenten waarvoor het dak versierd was met schotels en andere, minder herkenbare apparaten.
Het Massachusetts Institute of Technology had een lange traditie van betrokkenheid bij ruimteverkenning, een traditie die al was gegrondvest voor er goed en wel van verkenning van de ruimte sprake was. In de jaren vijftig van de twintigste eeuw was er al een ontwerpklas geweest die een heel studiejaar had besteed aan het ontwerpen van produkten die waren bestemd voor de bewoners van de derde planeet van de ster Arcturus. Het feit dat niet bekend was óf er wel een derde planeet was, laat staan dat men wist of hij bewoond was of niet vormde geen hinderpaal voor docent en studenten. Techmensen waren eraan gewend om op commando hun fantasie de vrije loop te laten. Er waren al ontwerpers geweest van interstellaire ruimtevaartuigen voor de eerste Spoetnik werd gelanceerd, specialisten in buitenaards leven terwijl er geen greintje bewijs was dat er ergens buiten de Aarde leven was, en technici die zich bezighielden met interplanetaire communicatie voor er iemand aan de andere kant van de lijn zat. Margie Menninger had hier zes maanden postdoctorale studie gedaan, en was toen van Tech naar Harvard gegaan. Maar haar contacten had ze altijd aangehouden.
De vrouw aan wie Margie een bezoek wilde brengen, was plaatsvervangend rector magnificus van TechTorenTwee. Op Margies verzoek had ze een werkontbijt georganiseerd waarbij ook vijf faculteitshoofden aanwezig waren.
Ze stelde iedereen aan haar voor en zei toen: 'Ik hoop dat je een goed verhaal hebt, Margie. Faculteitshoofden vinden het helemaal niet leuk om zo vroeg in de ochtend op te moeten staan.'
Margie nam een hap van haar roereieren. 'Als ze altijd dit soort eten krijgen voorgezet, kan ik ze dat niet kwalijk nemen,' zei ze, terwijl ze haar vork neerlegde. 'Om meteen ter zake te komen, ik heb ongeveer tien minuten beeldmateriaal, holo's dus, over de

autochtonen van Zoon van Kung, alias Klong. Geen geluid, alleen maar beelden.' Ze boog zich naar achteren en haalde een schakelaar over, en het eerste holografische beeld kwam tevoorschijn uit een rozige gloed. 'U hebt het meeste hiervan waarschijnlijk al gezien. Dat is een Krinpit. De Krinpit zijn een van de drie intelligente, of in ieder geval mogelijk intelligente rassen op Klong, en het enige ras dat in nederzettingen leeft. Zo meteen krijgt u een paar gebouwen van ze te zien. Ze zijn van boven open. Blijkbaar maken de Krinpit zich weinig zorgen om het weer. Waarom ze eigenlijk gebouwen hebben weet niemand, maar ze hebben ze. Zo te zien zijn zij de meest geschikte handelspartner voor ons, maar helaas hebben de Fokkers op dit gebied een voorsprong. Die lopen we mettertijd wel in.'
Het hoofd van de ontwerpafdeling was een slanke jonge zwarte vrouw, die had ontbeten op jus d'orange en zwarte koffie, en al klaar was. 'Hoe stelt u zich dat voor, kapitein Menninger?'
Margie keek eens goed en besloot de uitdaging te negeren. 'Om te beginnen, dr. Ravenel, zou ik graag zien dat uw mensen wat handelswaar bedachten. Voor alle drie de rassen. Een dezer dagen worden het allemaal klanten van ons.'
De econoom wendde zijn blik af van een Krinpit bootje. 'Handel impliceert kopen én verkopen. Wat denkt u dat deze, eh, Klonganen, ons te bieden hebben dat zó waardevol is dat we de kosten en de problemen van het transport eruit halen?'
Margie grinnikte. 'Ik dacht dat u het nooit zou vragen.' Ze pakte een aktentas en maakte hem op tafel open. Het bord roereieren duwde ze weg. 'Tot nu toe hebben we nog geen dingen die echt gefabriceerd zijn. Maar kijk hier eens naar.' Ze deelde een paar stukken van een vliesdunne, taaie substantie uit. 'Dat is het spul waarvan de waterstofzakken van de ballonvaarders zijn gemaakt. Het is echt iets heel bijzonders – de lekkage van H_2 bedraagt per vierentwintig uur minder dan één procent. We zouden hier heel wat van kunnen leveren als er een markt voor was.'
'Moet je een ballonvaarder doodmaken om hieraan te komen?'
'Goeie vraag,' knikte Margie, met een valse glimlach. 'Nee. Dat wil zeggen dat er andere, niet-intelligente rassen zijn met dezelfde lichaamsstructuur, al komen deze monsters, geloof ik, van een van de intelligente wezens. En een markt – als ik me goed herinner moesten de Duitsers de tweede maag van runderen gebruiken toen ze de *Hindenburg* bouwden.'
'Ja ja,' zei de econoom ernstig. 'Het enige wat we hoeven te doen

is contact opnemen met een paar Zeppelin-fabrikanten.' Er werd gegrinnikt.
'Ik neem aan,' zei Margie kalm, 'dat u wel op betere ideeën kunt komen. O, dat was ik bijna vergeten. Ik heb m'n chequeboek meegebracht. Er is een hoop geld beschikbaar van de National Science Foundation als iemand hiermee aan het werk wil gaan.' En dank je wel, pappa, voor dat cadeautje, dacht ze.
De econoom was geen faculteitshoofd geworden om niet te weten wanneer hij een stap terug moest doen. 'Ik wilde niet kleinerend doen, kapitein Menninger. Dit is natuurlijk een opwindende uitdaging. Wat hebt u nog meer voor ons?'
'Een paar monsters die nog niet zó zorgvuldig zijn bestudeerd. Om heel eerlijk te zijn mogen ze hier eigenlijk helemaal niet zijn. In Camp Detrick weten ze nog niet dat ze verdwenen zijn.'
Er ontstond enige beroering. De rector magnificus zei vlug: 'Margie, ik vermoed dat we allemaal aan hetzelfde denken als je het over Camp Detrick hebt. Heeft dit iets te maken met biologische oorlogvoering?'
'Zeker niet! Nee, geloof me, dat heeft er helemaal niets mee te maken. Ik ga soms mijn boekje te buiten, dat geef ik toe, maar wat denk je dat er met me zou gebeuren als ik dat soort voorschriften aan m'n laars lapte?'
'Waarom worden ze dan in Camp Detrick bewaard?'
'Omdat het buitenaardse organismen zijn. Afgezien van die stukken weefsel van de ballonvaarder is alles wat ik bij me heb verpakt in een dubbele laag hermetisch verzegeld plastic. De buitenkant is gereinigd met zuur en gesteriliseerd met ultraviolette straling. Nee, wacht . . .' voegde ze er met een grijns aan toe. Iedereen aan tafel keek naar zijn vingers, en men schoof duidelijk merkbaar bij de monsters op tafel vandaan. 'Die ballonvaardermonsters zijn oké. De rest is misschien niet zo oké. Het is grondig bekeken. Er schijnen geen stoffen in te zitten die een ziekte of een allergische reactie kunnen opleveren. Maar voorzichtigheid blijft natuurlijk wel geboden.'
'Dank u zeer, kapitein Menninger,' zei de ontwerpster stijfjes. 'Hoe kunt u zo zeker zijn van het ballonvaardermateriaal?'
'Ik heb drie dagen geleden een stuk gegeten,' zei ze. Ze had nu hun volledige aandacht, en vervolgde: 'In het geldbedrag dat u toegewezen krijgt, zit natuurlijk een extra post verdisconteerd voor het aanschaffen van speciale apparatuur om besmetting of wat dan ook te voorkomen. Deze groep bestaat uit plantenmonsters. Ze zijn fotosynthetisch en reageren vooral op infra-

rood licht. Interessant voor de agronomen? Dacht ik al. En dit hier zijn, denken we, kunstvoorwerpen. Ze zijn afkomstig van de Krinpit, de wezens die eruit zien als platgetrapte kakkerlakken. De dingen kunnen 'zingen', heb ik me laten vertellen. Dat wil zeggen, als je een Krinpit bent en ze langs je schaal strijken, maken ze een interessant geluid. Als je geen chitinepantser hebt, kun je een plastic giropas gebruiken.'
De vrouw van Ontwerp pakte er voorzichtig een op en keek ernaar door het transparante plastic. 'U zei dat we handelsgoederen moesten bedenken'
'Nou en of.' Het laatste wat Margie uit haar tas haalde, was een roodgekaft gefotokopieerd document, met op de kaft in fluorescerende verf TOP SECRET. 'Zoals u kunt zien is dit geheim, maar dat komt alleen doordat er bij het leger van die neuroten zitten. Over tien dagen gaat dit toch naar de Verenigde Naties, het grootste deel ervan althans wel. Het is het volledigste rapport dat we op hebben kunnen stellen over de drie voornaamste rassen op Klong.'
Alle zes de faculteitshoofden staken hun hand ernaar uit, maar de zwarte vrouw was het snelst. 'Hm,' zei ze, terwijl ze het snel doorbladerde. 'Ik heb een doctoraalstudent die hier dolblij mee zou zijn. Kan ik het aan hem laten zien?'
'Ik heb een nog beter idee. Laten we dit rapport en de monsters toevertrouwen aan onze vrienden, dan gaan u en ik met hem praten.'
Een kwartier later had Margie de vrouw de deur uit weten te werken en was ze alleen met een slanke, opgewonden jongeman die Walter Pinson heette. 'Denk je dat je dit aankunt?' vroeg Margie.
'Ja! Nou ja, het is een heel karwei . . .'
Margie legde haar hand op zijn arm. 'Ik weet zeker dat het je wel lukt. Maar ik wil wel graag weten hoe je van plan bent om de zaak aan te pakken.'
Pinson dacht even na. 'Het eerste waar we achter moeten komen is wat ze nodig hebben.'
'Fascinerend! Dat zal alleen vrij moeilijk zijn. Ik zou nauwelijks weten waar ik moest beginnen. Zo uit de losse pols zou ik zeggen dat hun grootste zorg voorlopig is om in leven te blijven. Zoals je ziet, besteedt alles wat op de planeet woont een hoop tijd aan het opvreten van alle andere bewoners, waaronder ook de drie intelligente rassen.'
'Kannibalisme?'

'Zo kun je het denk ik niet noemen. Het zijn verschillende soorten. En er zijn een heleboel andere rassen die de intelligente rassen te pakken proberen te krijgen.'
'Roofdieren,' zei Pinson knikkend. 'Daar heb je een mooi aanknopingspunt. Als de ballonvaarders roofzuchtig van aard zijn, is alles wat ze in brand laat vliegen een prima bescherming voor intelligente rassen – natuurlijk,' voegde hij er met een frons op zijn voorhoofd aan toe, 'zouden we ervoor moeten zorgen dat wat we bedenken alleen maar wordt gebruikt om de intelligente rassen te verdedigen tegen lagere levensvormen.'
'Natuurlijk!' zei Margie geshockeerd. 'We willen ze geen wapens geven om een oorlog mee te beginnen!' Ze keek op haar horloge. 'Ik heb een idee, Walter. Ik heb bijna geen ontbijt gehad, en het loopt al aardig tegen de middag. Zullen we ergens gaan eten? Vroeger, toen ik hier nog studeerde, ging ik vaak naar een motel toe. Het motel was niet veel soeps, maar het eten was goed. Als je tijd hebt, natuurlijk.'
'O, tijd heb ik wel,' zei Pinson, terwijl hij haar waarderend bekeek.
'Het is helemaal voorbij Harvard Square, maar we nemen wel een taxi. En ik trakteer – ik heb een onkostenrekening, en het is trouwens toch allemaal belastinggeld van jou.' Terwijl ze naar de lift liepen, kwam een massa jonge studenten binnen en ging een collegezaal in. Margie keek naar ze en vroeg: 'Ken jij toevallig een student hier die Lloyd Wensley heet? Het is geloof ik een eerstejaars.'
'Nee, nooit van gehoord. Vriend van je?'
'Nee hoor – vroeger, toen het een klein jongetje was nog wel. Ik heb z'n vader goed gekend. Maar om verder te gaan over deze, eh, instrumenten voor zelfverdediging . . .'

Een paar heel aangename uren later stapte Margie buiten het oude motel in een taxi. Het eten was niet zo goed geweest als het in haar herinnering was, maar de kamers konden er nog steeds prima mee door. Toen ze bij Harvard Square kwamen, gaf ze gehoor aan een impuls. 'Ga over Mass Ave,' zei ze tegen de chauffeur. 'Ik wil een omweg maken.' Een paar straten verder liet ze hem linksaf slaan, en keek om zich heen.
Ze herkende de buurt meteen. Daar was de supermarkt. Daar was de cafetaria van Giordan, en daar, boven de kapper, alleen zat er nu een ijzerwinkel, was de driekamerflat waar ze had gewoond, met Lloyd en Lloyd Junior, in de tien maanden dat

haar studiejaar en haar huwelijk hadden geduurd. Dichter bij het moederschap was Marge nooit gekomen – ze had gezorgd voor een jongetje van zes, wiens echte moeder was overleden toen hij drie was. Dichter bij het huwelijk was ze ook nooit gekomen, en sindsdien was ze daar een heel eind vandaan gebleven. De oude Lloyd! Dertig jaar, terwijl zij negentien was, en zo verdomd beléé̈fd in de Officiersclub dat je er geen idee van had hoe hij zich in bed gedroeg. Ook niet als je hem eerst een paar keer uitprobeerde; zo voorzichtig was ze wel geweest. Alleen maar door naar het raam van hun slaapkamer te kijken, kreeg Marge weer pijn in haar nek door de herinnering aan al die keren dat ze met haar hoofd voorover in een hoek van het bed was geperst, half stikkend in de kussens, zodat Lloyd klaar kon komen zo vlug het hem schikte. Zo vaàk het hem schikte. Wanneer het hem maar schikte. Je vroeg een kwispedoor niet om toestemming er in te spuwen, en een vrouw vroeg je niet om toestemming voor seks. De kwispedoor kon zich niet verzetten, niet als je haar goed klem had, en ze zou heus niet gaan gillen. Vooral niet omdat een stiefzoon van zes in het kamertje ernaast lag te slapen.
Ze zei tegen de chauffeur dat hij verder kon rijden.
Het zou leuk geweest zijn om Lloyd Junior terug te zien, volwassen nu. Maar het was beter van niet. Beter zoals het was. Sinds de scheiding had ze de Lloyds geen van tweeën meer gezien, en eigenlijk was dat maar beter ook. Het was een behoorlijk angstaanjagende, vernederende ervaring geweest voor een jong meisje; ze mocht van geluk spreken, zei Margie bij zichzelf, dat ze geen permanente littekens had opgelopen!
Toen ze terug was in haar hotel, vond ze daar een op de band gezet bericht van haar vader. 'Horen is gehoorzamen. Luister naar een nieuwsuitzending.'
Ze zette de TV bij het bed aan terwijl ze haar koffer pakte, en probeerde een station te vinden dat alleen nieuws uitzond. Ze werd beloond met vijf minuten over de laatste politieke corruptieschandalen in Boston en een uitvoerig interview met een populaire honkbalspeler. Maar ten slotte kwam een samenvatting van het belangrijkste internationale nieuws van de dag:
'Tot verrassing van vele afgevaardigden bij de Verenigde Naties heeft het hoofd van de Poolse delegatie, Wladislas Prczensky, vanochtend meegedeeld dat zijn regering de uitdaging aanvaardt zoals die is verwoord in de resolutie van Bengalen. Het Voedselblok heeft erin toegestemd om een onderzoekscommis-

sie naar de planeet die schertsend 'Klong' of 'Zoon van Kung' wordt genoemd te sturen, teneinde een onderzoek in te stellen naar vermeende wandaden tegen de inheemse bevolking daar. Er zullen geen vertegenwoordigers van grootmachten zoals de Verenigde Staten of de Sovjet-Unie deel uitmaken van de commissie, die geheel zal worden samengesteld uit UN-militairen van Polen zelf, Brazilië, Canada, Argentinië en Bulgarije.'

8

Danny Dalehouse greep de theodoliet beet toen het apparaat om dreigde te vallen in de zachte grond. Morrissey grinnikte en zei: 'Sorry. Moet m'n evenwicht zijn kwijtgeraakt.'
'Of je bent weer stoned,' zei Danny. Hij was nijdig – niet alleen op Morrissey. In zijn hart besefte hij dat het grootste deel van zijn boosheid werd veroorzaakt door het feit dat Kappeljoesjnikov vloog, en hij niet. 'Nou, deze serie kunnen we dankzij jou overdoen. Waarom slaap je de volgende keer je roes niet gewoon uit?'
Ze waren allemaal onder invloed geraakt van het spul waarmee de ballonvaarders hen hadden bestoven, en af en toe, dagen later nog, voelden ze vlagen lust en euforie. Die van Morrissey waren niet alleen intenser, maar Dalehouse was er ook vrijwel zeker van dat de bioloog zich nog steeds aan het spul blootstelde. Hij had ontdekt dat iets in het sperma van de mannelijke ballonvaarders voor hallucinaties zorgde – en, nog beter, het befaamde afrodisiacum was dat al eeuwen werd beschreven in lied en verhaal, maar nog nooit was gevonden. Het was niet Morrissey's schuld dat zijn research hem af en toe hoteldebotel maakte. Maar hij had er niet op moeten staan om te helpen met de theodoliet.
Ver boven hen draaide Kappeljoesjnikovs bos felgele ballonnen in het rond terwijl de piloot experimenteerde met het regelen van de hoogte om gebruik te kunnen maken van de verschillende windrichtingen. Als hij daarmee klaar was, konden ze op grond van die gegevens overal komen. Dan was het Danny's beurt om te vliegen. Maar hij had meer dan genoeg van het wachten. 'Kappy,' zei hij in de radio, 'er is iets misgegaan met de theodoliet. Je kunt net zo goed naar beneden komen.'
Harriët kwam naar hen toelopen toen Kappeljoesjnikovs antwoord over de radio kwam. Het was in het Russisch. Harriët hoorde het en trok geërgerd met haar gezicht. Dat paste precies bij haar. Ze had door en door lullig gedaan over wat er gebeurd was, dacht Dalehouse. Toen ze weer tot zichzelf kwamen na die eerste ongelooflijke ervaring, was ze tegen hem uitgevallen. 'Beest! Je had me wel zwanger kunnen maken!' Die gedachte was geen ogenblik bij hem opgekomen. En bij haar ook niet, toen het gebeurde. Het had geen zin om haar eraan te herinne-

ren dat ze even graag gewild had als hij. Ze had zich teruggetrokken in haar harde mannenhatende omhulsel. En sinds die 'dag' was ze nog tien keer zo rechtschapen geweest als vroeger, en vijftig keer zo onaangenaam tegen iedereen die in haar bijzijn zinspeelde op seks of zelfs, zoals Kappy zojuist had gedaan, een volkomen te rechtvaardigen krachtterm gebruikte.
'Ik heb een paar nieuwe banden voor je, Dalehouse,' snauwde ze.
'Zit er schot in?'
'Zeker zit er schot in, Dalehouse. Er is een duidelijke grammatica. Ik vertel het hele kamp erover, na de volgende maaltijd.' Ze keek omhoog naar Kappy, die op de terugtocht was, terwijl een stuk of zes ballonvaarders om hem heen dansten, en verdween.
Een duidelijke grammatica.
Nou ja, het had geen zin om Harriët op te jagen. *Preliminaire studies over eerste contacten met subtechnologische buitenaardse rassen* leek een heel eind weg! Dalehouse memoreerde wat ze tot nu toe hadden bereikt. Erg indrukwekkend was het niet. Ze hadden geen enkel contact weten te leggen met de krabachtige dingen die Krinpit heetten of met de gravende wezens. De ballonvaarders waren voortdurend in de buurt gebleven sinds de dag dat ze de expeditie hadden besprenkeld met hun hom. Maar ze kwamen niet dichtbij genoeg voor het contact dat Danny Dalehouse wilde. Ze dansten honderden meters van de grond, meestal tenminste, en kwamen alleen lager als het grootste gedeelte van de bewoners van het kamp weg was, of sliep. Ze hadden natuurlijk in eeuwen van slechte ervaringen geleerd om uit de buurt te blijven van wezens die aan de grond gebonden waren. Maar het maakte Danny's werk er niet gemakkelijker op.
In ieder geval waren richtmicrofoons nu in staat om een groot deel van hun snerpende gezongen taal op te vangen – als het tenminste taal was. Harriët zei dat erstructuur in zat. Harriët zei dat het geen vogelgeluiden waren, geen kreten van schrik. Harriët zei dat ze hem zou leren om met hen te praten. Maar wat Harriët zei, kon je niet altijd voetstoots geloven, zei Danny Dalehouse bij zichzelf. Het andere wat hij bij zichzelf zei was dat ze een andere vertaalster nodig hadden. De operatie waarbij de linker- en de rechterhelft van het brein van elkaar gescheiden werden, maakte talen leren gemakkelijker, maar had ook een paar nadelen. Soms leverde hij lichamelijke kwalen op, waaronder langdurige pijn. Af en toe werd de persoonlijkheid er

anders door. En hij werkte niet altijd. Iemand die geen talenknobbel had, kreeg er geen door deze operatie. Volgens Danny golden bij Harriët alle drie de bezwaren.
Ze hadden toch alle banden maar naar de Aarde gestuurd. Vroeg of laat kwamen de grote semantische computers van John Hopkins en Texas A & M er wel achter en maakten Harriëts talenten, of haar gebrek eraan, niet zoveel meer uit.
Wat Danny nodig had, of in ieder geval wat Danny wilde, zo verschrikkelijk graag dat hij het kon proeven, was daar in de hemel hangen met een van de gasbuidels, en een taal leren op de ouderwetse manier. Al het andere was een compromis. Ze hadden al het mogelijke geprobeerd. Ballonnen met instrumenten eraan die door een sensor zouden worden ingeschakeld als er leven in de buurt was; wolvevallen voor de Krinpit; begraven microfoons voor de ondergrondse wezens; richtmicrofoons en telelenzen voor de gasbuidels. Ze hadden kilometers band, met beelden en geluiden en allerlei springende, kruipende, kronkelende dingen erop, en in al die eindeloze uren zat nauwelijks tien minuten die Danny Dalehouse kon gebruiken.
Maar ze hadden wel iets bereikt. Zoveel zelfs dat hij een paar rapporten had kunnen schrijven. Genoeg voor zijn jaloerse collega's, al was het dan niet voldoende voor Danny zelf. Het was nog steeds kennis, al was het grootste deel ervan negatief van aard.
Het eerste wat sneuvelde was het mooie fabeltje over drie onafhankelijke, intelligente rassen die in een soort wederzijdse samenwerking en harmonie Klong bewoonden. Er was geen samenwerking. In ieder geval, ze hadden niets gezien dat erop wees, en heel wat dingen die op het tegendeel wezen. De graafwezens schenen nooit contact met de andere rassen te hebben. De gasbuidels en de Krinpit hadden wel contact met elkaar, maar van samenwerking of harmonie was in het geheel geen sprake. De ballonvaarders raakten nooit de grond, voor zover Danny had gezien, in ieder geval niet met opzet. Er waren minstens twaalf soorten die graag een ballonvaarder aten als ze hem te pakken konden krijgen, waaronder slanke bruine wezens die eruit zagen als vleermuizen met stompe vleugels, kikkerachtige springers, kleinere schaaldierachtigen dan de Krinpit, en niet in de laatste plaats de Krinpit zelf. Als een ballonvaarder ooit zo laag kwam dat een van deze soorten hem kon grijpen, was het met hem gebeurd. Het hele leven van de ballonvaarders vond dus in de lucht plaats, en begraven werden ze altijd in het

spijsverteringskanaal van een aan de grond gebonden ras; een akelig lot voor zo'n mooi ras.

Kappeljoesjnikov kwam naar beneden, laag en snel, heen en weer geslingerd door de wind. Op een hoogte van vijf meter gaf hij een ruk aan het koord van zijn ballon en viel als een steen omlaag, terwijl hij zich uit zijn tuig liet glijden om er geen last van te hebben. Hij rolde een paar keer om en om toen hij landde, krabbelde overeind, borstelde zichzelf af en rende achter de leeglopende tros ballons aan, die werd voortgejaagd door de wind. Danny kneep zijn ogen even dicht toen hij aan zijn eigen eerste vlucht dacht. Het laatste stukje zou het moeilijkste zijn. Hij hielp Kappy om zijn ballons op orde te brengen, toen een geweerschot naast hem hem vloekend ineen deed duiken.
'Wat doe je nou verdomme weer, Morrissey?'
De bioloog presenteerde zijn geweer en salueerde naar de neersuizende ballonvaarder die hij net had aangeschoten. 'Ik verzamel alleen maar mijn zoveelste specimen, Danny,' zei hij opgewekt. Hij had hoogte en wind goed geschat en de leeggelopen ballon viel bijna voor hun voeten op de grond. 'Barst,' zei hij geërgerd, 'alweer een vrouwtje.'
'Werkelijk?' zei Danny, terwijl hij naar iets staarde dat eruitzag als een immense erectie. 'Zeker weten?'
'Dat misleidde mij in het begin ook,' grinnikte Morrissey. 'Nee, die met die dingen die er als een penis uitzien zijn niet de mannetjes. Ik bedoel, het is helemaal geen penis. Ze doen het niet zoals jij en ik, Danny. De vrouwtjes spuiten hun eitjes naar buiten en laten ze zweven en dan rukken de mannetjes op die eitjes af.'
'Wanneer ben je daar achter gekomen?' zei Danny geërgerd. Een van de grondregels van de expeditie was dat ze ontdekkingen meteen met de anderen deelden.
'Toen je tegen me uitviel dat ik zo stoned was. Ik denk dat het iets te maken heeft met de manier waarop ze hun waterstof maken. Daarbij schijnen zonnevlammen een rol te spelen. Toen ze onze lichten zagen, dachten ze dat het een zonnevlam was en toen paaiden ze, als je het zo kunt noemen. Alleen stonden wij er toevallig onder en dus werden we besproeid met, eh, met . . .'
'Ik weet waarmee we zijn besproeid.'
'Ja. Nou, Danny, toen ik met dit werk begon, kreeg ik te horen dat het snijden in dieren een onsmakelijk werkje was – maar elke keer dat ik de in de buurt kom van de geslachtsklieren van

een van deze mannetjes word ik helemaal high. Ik begin dit werk leuk te vinden.'
'Maar moet je ze nou allemaal afschieten om je werk te kunnen doen? Je jaagt de zwerm nog weg. En hoe moet ik dan met ze communiceren?'
Morrissey grinnikte. Hij gaf geen antwoord, maar wees naar boven. Dalehouse moest toegeven dat het zwijgende argument zwaar woog. Wat de gasbuidels ook voor emoties hadden, angst scheen daar niet bij te horen. Morrissey had er een stuk of tien neergeschoten, maar na het eerste contact was de zwerm bijna voortdurend in het zicht gebleven. Misschien werden ze aangetrokken door de lichten. In de permanente schemer van Klong bestond er geen 'dag'. Het kamp had besloten een dag en een nacht te creëren door de hele batterij zoeklichten op een arbitrair vastgesteld uur aan te zetten en ze twaalf uur later weer uit te zetten. Eén lamp bleef altijd branden. Om roofdieren bij het kamp vandaan te houden, zeiden ze tegen elkaar, maar in werkelijkheid was het om het steeds dreigende oerduister op een afstand te laten blijven.
Morrissey raapte de ballonvaarder op. Het wezen leefde nog, en het gerimpelde gezicht bewoog geluidloos. Als ze op de grond waren, maakten ze nooit geluid, omdat, zei Morrissey, de waterstof die ze hun stem gaf verloren ging als hun gasbuidel werd doorboord. Maar ze bleven het steeds proberen. De eerste die ze hadden neergeschoten, was meer dan veertig uur in leven gebleven. Hij had door het kamp gelopen en zijn grijze, verschrompelde buidel achte zich aan gesleept, en scheen al die uren pijn te lijden. Dalehouse was blij geweest toen hij eindelijk stierf, en was nu blij toen Morrissey het nieuwe exemplaar in een dodelijke zak stopte om naar de Aarde te sturen.
Kappeljoesjnikov kwam naar hen toe strompelen, terwijl hij zich langs zijn achterwerk wreef. 'Is altijd martelaar, eerste pionier van vliegen,' bromde hij. 'Zo, Danny Dalehouse. Nu wil jij omhoog?'
Danny schoot overeind. 'Nu meteen, bedoel je?'
'Tuurlijk, waarom niet? Wind is niet slecht. Ik ga mee, zodra ballonnen vol zijn.'

Het duurde langer dan Dalehouse voor mogelijk had gehouden voor de kleine pomp twee trossen ballonnen had gevuld — vooral omdat de pomp een haastig in elkaar gezet apparaat was, een niet-vonkende compressor waar evenveel gas uit lekte als in

de ballonnen verdween. Dalehouse probeerde te eten, probeerde een tukje te doen, probeerde belangstelling op te brengen voor andere projecten, maar kwam elke keer weer kijken naar de bossen ballonnen die stilletjes opzwollen binnen hun netten. Het weer was minder goed geworden. Wolken bedekten de hemel, van horizon tot horizon, maar Kappy bleef koppig optimistisch. 'Wolken waaien weg. Weet zeker dat hemel helder zal zijn.' Toen het eerste roze plekje aan de hemel verscheen zei hij resoluut: 'Is oké nu. Riemen vast, Danny.' Wantrouwig gespte Dalehouse zich vast. Hij was langer, maar lichter dan de Rus, en Kappeljoesjnikov bromde in zichzelf toen hij waterstof weg liet stromen. 'Anders ga je terug naar staat Michigan, East Lansing, *zwoesj!* Maar volgende keer niet zoveel gas verknoeien.'
Danny bewoog zich heen en weer en liet zich door de Rus uitleggen hoe de ballon werkte. Er was waterballast, die je kon lozen door aan een van de twee touwen te trekken, en door aan het andere touw te trekken loosde je *Wasserstoff.* Het zou wel anders zijn dan zweefvliegen boven de oostkust van Lake Michigan, waar er altijd een westenwind was die van de rotsen terugkaatste en een zweefvliegtuig uren in de lucht kon houden. Maar als de Rus het kon, kon hij het ook. Hoop ik, zei hij bij zichzelf. 'Oké, ik geloof dat ik het wel doorheb.'
'Vooruit!' riep Kappy, en liet grinnikend zijn eigen tuig om zijn schouders glijden. Hij bukte zich en raapte een behoorlijk stuk steen op, terwijl hij Danny beduidde hetzelfde te doen. De andere leden van de expeditie stonden op een afstandje toe te kijken, maar een van hen gaf Danny een steen en toen werden op bevel van Kappeljoesjnikov de ballons losgegooid.
Kappeljoesjnikov danste naar Danny toe als een duiker die lange zwevende stappen maakt op de bodem van de zee. Hij kwam zo dichtbij als de dikke trossen ballons toelieten, en riep: 'Alles in orde?' Danny knikte. 'Laat de steen vallen, dan gaan we!' En de Rus gooide zijn eigen steen op de grond en begon diagonaal omhoog te glijden.
Dalehouse haalde diep adem en volgde zijn voorbeeld. Hij keek de wegglijdende Rus na.
Gebeurde er wel iets? Danny voelde geen snel omhoog schieten, alleen dat zijn voeten plotseling gevoelloos leken te zijn geworden, en hij geen druk meer voelde van de grond eronder. Omdat zijn blik op Kappeljoesjnikov gevestigd was keek hij pas omlaag toen hij al vijftig meter boven de grond was.
Ze gleden zuidwaarts, langs de kustlijn. Ver boven hen, meer

landinwaarts, boven de paarse heuvels die het einde markeerden van het varenwoud, zwierf de uitgerekte zwerm ballonvaarders, en voedde zich met de kleine organismen die ze in de hemel vonden. Onder en achter hen lag het kleiner wordende kamp. Danny was al boven de neus van de raket waarmee ze terug zouden keren, het hoogste punt van het kamp. Aan zijn linkerhand lag de zee, en in het modderige water zag hij een paar eilanden, bedekt met veelstammige bomen.

Hij maakte met enige moeite zijn blik los van het landschap; Kappeljoesjnikov schreeuwde iets. 'Wat?' brulde hij terug. De ruimte tussen hen was groter geworden; Kappy was nu veertig meter boven hem en gleed landinwaarts, met een andere luchtstroom mee.

'Loos . . . beetje . . . ballast!'

Dalehouse knikte en gaf een rukje aan het koord.

Er gebeurde niets.

Hij rukte nog een keer, maar nu wat harder, en een halve liter ballast viel uit de tank en doordrenkte zijn hemd. Danny had niet beseft dat de ballasttank recht boven de passagier hing en zwoer daar verandering in te brengen voor hij weer de lucht in ging.

Maar hij vloog, hij vloog!

Niet gemakkelijk. Niet gracieus. Zelfs niet met de logge vaardigheid die Kappeljoesjnikov zich eigen had gemaakt. Het eerste uur achtervolgde hij Kappy de hele hemel door, zonder hem te pakken te krijgen, al deed de Rus zijn best om dat zo gemakkelijk mogelijk te maken.

Maar hij vloog! Het was de droom die hij altijd had gehad, de droom die iedereen heeft gehad. De totale overwinning op de lucht. Geen straalmotoren. Geen vleugels. Geen motoren. Gewoon zoetjes door de atmosfeer zweven, even moeiteloos als je laten drijven op de zoute golven van de zee.

Hij genoot ervan, en na verloop van tijd – niet bij de eerste vlucht, of de tiende, maar de voorraad waterstof was onbeperkt en hij maakte zoveel mogelijk vluchten – kreeg hij enige vaardigheid in het vliegen.

En het probleem hoe hij bij de ballonvaarders moest komen, bleek helemaal geen probleem te zijn.

Hij hoefde niet naar hen toe te gaan. Ze konden veel beter vliegen dan hij, en ze kwamen naar hem toe, op en neer dansend als grote pompoenlampionnen met afschuwelijke insektegezichten, en tuurden nieuwsgierig naar zijn gezicht, zingend,

zingend, o, wat zongen ze.
De volgende week – wat op Klong voor een week doorging – hing Danny elke minuut van de dag die hij kon vrijmaken in de lucht. Het leven van het kamp ging bijna zonder hem door. Zelfs Kappy bleef meer aan de grond dan hij. Er was niets dat Dalehouse aan de aarde bond, en hij voelde zich bijna een vreemde als hij landde, sliep, zijn behoefte deed, at, zijn ballons vulde en weer de lucht in ging. Harriët blafte hem af omdat hij meer van haar vroeg dan ze aankon. De commandant van het kamp klaagde dat het vullen van de ballonnen zoveel energie kostte. Jim Morrissey wilde dat hij hielp met het verzamelen en bestuderén van andere soorten. Zelfs Kappy deed narrig over de slijtage aan zijn ballonnen. Danny kon het allemaal niets schelen. In de hemel van Klong leefde hij. Hij maakte goede vorderingen, van roekeloze beginneling tot vaardig aeronaut, tot, bijna, lid van de zwevende zwerm. Na enige tijd was hij in staat om rudimentaire ideeën uit te wisselen met een paar ballonvaarders, vooral de grootste, met een diameter van twee meter en een kleurenpatroon dat veel weghad van een Schotse ruit; Danny noemde hem 'Bonny Prince Charlie', omdat hij er geen idee van had hoe de ballonvaarder zichzelf noemde. Mettertijd begon Danny hem bijna als een vriend te zien. Als het niet fysiek onvermijdelijk was geweest zou Dalehouse nauwelijks de moeite genomen hebben om nog terug te gaan naar het kamp.
Je kon van te voren nooit weten aan welk deel van je opleiding je het meest zou hebben. Die lange uren Chomsky en transformationeel generatieve grammatica, de kritieken van Lorenz en Dart, de colleges over paarrituelen en territoriumgedrag – aan dat alles had hij niet zoveel in de hemel van Klong. Maar hij zegende elk uur dat hij in een zweefvliegtuig had gezeten en elk uur in het plaatselijk mannenkoor. De taal van de ballonvaarders was muziek. Zelfs Mandarijns Chinees kende niet zoveel nuances in klank en timbre als hun liederen. Zelfs voor hij woorden leerden herkenen, zong hij al mee met hun koor en ze reageerden er ook op, misschien niet met een hartelijk welkom, maar in ieder geval met nieuwsgierigheid. De grote gasbuidel, met de Schotse ruit, leerde zelfs Danny's naam zingen, voor zover dat tenminste mogelijk was, omdat de ballonvaarders geen spiranten voort konden brengen.
Danny kwam te weten dat sommige liederen wel wat weghadden van vogelgeluiden op Aarde; er was een lied voor voedsel, en een paar voor gevaar. Er schenen drie afzonderlijke soorten

gevaar te zijn, een voor gevaar van de grond en twee voor gevaren, duidelijk andere gevaren, in de lucht. Een van de geluiden klonk bijna Hawaïaans, en scheen te horen bij een soort roof-ballonvaarder, een haai van de lucht. Dat scheen hun gevaarlijkste natuurlijke vijand te zijn.

Het andere lied – Dalehouse wist het niet zeker, en aan Harriët had hij ook niet veel, hoe hij ook raasde en tierde – scheen te maken te hebben met gevaar *boven* de lucht, en niet alleen gevaar, maar ook het bijzondere macho idee van risico's lopen, je leven in de waagschaal stellen zelfs, het vergooien, terwijl dat alles toch tegelijkertijd eindeloos aantrekkelijk was – hij begreep niet goed waarom. Urenlang bleef hij zich ermee bezighouden en maakte Harriëts leven tot een hel. Geen oplossing.

Maar de banden gingen naar de Aarde, en de computers begonnen semantische gegevens te leveren en Harriët wist zinnen te construeren die hij kon zeggen. Hij zong: 'Ik ben vriend,' en zijn hart brak bijna toen de grote geruite gasbuidel die hij Charlie noemde, reageerde met een heel lied:

'Jij bent, jij bent, jij bent vriend!' En het hele koor viel in en herhaalde het.

Het wisselvallige weer van Klong werkte acht kalenderdagen mee, en toen begon de wind harder te worden en kwamen de wolken opzetten.

Als het stormde, kostte het zelfs de zwerm gasbuidels moeite om bijeen te blijven en Danny Dalehouse werd meegesleept door de rukwinden. Hij probeerde het kamp in zicht te houden, en daarom deed de hele zwerm dat. Maar ze raakten wel over een groot gebied van de hemel verspreid. Toen hij ten slotte besloot er de brui aan te geven, nam hij afscheid van ze en hoorde bij wijze van antwoord het lied dat 'luchtgevaar' scheen te betekenen. Hij herhaalde het; gezien het weer was de waarschuwing niet onbegrijpelijk. Maar toen hoorde hij een diep kletterend geluid achter het gejank van de wind. Het geluid van een helikopter.

Dalehouse liet de zwerm voor wat hij was, klom omhoog om een wind te vinden die hem terug kon brengen naar het kamp en gleed toen behendig door de tegengestelde luchtstromingen omlaag naar het kamp. Daar was hij, hij kwam net door de haveloze onderkant van een wolk: de helikopter van de Vetpotters, met een Britse vlag op de staart. Wat een verkwisting van energie! Niet alleen hadden ze die gigantische massa in een baan om de Aarde gebracht en toen naar Klong gestuurd, maar

ze hadden ook genoeg brandstof meegestuurd om de piloot pleziervluchtjes te laten maken. En wat hing er tussen de landingsski's? Nog een machine! Heel typisch van de Vetpotters om zo met olie te smijten!
Danny vloekte geërgerd. Met een fractie van alle kilocalorieën die ze verspilden door zorgeloosheid en inefficiency had hij een behoorlijke computer gehad, Kappy een zweefvliegtuig, Morrissey een buitenboordmotor voor zijn boot en dus een vrijwel volledige verzameling monsters van flora en fauna uit de zee. Er was iets mis met een wereld die een handvol naties toestond om energie zo roekeloos te verspillen, alleen maar omdat ze toevallig de bronnen ervan beheersten. Als die fossiele brandstoffen op waren, zouden ze net zo straatarm zijn als de Peruvianen of de Paks, zeker. Maar dat was een schrale troost. Hun val zou ook de val van de wereld zijn.
In ieder geval van *die* wereld. Misschien konden ze voor deze wereld iets bedenken. Plannen maken. Nadenken. Voorbereidselen treffen. De groei in de hand houden, zodat schaarse grondstoffen niet werden weggesmeten aan dwaze dingen. Een eerlijke verdeling van Klongs schatten, zodat geen land en geen individu zich kon verrijken door anderen gebrek te laten lijden. Een poging om voor gelijkheid voor iedereen te zorgen . . .
Danny's gedachtengang werd abrupt afgebroken toen hij besefte dat hij aan het dagdromen was geweest en dat de wind hem verder had meegevoerd dan hij van plan was geweest, bijna boven zee. Bliksemsnel loosde hij zijn waterstof en belandde bijna in het water. Hj krabbelde overeind en zag de gescheurde ballons buiten bereik van zijn handen in het water drijven. Kappy zou woedend zijn.
In ieder geval hoefde hij ze niet mee te slepen op wat zo te zien een stevige tippel zou worden naar het kamp. Het was een schrale troost, maar zelfs die duurde niet lang. Voor hij halverwege was, begon het te regenen.

En het bleef regenen. En regenen. Het was niet zo'n woeste storm als ze kort na de landing hadden meegemaakt, maar de regen bleef omlaag drenzen, tot verveling en woede van iedereen, lang voorbij het punt dat iedereen er echt genoeg van had, lang voorbij het ogenblik dat het een ware ergernis werd, tot het wel leek of ze allemaal de rest van hun leven waren veroordeeld tot het voelen en horen van dikke, kleffe druppels, die de grond veranderden in een modderbrij en het kamp in een stoombad.

Er was geen schijn van kans om de lucht in te gaan. Er waren trouwens nergens ballonvaarders te zien. Kappeljoesjnikov vulde mokkend nieuwe ballons, in de hoop dat het weer beter zou worden. Harriët Santori viel uit tegen iedereen die in haar buurt kwam. Morrissey pakte monsters in in zijn tent en tuurde naar geheimzinnige afbeeldingen en kaarten; hij kwam alleen naar buiten om woedend naar de regen te staren en zijn hoofd te schudden. Danny stelde lange tactranberichten op naar SERD-COM om cadeautjes te vragen voor zijn ballonvaarders. Krivitin en Sparky Cerbo brouwden een soort gifdrankje van inheemse bessen en werden samen verschrikkelijk dronken, en toen nog verschrikkelijker ziek omdat hun lichaam heftig reageerde op hun eigen stook. Ze gingen bijna dood. Ze zouden zijn doodgegaan, tierde Alex Woodring, ziedend van woede, als ze deze idioterie eerder hadden uitgehaald. De totale kwetsbaarheid van de eerste tijd was minder geworden en als je nu iets van Klong binnenkreeg, ging je niet meer meteen dood. Je werd alleen langdurig ziek. Danny werd opgezadeld met de verpleging en een boze Harriët stond erop dat hij monsters nam van de onsmakelijke zaken die het tweetal afscheidde, zodat Morrissey ze kon analyseren.

Morrissey zat over zijn foto's en diagrammen gebogen toen Danny binnenkwam, en toen deze uitlegde wat de bedoeling was, weigerde hij meteen. 'Jezus, Danny, ik heb daar geen instrumenten voor. Smijt die troep maar in de latrine; ik heb er niks aan.'

'Harriët zegt dat we moeten weten hoe erg de vergiftiging is.'

'Dat weten we al. Ze zijn heel ziek geworden. Maar doodgaan deden ze niet.'

'Harriët zegt dat je ze in ieder geval kunt analyseren.'

'Waarom? Ik zou niet weten waar ik naar zou moeten kijken.'

'Harriët zegt . . .'

'Harriët kan de pot op. En trouwens, ik heb iets beters te doen nu het ophoudt met regenen.'

'Het regent nog steeds, Jim.'

'Het wordt minder. Als de regen afgelopen is, komt Boyne de graafschop ophalen die ik van 'm heb geleend. Ik wil 'm eerst gebruiken.'

'Waarvoor?'

'Om een paar van onze diefachtige vrienden uit te graven.' Hij wees recht omlaag. 'De boeven die Harriëts radio hebben gestolen.'

'Dat hebben we al eens geprobeerd.'
'Inderdaad. We hebben ontdekt dat het essentieel is om snél te zijn. Ze sluiten die tunnels ongelooflijk vlug af, zodat we binnen moeten komen en ze te grazen moeten nemen voor ze de kans krijgen om te reageren. De enige andere kans zou zijn om de tunnels eerst vol cyanide te spuiten. Dan zouden we het op ons gemak kunnen doen.'
'Is dat het enige waaraan je kunt denken – aan doodmaken?' vloog Dalehouse op.
'Nee, nee, het was geen suggestie. Ik sloot de mogelijkheid uit. Ik weet dat het je niet aanstaat dat we onze buitenaardse broeders afschieten.'
Dalehouse haalde even diep adem. Hij had genoeg van de ballonvaarders gezien om ze niet meer te zien als iets dat je in een fles formaline stopt; hij was ze bijna als, ja, mensen gaan beschouwen. De gravers waren nog steeds volkomen onbekend, en waarschijnlijk nogal weerzinwekkend – hij dacht aan termieten en maden en allerlei vieze kruipende dingen als hij aan ze dacht. Maar genocide, nee, dat zag hij niet zitten.
'Wat wil je dan wel?'
'Ik heb een laadschop geleend van Boyne, en ik zal 'm gebruiken ook voor hij 'm terug komt halen. Kijk, ik geloof dat ik weet waar ik graven moet.'
Hij legde een stapel vreemd gekleurde foto's op de tafel, die Danny na enige tijd herkende als foto's van de omgeving van het kamp. Ze waren natuurlijk genomen door hemzelf en Kappeljoesjnikov. 'Daar,' zei Morrissey, 'die rij struiken daar verandert van kleur, van oranje naar rood. Het zijn dezelfde struiken, maar de rode zijn dood. En zie je op deze gewone foto's die flauwe lijnen? Ik heb een sonde in de grond gestoken en raad eens wat ik gevonden heb?'
'Gangen?' gokte Dalehouse.
'Precies. Op Aarde gebruiken ze deze techniek voor soortgelijke zaken. Ik weet niet waarom de struiken boven de gangen dood zijn – misschien omdat daar de voedselstoffen weggeloogd worden of omdat de planten niet gedijen in chemisch veranderde grond – dat is volgens mij de essentie.'
'En je wilt dat ik je help om naar gravers te graven. Met die laadschop.'
'Precies. Hij staat al op de meest geschikte plek sinds het begin van de regen. Ik denk dat de gravers grondtrillingen kunnen voelen en ik wilde ze eraan laten wennen dat het ding er staat

voor we beginnen.'
'Heb je Boyne verteld waarvoor je het ding wilde gebruiken? Ik kreeg de indruk dat ze zelf ook gravers te pakken probeerden te krijgen.'
'Ik ook, en daarom heb ik hem niets verteld. Ik heb gezegd dat we latrines nodig hadden, en die hebben we ook nodig, zo niet nu, dan toch over een maand of wat. Hoe dan ook, hij staat boven de meest veelbelovende groep struiken, startklaar. Doe je mee?'
Danny dacht verlangend aan zijn zwevende vrienden, die zoveel uitnodigender waren dan deze ratten of wormen. Maar die waren voorlopig buiten bereik. 'Tuurlijk.'
Morrissey grinnikte opgelucht. 'Nu, dat was het makkelijkste deel van het karwei. Nu komt het moeilijkste deel: Harriët meekrijgen.'

Harriët was even lastig als hij voorspeld had. 'Je bedoelt toch zeker niet,' begon ze, 'dat je *ie*dereen deze *stro*mende regen in wilt jagen om een paar *ga*ten te graven?'
'Vooruit, Harriët,' zei Morrissey, terwijl hij zich manhaftig in probeerde te houden. 'De regen is bijna opgehouden.'
'Er zijn wel *dui*zend belangrijker dingen te doen.'
'Is leuk, Gasha,' zei Kappeljoesjnikov. 'Graven naar vossegaten als olierijke Engelse landjonkers! Prima sport.'
'En het zijn niet gewoon een paar gaten,' zei Morrissey. 'Kijk maar eens naar de seismologische gegevens.Er zitten daar grote ruimten, kamers van twintig meter lang en meer. Niet alleen tunnels. Misschien wel steden.'
Snijdend zei Harriët: 'Morrissey, als je je soms afvraagt waarom niemand van ons vertrouwen in je heeft dan is dat de reden. Je zegt alles wat je voor de mond komt, hoe stom het ook is. Steden! Er zijn aanwijzingen voor schachten en kamers, wat groter dan de tunnels die recht onder de oppervlakte liggen, ja. Maar ik zou ze niet . . .'
'Oké, oké. Het zijn geen steden. Misschien zijn het zelfs geen dorpen, maar er zit daar wel iets onder de grond. Op z'n minst zijn het een soort broedkamers, waar ze hun jongen verzorgen. Of hun voedsel bewaren. Jezus, weet ik veel, misschien houden ze daar wel balletuitvoeringen of spelen ze bingo, wat is het verschil? Omdat ze groter zijn is het toch logisch dat ze ook belangrijker zijn. Het is minder waarschijnlijk dat ze ze meteen afsluiten – en minder gemakkelijk ook.'

Hij keek naar Alex Woodring die kuchte en zei: 'Dat vind ik heel redelijk klinken, Harriët. Jij niet?'
'Redelijk? Nee, redelijk zou ik het zéker niet willen noemen. Natuurlijk ben jij de aanvoerder, in ieder geval officieel, en als jij het verstandig vindt om af te wijken van de overeenkomst dat beslissingen *unaniem* genomen moeten worden, dan heb ik niets meer te zeggen.'
'Gasha,' zei Kappeljoesjnikov kalmerend, 'kop dicht, alsjeblieft. Vertel ons plan, Jim.'
'Nou, het eerste wat we doen is een groot gat maken, zo groot als we kunnen, met de laadschop. We hebben allemaal een schop bij ons, en we springen erin. Wat we te pakken moeten zien te krijgen zijn exemplaren van de wezens die onder de grond leven. We grijpen wat we zien. Het element van de verrassing zou aan onze kant moeten zijn en bovendien,' zei hij voldaan, 'kunnen twee van ons zo'n ding meenemen.' Hij hief zijn camera op. 'Er zit een goeie felle flitser op. Ik heb dat idee van Boyne gekregen toen we samen zaten te drinken. Ik denk dat ze het bij de Vetpotters zo aanpakken. Ze gaan er met deze dingen op uit, deels om foto's te krijgen en deels om ze te verblinden. Terwijl ze tijdelijk verblind zijn, kunnen we ze gemakkelijk te pakken nemen.'
'*Tijdelijk* verblind, Jim?' zei Dalehouse.
'Tja,' zei Morrissey aarzelend, 'nee, dat weet ik niet zeker. Hun ogen zijn waarschijnlijk nogal gevoelig – maar, nou ja, Danny, we weten niet eens óf ze wel ogen hebben!'
'Hoe wil je ze dan verblinden?'
'Best, best. Maar zo wil ik het nou eenmaal doen. En we nemen walkie-talkies mee. Als er iets, eh, mis gaat . . .' Hij aarzelde, en begon toen opnieuw. 'Als je gedesoriënteerd raakt of zoiets, graaf dan gewoon naar boven. Dat zou met je blote handen moeten kunnen. Als je dat niet kunt, zet je gewoon je walkie-talkie aan. Misschien vangen we van onder de grond wel geen stemmen op, maar door de radio die gestolen is, weten we dat we de draaggolf in ieder geval kunnen opvangen, en dan peilen we je en graven je uit. Als er iets verkeerd gaat, dus.'
Kappeljoesjnikov boog zich voorover en legde zijn hand op de mond van de biochemicus. 'Beste Jim, moedig ons niet verder aan, anders doet niemand meer mee. Laten we het doen, en er verder niet meer over praten.'

Zoals te voorspellen was weigerde Harriët mee te doen, en ze stond erop dat minstens twee mannen ook boven bleven – 'voor het geval we de helden uit moeten graven.' Maar Sparky Cerbo bood aan om mee te doen, en Alicia Dair zei dat ze beter kon omgaan met de laadschop dan de rest en dus hadden ze zes man klaarstaan met overalls, helmlampen, handschoenen en stofbrillen toen Morrissey gebaarde dat Alicia kon gaan graven.

Hij had het bij het rechte eind gehad over de modder waarvoor iedereen zo bang was geweest; die was er niet, afgezien van het hoofdpad waar door het frequente gebruik de bodembedekking was verdwenen. Maar de bodem was verzadigd, en de laadschop werkte evenveel water als grond weg. Binnen zestig seconden was hij door de laag aarde heen.

Morrissey slikte, sloeg een kruis en sprong in het gat. Alex Woodring volgde hem, toen Danny, toen Kappeljoesjnikov, DiPaolo en Sparky Cerbo.

Het plan was om twee aan twee op weg te gaan, een tunnel in. Het probleem was dat het plan ervan uitging dat ze meer dan twee kanten op konden. En dat was niet het geval. Het gat waar ze insprongen was niet meer dan een meter breed. Het rook er muf, en – en *vies*, dacht Danny, net als een kooi met witte muizen die nodig schoongemaakt moet worden; en het was niet meer dan een tunnel. DiPaolo sprong op Danny's enkel, en Sparky Cerbo raakte hem middenin zijn rug. Vloekend en tierend rolden ze over elkaar heen en als er binnen een afstand van een kilometer een graver was die nog niet wist dat ze in aantocht waren, was die graver dood, zei Danny bij zichzelf. 'Hou op met dat gerotzooi,' schreeuwde Morrissey over zijn schouder. 'Dalehouse! Sparky! Met mij mee.' Dalehouse draaide zich net op tijd rond om Morrisseys heupen en knieën, scherp afgetekend in het licht van de helmlamp te zien verdwijnen. De tunnelopening was eerder ovaal dan rond, en breder dan hoog; ze konden niet goed op handen en voeten lopen, maar op dijen en ellebogen kwamen ze behoorlijk vooruit.

'Zie je iets?' riep hij naar voren.

'Nee. Kop dicht en luisteren.' Morrisseys stem was gesmoord, maar Dalehouse kon hem goed horen. Verderop dacht hij iets anders te horen. Wat? Het waren zachte geluiden, moeilijk te indentificeren, eekhoornachtig gepiep en geritsel, misschien, en grotere, diepere geluiden, van verder weg. Zijn eigen ademhaling, het heen en weer wrijven van zijn spullen, de geluiden die de anderen maakten, dat alles probeerde die geluiden te overstemmen. Maar ze waren er wel.

Een felle flits voor hem deed hem knipperen met zijn ogen. Deed pijn aan zijn ogen. Het was Morrisseys flitser, verderop. Dalehouse zag er niet veel van, behalve wat licht dat bijna zonder weerkaatsing van de tunnelwanden terugkwam. Voor de wezens aan de andere kant moest het iets verschrikkelijks zijn geweest. Nu wist hij zeker dat hij het eekhoorngepiep hoorde, en het klonk gekweld. Ja, natuurlijk, dacht Danny in een vlaag van medegevoel, wat kan licht ooit voor hen betekend hebben dan dat een roofdier was binnengevallen, met dood en vernietiging in zijn spoor?
Hij stootte tegen Morrisseys voeten aan en hield stil. Over zijn schouder grauwde Morrissey: 'De klootzakken! Ze hebben de tunnel dichtgemaakt.'
'De tunnel?'
'Jezus, ja, de tunnel! Geen doorkomen aan. Hoe hebben ze dat verdomme zo snel kunnen doen?'
Dalehouse voelde even de angst opkomen die de oermens ook moest hebben gekend. Begraven, onder de grond! En de andere kant. Hij liet zich op zijn zij rollen, doofde zijn lamp en tuurde tussen zijn voeten door naar het uiteinde van de tunnel. Voorbij Sparky's gehurkte gedaante zag hij, ja, hij wist zeker dat hij het zag, het geruststellende rode licht van de Klongaanse hemel. Maar toch kon hij voelen hoe de spieren in zijn nek zich spanden, hoe zijn hart hamerde toen hij zich die oude angst van de mens herinnerde en plotseling bedacht hij dat ze het uiteinde in waren gekropen waar de laadschop boven stond. Als het gewicht van de machine de tunnel nu eens deed bezwijken? 'Hé, Jim,' riep hij. 'Wat vind jij? Terug naar huis?'
Pauze. Toen, boos: 'Ja, we kunnen net zo goed teruggaan. Hier blijven heeft geen zin. Misschien hebben ze aan de andere kant meer geluk gehad.'
Maar Kappy en de anderen waren de tunnel al uit en hielpen Morrissey, Dalehouse en Sparky Cerbo bij de laatste meters. Ze waren maar acht, negen meter ver gekomen, toen was de tunnel al geblokkeerd; Dalehouse en zijn metgezellen waren meer dan twee keer zo ver gekomen. Ongelooflijk dat de gravers zo snel konden reageren. Het was ze ongetwijfeld in talloze millennia bijgebracht. Hoe het ook zij, het zou niet gemakkelijk worden om een exemplaar te pakken te krijgen, laat staan met de gravers in contact te komen. Danny dacht vol verlangen aan zijn ballonvaarders; vliegend communiceren was heel wat plezieriger dan op je buik rond kruipen en als een slang door de modder wroeten!

Kappeljoesjnikov klopte hem af en deed toen hetzelfde met Sparky Cerbo, alleen uitgebreider. 'Lief meisje,' zei hij, 'je bent door en door vuil. Laten we allemaal in meer gaan zwemmen en onze zorgen van ons af zetten.'
Het meisje duwde welgemutst zijn hand weg. 'Misschien moeten we eerst horen wat Harriët wil.' En inderdaad, Harriët stond bij de ingang van de grote tent, honderd meter verderop, duidelijk wachtend tot ze terugkwamen.
Toen ze dichterbij kwamen, bekeek ze het zestal misprijzend. 'Een totale mislukking,' zei ze, knikkend. 'Dat was natuurlijk te verwachten.'
'Harriët,' begon Jim Morrissey dreigend.
Ze hief haar hand op. 'Het maakt niet uit. Misschien hebben jullie belangstelling voor wat er gedurende jullie afwezigheid is gebeurd.'
'Harriët, we zijn maar twintig minuten weggeweest. Hooguit een half uur,' brieste Morrissey.
'Maar toch. Ten eerste is er een tactranbericht binnen gekomen. We krijgen versterking, en de Fokkers ook. Ten tweede . . .' Ze ging opzij, zodat ze langs haar heen konden lopen, de tent in. De anderen, die niet hadden meegedaan aan de vergeefse expeditie, stonden daar om iets heen geschaard, met op hun gezicht, vond Dalehouse, een merkwaardig zelfvoldane blik. 'Ik meen dat jullie een exemplaar van het ondergrondse ras te pakken wilden krijgen? We betrapten er een toen hij probeerde wat voedsel te stelen. Natuurlijk zou het gemakkelijker zijn geweest als zo'n groot aantal mensen z'n tijd niet had verdaan met dwaze ondernemingen en jullie hadden kunnen helpen toen we jullie nodig hadden . . .'
'Gasha! Kom ogenblikkelijk ter zake! Jullie hebben exemplaar voor ons gevangen?'
'Natuurlijk,' zei ze. 'We hebben hem in een van Morrisseys kooien gestopt. Ik heb een paar behoorlijke schrammen opgelopen, maar je kunt niet anders verwachten als je geen . . .'
Ze lieten haar de zin niet afmaken, maar schoten de tent in en keken.
De muffe muizenkooilucht was duizend keer sterker, en Danny Dalehouse stikte er bijna in, maar daar was wat ze hadden willen vangen. Het wezen was bijna twee meter lang, kleine oogjes vlak bij elkaar boven de snuit, nu gekweld dichtgeknepen. Het gilde zachtjes – Danny zou bijna hebben gezegd verdrietig – in zichzelf. Het knaagde aan de metalen stangen van de kooi en

klauwde tegelijkertijd aan de plastic vloer met voeten die wel wat weghadden van eendepoten. Het was bedekt met een soort grauw dons, of een korte pels; het scheen minstens zes stel ledematen te hebben, allemaal kort en dik, allemaal voorzien van scherpe nagels, en allemaal ongelooflijk sterk.

Waar de tanden ook van waren, *hard* waren ze wel. Een van de stangen van de kooi was bijna doorgeknaagd, en het gegil van pijn hield geen ogenblik op.

9

De zwerm bestond nu voor de helft uit kroost, minuscule ballonvaardertjes die zojuist de draden zijde die hen in de lucht hielden hadden afgestoten en nu dapper hun best deden om de volwassen bollen, die af en toe wel vijf meter groot waren, bij te houden. In het onafgebroken zingen van de zwerm waren de stemmetjes van het kroost even klein als hun gasbuidels. Ze gebruikten bij hun schrille gepiep zo weinig mogelijk waterstof om de precaire hoeveelheid gas in evenwicht te houden met de paar druppels in hun ballastblaas.

Charlie patrouilleerde majestueus door de zwerm, duwde zijn grote lichaam afkeurend tegen een paar ballonvaardertjes die tegen de melodie van de zwerm in zongen, draaide zijn oogstukken om de hemel af te turen naar *ha'aye'i*, luisterde naar de tegenliederen, prijzend en klagend, van de andere volwassenen van de zwerm en leidde hen altijd, altijd onder het zingen. Er werd veel geprezen, en veel geklaagd. De prijzende woorden hoorde hij aan zonder er veel aandacht aan te besteden, maar naar de klachten luisterde hij zorgvuldiger, klaar om de grief te verhelpen of de klagers terecht te wijzen. Drie vrouwen zongen wanhopig over kleine ballonvaarders die hun vliegende staarten te vlug hadden afgestoten of die hun waterstof niet vast konden houden en hulpeloos omlaag gleden naar de verslindende wereld onder hen. Een vierde zong een rouwlied van woede en smart en weet het misvormde kroost aan de Personen van de Middelste Zon.

Dit was terecht en Charlie ging de zwerm voor in een lied waarin sympathie en goede raad werden uitgesproken. 'Nooit–' *(Nooit, nooit, nooit,* zong het koor) '–nooit moeten we ons weer voortplanten bij de Nieuwe Zonnen.'

De vrouwen gaven van hun instemming blijk, maar een paar mannen zongen in contrapunt: 'Maar hoe weten we wat werkelijk Hemel-Gevaar is en wat niet? En waar kunnen we ons nu voortplanten? De Personen van de Drie Zonnen zijn onder al onze lucht!'

Charlies antwoordend lied was sereen. 'Ik zal het mijn vriend van de Middelste Zon vragen. Hij zal het wel weten.' *(Hij zal het weten, hij zal het weten,* zong het koor.)

Maar een man zong een onheilspellende vraag: 'En wanneer de

extase van het paren over ons komt, herinneren we ons dan nog wat hij heeft gezegd?'
'Ja,' zong Carlie. 'We zullen het ons herinneren omdat het moet.' *(Het moet, het moet.)*
Dat had de zaak moeten regelen, maar het lied van de zwerm bleef toch onrustig. Onderstromingen vormden wanklanken die schel opklonken tegen het hoofdthema. Zelfs Charlies eigen lied aarzelde nu en dan en herhaalde zichzelf terwijl het eigenlijk los had moeten barsten in triomfantelijke nieuwe thema's. Dingen roerden zich onder het oppervlak van zijn geest. Op het niveau van zijn bewustzijn kwamen ze niet – anders had niets hem ervan kunnen weerhouden om er met een lied uitdrukking aan te geven. Maar ze waren er wel. Zorgen. Twijfels. Vragen. Wie waren deze Personen van de Drie Zonnen? Waar kwamen ze vandaan? Ze leken op elkaar, net als de ene zwerm ballonvaarders op de andere leek. En toch had Charlies vriend 'Anny 'Alehouse uitgelegd dat ze niet hetzelfde waren.
Eerst waren er de Personen van de Kleine Zon geweest. In het begin hadden ze niet veel meer geleken dan een nieuw soort Aarde-Gevaar wezens die ballonvaarders verslonden, al hadden ze bijna meteen een kleine zon gemaakt. Maar hun kamp lag bijna aan de grens van Charlies territorium en de zwerm had zich geen zorgen gemaakt over deze Personen.
Toen was de groep van Charlies vriend gekomen en bijna tegelijkertijd de derde groep, de Personen van de Grote Zon. Daarover maakte hij zich wel zorgen! Hun zon scheen altijd fel, feller dan het Hemel-Gevaar op zijn felst. Omdat Charlies bijna diepste instinct was om naar een fel licht te vliegen, kostte het hem werkelijk pijn om te keren en weg te zwemmen van de Grote Zon. Het was bijna hun ondergang geworden toen de Personen aankwamen – toen alle drie de groepen Personen aankwamen – omdat ze alle drie brullend omlaag kwamen op een zuil van Zonnevlammen. Maar geen van drieën waren ze dichtbij genoeg geweest om de zwerm te laten paren en toen de zwerm in de buurt gearriveerd was, waren de vlammen uit en de lichten gedoofd. Toen hadden de Personen van de Grote Zon iemand de lucht in gestuurd, in een groot, vreemd ding, dat klapperde en ratelde; het was harder dan het Lucht-Gevaar van de *ha'aye'i,* en nog dodelijker. Iets trok de ballonvaarders naar de maaiende klauwen van het ding en meer dan tien leden van Charlies zwerm waren opengereten en omlaag gefladderd naar de grond, hulpeloos, wanhopig, zwijgend. Nu meden ze het

kamp, bang en bedroefd. Drie groepen Nieuwe Personen, en twee ervan moesten ze mijden! De ene groep omdat hij doodde, de andere omdat hij helemaal niet vloog, niet anders was dan alle andere Grond-Gevaren, nooit voor Personen gehouden zou zijn als . . .

Als 'Anny 'Alehouse er niet geweest was.

Charlie zong over zijn vriend, die goedmaakte wat de rest van zijn ras verkeerd deed. 'Anny 'Alehouse en de Persoon die hem af en toe vergezelde, 'Appy, dát waren nog eens Personen! Ze vlogen zoals Personen vlogen, dankzij de majestueusheid en de gratie van de lucht zelf. Het was een droevige zaak dat zelfs hun Middelste Zon had gevlamd als een echt Hemel-Gevaar en dat de zwerm daardoor zwakke nakomelingen had gekregen. Maar het kwam niet bij Charlie op om Dalehouse of Kappeljoesjnikov de schuld te geven van Morrisseys lichtkogel; het kwam helemaal niet bij hem op om te denken aan 'schuld'. Als Kung vlamde, plantten de ballonvaarders zich voort. Ze konden er niets aan doen. Ze probeerden het ook niet. Ze hadden geen bescherming tegen een valse zonnevlam, een lichtkogel, zonder de actinische straling die hen hielp om waterstof te maken en hun paarcyclus stuurde. Tot nu toe hadden ze nooit bescherming nodig gehad. En hoe konden ze die nu aanleren?

De zwerm gleed naar een grote massa cumuluswolken. Charlie liet zijn zangbuidel opzwellen en zong krachtig: 'Dicht bijeen, mijn broeders!' *(Dicht bijeen, dicht bijeen*, klonk het antwoordende koor.) 'Dicht bijeen, zusters en zwermgenoten! Dicht bijeen, jong en oud! Wees op je hoede voor *ha'aye'i* in de natte schaduwen! Bescherm het kroost!'

Alle leden van de zwerm zongen nu voluit terwijl ze dichter naar elkaar toe kwamen en de rossige, wollige randen van de wolk in gleden. Ze konden elkaar nog maar vaag zien, als geesten, afgezien van de oudste en grootste mannen, die door hun lichtgevende tekening meer opvielen. Maar ze konden de liederen horen en Charlie en de andere oudere mannen hingen aan de buitenkant van de zwerm. Als er *ha'aye'i* waren, konden de mannen de zwerm niet verdedigen – ze konden zichzelf niet eens verdedigen, niet noemenswaard althans. Maar ze konden wel een waarschuwing zingen en dan zou de zwerm zich in alle richtingen verspreiden, zodat alleen de langzaamste en zwakste ballonvaarders zouden worden gegrepen.

Maar dit keer hadden ze geluk. Er waren geen roof-ballonvaarders in de wolken en de zwerm kwam er ongehavend uit.

Charlie liet een dankbaar lied schallen toen de zwerm weer uit de wolk tevoorschijn kwam. Iedereen viel in. Cumuluswolken vormden zich bovenin een warme stijgstroom en de *ha'aye'i* maakten daar vaak gebruik van om hun relatief zwakke stijgvermogen aan te vullen. Er was altijd een prijs: de *ha'aye'i* hadden meer snelheid en wendbaarheid, om nog maar te zwijgen van de klauwen en kaken, maar ze betaalden dat alles met kleinere ballons, zodat het hun altijd veel moeite kostte om in de lucht te blijven. De *ha'aye'i* waren de haaien van het luchtruim. Ze sliepen nooit, rustten nooit en hadden altijd honger.
De zwerm zweefde naar de warmtepool. Charlie draaide zijn oogstukken om te zien hoe de luchtstromingen waren. Hij wist altijd welke richting de wind op iedere hoogte had; dat zag hij aan de bewegingen van wolkjes, aan het wapperen van draden kroostzijde die afgeworpen waren, maar wat het meest meetelde was een heel leven van ervaring, zodat hij niet hoefde te denken om een gunstige wind te pakken te krijgen, hij *wist* het, net als iemand die zijn hele leven in een stad heeft gewoond weet hoe die stad in elkaar zit. Hij wilde niet te ver uit de buurt raken van zijn vriend van de Middelste Zon, die hij al een tijdje niet had gezien. Hij zong dat de zwerm honderd meter hoger moest gaan. De andere mannen namen zijn lied over en alle ballonvaarders, groot en klein, begonnen ballast te lozen. De volwassenen zouden er geen moeite mee hebben om het te vervangen – ze likten voortdurend en automatisch de kleine dauwdruppels op die zich tijdens hun vlucht door de wolk hadden vastgezet op hun gasbuidel. De kleintjes hadden er meer moeite mee. Maar ze loosden dapper ingeslikt gas in hun buidel en de vrouwen duwden de kleinsten behulpzaam de goede kant op. De zwerm bleef op het nieuwe niveau bij elkaar en liet zich meevoeren naar het kamp van de Middelste Zon.
Geen *ha'aye'i* te zien. Meer dan genoeg water op hun huid om op te likken, een deel om vast te houden als ballast, een deel om te scheiden in de zuurstof die ze voor hun metabolisme nodig hadden en de waterstof die hun hefvermogen gaf. Charlie was tevreden. Het was goed om een ballonvaarder te zijn. Hij zette zijn lied van dankbaarheid voort.
Ze kwamen nu aan de grens van hun territorium en een andere zwerm hing hoog boven hen, een paar kilometer bij hen vandaan. Charlie keek naar ze, zonder zich zorgen te maken over hun aanwezigheid. Van rivaliteit tussen de zwermen was geen sprake. Soms zweefden twee zwermen lange tijd naast elkaar of

zelfs door elkaar heen. Soms gingen er individuen van de ene zwerm over naar de andere. Niemand vond dat buitengewoon. Van dat ogenblik af aan waren ze volwaardig lid van de nieuwe zwerm en zongen met hun liederen mee. Maar meestal bleef elke zwerm in zijn niet aangegeven, maar wel bekende deel van het luchtruim. Ze graasden de stuifmeelvelden van hun territorium af zonder het territorium van hun buren te begeren. Na zes voortplantingen was van de oorspronkelijke zwerm misschien niet één individu meer over, maar de zwerm zelf zou nog steeds kalm boven dezelfde tienduizend vierkante kilometer grond zweven. De ene plek was bijna identiek aan de andere. De dragende lucht omhulde hen steeds. Overal woei het stuifmeel. Maar toch waren bepaalde gedeelten aantrekkelijker dan andere. Het rotsland waar de Personen van de Grote Zon hun glimmende hulzen hadden gebouwd en hun felle lampen hadden aangestoken, was een van hun meest geliefde plaatsen geweest; stuifmeel kwam in een aangename stroom van de heuvels en er waren maar weinig *ha'aye'i*. Bedroefd zong Charlie over zijn verdriet toen hij eraan dacht, want ze zouden daar nu altijd ver vandaan moeten blijven. De baai van het oceaan-meer waar 'Anny 'Alehouse woonde, werd daarentegen meestal gemeden. Het water dat verdampte uit de zee, zorgde voor stijgende wolken en roof-ballonvaarders hingen natuurlijk in de helft van die wolken en loerden op prooi. Als een lid van de zwerm Charlies beslissing om daarheen terug te gaan had willen aanvechten, zou dat niet meer dan logisch zijn geweest. Maar voor de ballonvaarders behoorde zoiets niet tot de mogelijkheden. Hun groepsbeslissingen werden nooit aangevochten. Als een van de oudere mannen zong *Doe dit*, dan werd het gedaan. Charlie was de oudste man en daarom won zijn lied het meestal. Niet altijd. Nu en dan zong een andere volwassene een voorstel dat tegen het zijne inging, tien minuten later, maar als Charlie weer tien minuten later zijn eigen lied weer opnam, klaagde niemand daarover. Alle andere volwassenen namen zijn lied over en de zwerm gehoorzaamde.

Wat ook een rol speelde, was de overweging dat Charlie zijn Vriend van de Middelste Zon naar de zwerm gebracht had, met zijn verbazingwekkende, fascinerende nieuwe geluiden. Dit was een Persoon! Bevreemdend, ja. Maar niet zoals de aan de aarde gebonden wroeters van de Kleine Zon of de vreemde wezens van de Grote Zon, die alleen maar vlogen met behulp van hun moordende machines. Toen de zwerm in de buurt kwam van het kamp van de Middelste Zon, draaiden alle volwassenen hun lichaam zodat hun kleine gezichten, die nog het meest weghadden van dikke teken, omlaag keken, op zoek naar 'Anny of 'Appy. Zelfs het kroost werd meegesleept in de plezierige spanning van het zoeken en toen de eerste ballonvaarder Danny op zag stijgen, naar hen toe, werd het lied van de zwerm een lied van triomf.

Wat zag 'Anny 'Alehouse er dit keer vreemd uit! Zijn buidel was altijd lelijk onregelmatig van vorm geweest, vol bulten, en fatsoenlijke kleuren had hij ook niet gehad, maar nu was hij immens gezwollen en bultiger dan ooit. Misschien had Charlie hem wel niet herkend als er een ander was geweest met wie hij hem had kunnen verwarren. Maar nee, het was 'Anny. De zwerm slikte waterstof in en zakte naar een andere luchtlaag om hem te begroeten, terwijl ze het welkomstlied zongen dat Charlie had verzonnen voor zijn vriend.

Dalehouse was bijna even blij om de zwerm te zien als de zwerm om Danny Dalehouse te zien. Het was zó lang geleden dat hij gevlogen had! Na de storm hadden ze alles op moeten ruimen en voor ze daarmee klaar waren, was het tweede schip geland, met nieuwe mensen en een massa nieuwe apparatuur. Dat was prima, maar ze welkom heten en nieuwe dingen integreren in wat al bestond had tijd gekost. Meer dan tijd. Een deel van de lading had bestaan uit geschenken voor de ballonvaarders en om de geschenken bij degenen te krijgen voor wie ze bestemd waren, moest meer gewicht de lucht in en dat betekende een grotere tros balonnen, en dat betekende dat er balonnen bij moesten worden gemaakt en gevuld en dat betekende dat het ballastsysteem moest worden gewijzigd.

Danny wilde ook maar al te graag de nieuwe taalelementen uitproberen die de grote computers op Aarde hadden bedacht. Maar toch, wat zijn aandacht vooral bezighield, terwijl hij naar Charlie riep en opsteeg naar de zwerm, was zijn geschenk van de Aarde. Net als het begroetingslied van de zwerm was het een voorbeeld van het soort dingen waarin *zijn* samenleving het beste was. Het was een wapen.

Het was niet helemaal een gratis geschenk, bedacht Dalehouse, maar alles had z'n prijs. Charlies lied kostte hem een deel van zijn waterstofreserve, zoals de liederen die hun leven waren de zwerm altijd hefvermogen kostten. Als ze zongen, gebruikten ze daar waterstof voor. Als ze waterstof verbruikten, raakten ze

hefvermogen kwijt. Als ze hefvermogen kwijt raakten, gleden ze vroeg of laat naar beneden, naar de gretige rovers op de grond, die hen op zouden eten. Of, en dat was bijna zo erg, ze zouden daar hulpeloos en stemloos in leven blijven, totdat ze genoeg watermoleculen konden accumuleren en scheiden om hun buidel weer te vullen – snel, als Kung zo vriendelijk was om te vlammen, kwellend langzaam als dat niet het geval was. Het was een prijs die ze met vreugde betaalden. Leven was zingen; zwijgen stond gelijk aan de dood. Maar voor de meesten was het uiteindelijk de prijs die ze voor hun leven betaalden.
De prijs voor het geschenk dat Danny Dalehouse bracht, was het leven van de vijf ballonvaarders die naar de Aarde waren gestuurd.
De ontwerpers in Camp Detrick hadden een nuttig gebruik gemaakt van deze vijf. De twee die bij aankomst al dood waren, werden meteen ontleed. Zij hadden geluk. De andere drie werden *in vivo* bestudeerd. De grootste en sterkste bleef twee weken in leven.
De experimenteerders in Camp Detrick moesten ook een prijs betalen, omdat acht van hen de Klongaanse kroep kregen en een het ongeluk had dat zijn schedel volliep met antigeen-vloeistof, zodat hij zich nooit van zijn leven meer bezig zou houden met vivisectie. Ja, nooit meer zelf een vork zou vasthouden. Maar de ballonvaarders die zijn slachtoffers waren geworden, hadden dat waarschijnlijk geen oneerlijke prijs gevonden om te betalen.

Danny Dalehouse haalde de lichtgewicht karabijn van zijn schouder en oefende ermee in het richten. De kolf was van hol metaal, en gesinterd metaal bovendien; hij woog nog geen kilo, maar de helft van dat gewicht bestond uit explosieve kogels. Hij was ervan overtuigd dat de terugslag hem de halve hemel door zou slingeren als hij het wapen afschoot en wat had hij eigenlijk aan dit soort kogels? Wat voor doelwit was er in de Klongaanse hemel dat je alleen met dit soort kogels baas kon? Maar de opdracht van de Aarde, overgebracht door de versterkingen (die officieel van de VN kwamen en moesten zorgen voor het handhaven van de vrede), was dat hij een wapen moest dragen en dus droeg hij het.
Hij hing het weer over zijn schouder en pakte, een beetje onwennig nog, het geschenk voor Charlie van de andere schouder. Dat leek er meer op. Ergens had iemand begrepen waartoe Charlies volk in staat was en wat ze nodig hadden om zich te

beschermen tegen de rovers van de lucht. Dit wapen woog nog minder dan de karabijn en er kwamen geen explosieven aan te pas. De kleine lier was geschikt voor de klauwen van de ballonvaarders en wond een elastisch koord op dat een hele tijd meeging. De trekker kon ook door de ballonvaarder bediend worden en wat het wapen afschoot was een aantal minuscule naaldjes of een capsule met een soort vloeistof erin. De naalden waren tegen vijanden in de lucht, de vloeistof, kreeg Danny te horen, was bedoeld tegen wezens zoals de krabratten, voor het geval een ballonvaarder moest landen en zich moest kunnen verdedigen; en zou hun vijanden alleen buiten gevecht stellen, niet doden.

Heel Danny's schaarse kennis van de gezongen taal van de ballonvaarders zou nodig zijn om Charlie hier iets van uit te leggen, maar de enige manier om iets voor elkaar te krijgen was gewoon beginnen. Hij hief de kruisboog op en zong, zorgvuldig bij de noten blijvend die de computers van Texas A&M hem hadden geleerd: 'Ik heb een geschenk voor je meegebracht.'

Charlie reageerde met een heel lied; Dalehouse kon er maar een paar flarden van verstaan, maar het was duidelijk iets waaruit dankbaarheid en beleefde nieuwsgierigheid sprak; en de kleine recorder aan zijn riem nam het allemaal op, zodat het later uitgebreid kon worden bestudeerd. Danny zong de volgende zin die hij uit zijn hoofd had geleerd: 'Je moet met me meegaan om een *ha'aye'i* te zoeken.' Dat viel niet mee, want de klanken uit dat woord kwamen in het Engels niet voor, en Dalehouse had nog een zere keel van het uur dat hij ze had staan oefenen. Maar Charlie scheen hem te begrijpen, omdat het danklied veranderde in een ijle melodie van bezorgdheid. Danny lachte. 'Vrees niet,' zong hij, 'ik zal een *ha'aye'i* voor de *ha'aye'i* zijn. We zullen ze met dit geschenk vernietigen en de zwerm zal nooit meer bang hoeven zijn.'

Een lied van verwarring, waarin de woorden 'de zwerm' keer op keer werden herhaald, niet alleen door Charlie, maar door iedereen.

Het moeilijkste deel kwam nog. 'Je moet de zwerm verlaten,' zong Dalehouse. 'Hen zal niets overkomen. We komen terug. Maar nu moeten jij en ik wegvliegen en een *ha'aye'i* zoeken.'

Het kostte tijd, maar uiteindelijk scheen de ballonvaarder het toch te begrijpen. Blijkbaar vertrouwde hij zijn vriend van de Aarde zó dat hij bereid was om zijn angst opzij te zetten en mee te gaan. De leden van de zwerm verlieten die zwerm *nooit* uit

vrije wil. Meer dan een uur nadat ze naar een lagere luchtlaag waren gezakt en de zwerm hadden verlaten was Charlies lied nog droevig. En *ha'aye'i* lieten zich niet zien. Ze lieten het kamp van de Voedsel Exporterende Landen ver achter zich, gleden langs de kust van het zee-meer, en toen over een uitloper ervan naar de buurt van de armoedige kolonie van de Fokkers. Danny vroeg zich al een tijdje af of de Texas computers hem wel de goede zangklanken gegeven hadden. Maar toen klonk dodelijke angst door in Charlies lied. Ze gleden laag onder een massa wolken door, warm-weer cumuluswolken die eruit zagen als op hun kop gezette vrouwelijke ballonvaarders, en uit een van deze wolken dook een luchthaai omlaag.
Danny voelde zich onbehaaglijk; hij kwam in de verleiding om de *ha'aye'i* met zijn karabijn neer te halen. Het was angstaanjagend om hem op hen neer te zien duiken. Maar hij wilde Charlie een demonstratie geven van wat zijn geschenk kon.
'Kijk goed!' riep hij, terwijl hij de greep die was ontworpen voor de klauwen van een ballonvaarder onhandig vastpakte. Hij ving de groter wordende gedaante van de lucht-haai in het kruisvizier, aangepast aan de oogstukken van een ballonvaarder, terwijl hij de lage trillingen hoorde van Charlies zachte angstlied. Op een afstand van twintig meter haalde hij de trekker over.
Twaalf minuscule metalen naalden schoten naar voren, uitwaaierend als hagel uit een jachtgeweer. Eén was genoeg. De luchtbuidel van de haai scheurde in een wolkje vocht open. Het wezen slaakte een gil van pijn en schrik, en had toen geen adem meer om te gillen. Het schoot langs hen heen, het afschuwelijke gezicht heftig bewegend, de klauwen machteloos naar hen graaiend, meters van hen vandaan.
Een heldere klank van verbazing van Charlie, en toen een schallend lied van triomf. 'Dit is een groot goed ding, 'Anny 'Alehouse! Ga je alle *ha'aye'i* voor ons doden?'
'Nee, dat ga ik niet doen, Charlie. Dat ga jij doen!' En Danny liet de ballonvaarder de vernuftige kleine lier zien waarmee het elastische koord werd strakgedraaid, de eenvoudige kamer waarin hij het bundeltje naalden moest deponeren. Voor een wezen dat nog nooit werktuigen had gebruikt, begreep Charlie de werking heel vlot. Dalehouse liet hem oefenen op een wolk en keek toen geduldig toe terwijl de ballonvaarder moeizaam zelf de lier opdraaide en herlaadde.
Ze waren niet echt alleen meer. De zwerm was hen ongevraagd achterna gekomen en hing nu een halve kilometer van hen

vandaan, al hun oogstukken naar hen gedraaid, hun verre lied zoet en klaaglijk, als het eenzame janken van een jong hondje dat binnengelaten wil worden. En onder hen was het kamp van de Fokkers, en Dalehouse kon een paar omhooggewende gezichten zien die nieuwsgierig naar hen staarden. Laat ze maar kijken, dacht hij deugdzaam; ze mochten best zien hoe de Voedsel Exporterende Landen de inheemse rassen van Klong hielpen als ze toch niets anders te doen hadden met hun tijd. Van de oorspronkelijke expeditie waren er nog maar een paar over, en van de versterkingen waarop ze zo gepocht hadden, was nog geen spoor te bekennen.

Versterkingen. Dalehouse herinnerde zich plotseling het tweede deel van zijn opdracht. 'Dit geschenk,' zong hij, 'is voor jullie. Maar wij willen ook graag een geschenk terughebben.'

'Wat voor geschenk?' zong Charlie beleefd.

'Ik weet er geen woorden voor,' zong Danny, 'maar later zal ik het laten zien. Mijn zwermgenoten hebben gevraagd of jullie een paar kleine dingen naar andere plaatsen kunnen brengen. Sommige dingen moeten jullie op de grond laten vallen, andere dingen moeten jullie terugbrengen.' Charlie leren hoe hij de camera's en microfoons moest richten zou een eeuwigheid gaan kosten, bedacht Dalehouse somber, en hoe moesten ze hem duidelijk maken waar hij de sensors en de seismische microfoons af moest gooien? Wat op Aarde zo eenvoudig leek, was op Klong heel wat gecompliceerder . . .

'Pas op, pas op!' zongen de verre, angstige stemmen van de zwerm.

Traag keek Danny om. De aanval van de *ha'aye'i* verraste hem volkomen. De luchthaai kwam van achteren en van onderen, waar Dalehouse geen gevaar had vermoed. En Charlie, die zijn nieuwe speelgoed betastte en probeerde te begrijpen wat Dalehouse van hem wilde, was onoplettend geweest.

Als de verre stemmen van de gillende zwerm hen niet gewaarschuwd hadden, had het wezen hen misschien allebei te pakken gekregen. Maar Charlie draaide zich sneller om dan Dalehouse, en voor Danny zijn karabijn had gepakt liet de ballonvaarder zien hoe goed hij had opgelet toen Danny de werking van het wapen uitlegde. Ze hadden de lange, gemene klauwen van de *ha'aye'i* kunnen aanraken toen hij langs hen heen schoot; zo dichtbij was hij.

'Geweldig!' schreeuwde Dalehouse en Charlie zong verrukt: 'Geweldig, o, geweldig. Wat een groots geschenk!' Ze stegen op

om terug te keren naar de zwerm . . .
Speren van gouden vuur scheerden zwak gloeiend omhoog naar de zwerm, vanuit het kamp van de Fokkers, er recht onder.
'Mijn God!' riep Danny. 'De idioten schieten vuurwerk af!'
De vuurpijlen ontploften in regens vonken, en in de hele zwerm spatten balonnen in felle waterstofexplosies uiteen.

10

Als Dulla wakker was, en dat was niet vaak, was hij zich maar vaag bewust van wat er gaande was. Eerst was er een aanhoudend *whack whack* geluid geweest dat hij niet kon identificeren en iemand die hem vaag bekend voorkwam, sleepte hem in het ding dat deze geluiden gemaakte. Toen pijn. Veel pijn. Toen lange perioden waarin mensen met hem praatten, of om hem heen praatten. Maar hij voelde geen impuls om te reageren. In de korte perioden dat hij bij bewustzijn was, ontdekte hij mettertijd dat hij geen pijn meer leed. De behandeling die de Vetpotters hem gegeven hadden, was onaangenaam geweest, maar scheen wel te hebben gewerkt. Hij leefde. Het vocht dat hij verloren had was aangevuld. De zwellingen waren goeddeels verdwenen. Hij was niet blind meer. Hij was alleen heel zwak.
Toen hij wakker werd en besefte dat hij niet alleen wakker was, maar zelfs in staat scheen te zijn zijn ogen een tijdje open te houden, stond Feng Hua-tse naast zijn brits. De Chinees zag er uitgeput uit, dacht Dulla met enige minachting; hij zag er nog beroerder uit dan Dulla zich voelde.
'Voel je je beter?' vroeg Feng droevig.
Dulla dacht over die vraag na. 'Ja. Ik geloof het wel. Wat is er gebeurd?'
'Ik ben blij dat je je beter voelt. De langneuzen hebben je hierheen gebracht, uit de nederzetting van je kever-vrienden. Ze zeiden dat je wel in leven zou blijven, maar ik dacht het niet. Dat is nu al een hele tijd geleden. Wil je wat eten?'
'Ja – nee,' verbeterde Dulla zichzelf. 'Ja, maar niet nu. Eerst wil ik naar de WC.'
'Zal ik je helpen?'
'Nee, ik kan het zelf wel.'
'Daar ben ik ook blij om,' zei Feng, die alle dagen dat Ahmed Dulla herstellende was geweest met de ondersteek op en neer gelopen had, en daarvoor ook al, zóveel dagen dat hij er liever niet meer aan dacht. De Pakistaan stond moeizaam op van het opblaasbed en slofte traag naar de latrine.
Afkeurend keek hij om zich heen, naar het kamp. Een van de geluiden die hij steeds had gehoord werd nu duidelijk; het kletsende, schurende geluid bleek het waterwiel te zijn. Er zou dus op zijn minst energie moeten zijn. Maar waar waren de

beloofde lampen, de groeiende gewassen, het comfort? Waar waren alle mensen?
Feng was hem gevolgd en keek treurig toe terwijl Dulla zijn behoefte deed. 'Waarom sta je daar?' snauwde Dulla, terwijl hij het koord van zijn pyamabroek vastknoopte en er een heel karwei van maakte. 'Wat is er gebeurd? Waarom is er zo weinig gedaan?'
De leider van de expeditie spreidde zijn handen uit. 'Wat kan ik zeggen? We waren met ons tienen. Een is gestorven bij de expeditie die jij zo belangrijk en nodig vond. Een ander is hier gestorven. Twee waren zo ziek geworden dat ze naar de Aarde moesten worden teruggebracht – daarvoor kunnen we de Vetpotters dankbaar zijn. We hadden niemand die zich goed genoeg voelde om de capsule voor de terugkeer naar de Aarde te besturen. De Italiaan ligt te slapen en de twee vrouwen verzamelen brandstof.'
'Verzamelen brandstof! Worden we weer boeren, Feng?'
De leider zuchtte. 'Ik heb mijn best gedaan,' zei hij. Het was een zin die hij keer op keer in zichzelf had herhaald, heel lang al. 'Hulp is onderweg. Erfgenaam-van-Mao zelf heeft er opdracht toe gegeven, twee grote schepen, materieel en mensen, binnenkort . . .'
'Binnenkort! En tot dan, wat? Doen we niets?'
'Ga terug naar bed,' zei Feng vermoeid. 'Ik vind je vermoeiend, Dulla. Eet wat als je wilt. Er is voedsel. Dat hebben we van de Vreters gekregen, anders zou er niets zijn.'
'En nu zijn we bedelaars!' grauwde Dulla. Hij wankelde en greep Fengs schouder beet. 'Hiervoor heb ik hard gestudeerd, hiervoor heb ik al deze lichtjaren afgelegd! Hiervoor ben ik bijna gestorven! Wat zullen we er allemaal dwaas uitzien als we in schande terugkeren naar de Aarde!'
Feng schudde zwaar het hoofd. Hij maakte de hand van de Pakistaan los van zijn schouder en ging zo staan dat de wind Dulla's lichaamsgeur van hem af voerde; de man was ongewassen en stonk. Hij hoefde niet te luisteren naar wat de ander te zeggen had. Hij wist het zelf maar al te goed. Hij had de hulp van de Vreters aanvaard; zonder die hulp zouden ze allemaal zijn verhongerd. Hij had de hulp van de Vetpotters aanvaard en ze de zieke leden van de expeditie terug laten brengen naar de Aarde – waar ze nu natuurlijk de expeditieleiding vertelden hoe slecht Feng Hua-tse het er vanaf had gebracht. Er zouden wel in grote karakters gestelde muurkranten worden opgeplakt in

K'ushiu. Ze zouden zware kritiek op hem hebben. Wanneer ze terugkeerden naar de Aarde – *als* ze terugkeerden naar de Aarde – kon hij op niet meer hopen dan een nederige baan als biochemicus in het achterland van de Gele Rivier.
Maar als hij zijn werk voort mocht zetten nadat de twee grote schepen waren gearriveerd . . .
Ah, wat zou er dan veel werk verzet kunnen worden! Verlangend had hij de tactran berichten en beelden bestudeerd, keer op keer. Het tweede schip zou geen tien, geen vijftien, maar het majestueuze aantal van vierendertig nieuwe mensen brengen. Een agronoom! Een specialist die Fengs eigen meelijwekkende begin voort kon zetten, verder kon gaan met de paddestoelen die hij had gezaaid, de tarwe-zaailingen die hij met veel moeite boven de grond had weten te krijgen – de sterkste zouden het redden, en hun sterkste nakomelingen zouden een rijke oogst opleveren. Er waren nog twee vertalers op komst, allebei met een gescheiden brein, en een van hen was bovendien deskundig in kustvisserij. Het Grote Water kon misschien nog voedsel opleveren dat ze konden eten. Een arts – nee, verbeterde Feng zichzelf, een kundig chirurg, in de hele wereld befaamd om zijn behandeling van traumatische verwondingen. Zeker, hij was bijna twee meter lang en zo zwart als het haar van een kind, aan zijn foto te zien. Maar toch. Drie van de nieuwe mensen hadden een spoedcursus limnologie gevolgd en een van hen, vroeger officier van de Rode Gardisten, had ook drie jaar ervaring als verkenner in de Gobi, en later in de Himalaya.
En de apparatuur die het andere schip mee zou nemen! Fotogalvanische generatoren, die voor een echt grote hoeveelheid wisselstroom konden zorgen. Plastic, massa's plastic. Gereedschap – bijlen en machetes, en een paar geweren om faunamonsters te schieten, en ook voor 'wild'. Folbots. Magnesium fietsen. Een dubbel-redudante computer met niet minder dan zes draadloze terminals. Radio-apparatuur. Laserapparatuur. Voedsel. En nog eens voedsel, genoeg voor iedereen, vele maanden lang . . .
Het leek wel een droom.
Maar wat geen droom was, dat wist Feng heel zeker, was dat er bij die vierendertig mensen één zou zijn die naar hem toe zou komen en zou zeggen, o, heel bescheiden: 'Feng Hua-tse? Ik heb van Erfgenaam-van-Mao opdracht gekregen om te onderzoeken waarom deze expeditie, onder uw leiding, niet het gewenste resultaat heeft opgeleverd.' En dan zouden er zweterige uurtjes

volgen. Van excuses zou men niet willen weten. Men zou geen belangstelling hebben voor de paddestoelen die weigerden op te komen, of voor de specimina van de fauna die Feng met veel moeite in leven had gehouden. Men zou alleen maar belangstelling hebben voor de vraag waarom er drie doden waren gevallen en twee naar huis waren gestuurd, en tien personen zo weinig hadden gepresteerd.
Dit alles speelde door Feng Hua-tse's gedachten, maar het enige wat hij zei, was: 'Ga weer slapen, Dulla. Ik heb geen geduld voor je.'

Dulla ging niet slapen.
Zijn woede had hem kracht gegeven. Wat hij deed was de Italiaan wakker maken.
'O, leef je weer?' Spadetti geeuwde en wreef over de blauwzwarte stoppels op zijn kin. 'We dachten dat je dood zou gaan,' zei hij opgewekt. 'Ik heb er bijna een dagrantsoen om verwed. Het zou heel vervelend zijn geweest als ik had verloren.'
'Ik heb gepraat met Feng, de mislukkeling!'
'Het is niet helemaal Uazzi's schuld, Dulla. Wij waren de eersten. Wij maakten de fouten die gemaakt moeten worden zodat anderen ervan kunnen leren.'
'Ik wilde geen leraar van Vetpotters en Vreters zijn! Ik wilde hen helemaal niet hier hebben. Dit kan onze planeet worden, een wereld die we naar onze eigen hand kunnen zetten.'
'Ja, zo heb ik er ook over gedacht. Maar, *chi sa*, wat kun je doen? Alles wat we deden, leek juist en verdedigbaar. Zelfs wat jij deed, vriendschap sluiten met de inheemse bevolking . . .'
'Die beesten! Daar kun je geen vriendschap mee sluiten!'
'O, dat is niet waar, Dulla. Onze rivalen is het wel gelukt. De Vreters laten ballonvaarders met camera's over de hele planeet zwerven, dat beloven ze in ieder geval in hun tactran berichten. De Vetpotters leren hun mollen en aardwormen om tunnels te graven onder ons kamp en te luisteren naar wat we zeggen. Misschien luisteren ze nu op dit ogenblik wel.'
'Nonsens! Wat zeg je stomme dingen!'
'Stom, misschien, maar nee, nonsens is het niet helemaal,' lachte de Italiaan, in het geheel niet beledigd. 'Misschien heb ik wel een grapje gemaakt, maar is het wel een grap? En wat hebben wij bereikt? Ik zal een gerichte vraag stellen. Wat heb je zelf bereikt, behalve de dood van een van ons, toen je een bezoek bracht aan onze *frutti-del-mare* vrienden? We hebben gefaald.

Zo eenvoudig ligt de zaak.' Hij geeuwde en krabde zichzelf. 'En nu, Dulla, *per favore*, laat me even met rust om wakker te worden. Ik ben niet zo blij met de werkelijkheid om me heen dat ik mijn dromen abrupt vaarwel wil zeggen.'
'Drink je wijn maar en droom,' zei Dulla koud.
'O, Dulla! Maar dat is geen slecht idee. Als ik maar echte wijn had in plaats van dit bocht.'
'Zwijn,' zei Dulla, maar zo zacht dat Spadetti niet hoefde te laten merken dat hij het had gehoord. Hij liep terug naar zijn bed en ging op de rand ervan zitten. Spadetti's zachte verwensingen negerend toen de Italiaan het junglesap proefde dat hij had gebrouwen. Misschien zou het zijn dood wel worden. Waarom ook niet? De stank weerhield Dulla ervan om wat te eten, al wist hij dat hij wel eten moest; zo te zien was hij op zijn minst tien kilo afgevallen sinds hij op Zoon van Kung was geland, en veel meer zou echt slecht voor hem zijn. Hij ademde zwaar, en zoog door een rietje smakeloos, lauw water van de destillator naar binnen. Na enige tijd zag hij dat er een plastic envelop onder zijn bed lag. Hij keerde hem om en bedekte het bed met kleine witte fiches.
'Ik zie dat je je liefdesbrieven hebt gevonden,' riep de Italiaan. 'Helaas kan ik je taal niet lezen. Maar het is wel een mooi meisje.'
Dulla negeerde hem. Hij veegde ze bij elkaar en liep ermee naar de radiohut, waar de enige viewer stond. Spadetti had gelijk; ze waren bijna allemaal van het Bulgaarse meisje en er stond bijna elke keer hetzelfde in. Ze miste hem. Ze dacht aan hem. Ze stilde haar eenzame verdriet door terug te denken aan de dagen dat ze in Sofia samen waren geweest.
Maar op de foto's zag hij Ana in Parijs, Ana in Londen, Ana in Cairo, Ana in New York. Ze scheen een interessant leven te leiden zonder hem.
Rijke landen! Waren ze eigenlijk niet allemaal hetzelfde, of hun rijkdom nu bestond uit brandstof of uit voedsel? Rijkdom was rijkdom! Tussen hem en de vette Bulgaren was een diepere kloof dan tussen hem en – en de Krinpit, ja zelfs de Krinpit, dacht hij, maar bijna op hetzelfde ogenblik besefte hij dat hij niet eerlijk was. Nan was niet zo. Maar ze had dan ook het voordeel dat ze een groot deel van haar jeugd had doorgebracht in Hyderabad.
Nu hij de stank van de imitatiewijn van Spadetti niet meer rook, voelde Dulla dat hij honger had. Hij vond wat geplette mais en

at die terwijl hij eerst vlug Ana's brieven doornam en toen de rapporten over wat er op Aarde en op Zoon van Kung was gebeurd. Er was heel wat veranderd. De Vreters waren versterkt – officieel was het een delegatie van de VN om de vrede te handhaven, maar dat geloofde de grootste naïeveling nog niet. De Vetpotters hadden met satellieten een astronomisch observatorium opgezet en bestudeerden veranderingen in de straling van Kung. Er waren problemen met de satelliet, en de resultaten waren onduidelijk. Toch bestudeerde Dulla de rapporten, gefascineerd en afgunstig tegelijk. Dat had *zijn* project moeten zijn! Hiervoor had hij gestudeerd, al die jaren. Wat een verknoeide tijd en moeite, deze expeditie! Hij keek misprijzend naar de gapende scheuren in de tent, naar de instrumenten die lagen te roesten, her en der verspreid, omdat er niemand was om ze te gebruiken. Er was zoveel te doen. Zoveel dat hij geen idee had waar hij moest beginnen, en dus kon hij niets doen.
Buiten ontstond opeens lawaai en hij keek geërgerd op. Feng en de Italiaan, die ruzie over iets maakten, en achter hen het verre geschreeuw van een zwerm ballonvaarders. Als Erfgenaam-van-Mao wat royaler was geweest – en als Feng niet zo'n idioot was geweest – dan hadden ze een helikopter kunnen hebben, zoals de Vetpotters, of hadden ze ballonnen kunnen maken, zoals de Vreters, en kunnen communiceren met de ballonvaarders. Zelfs de Krinpit, met wie hij, Ahmed Dulla, contact had willen leggen – ze waren nog steeds even vreemd als daarvoor. En de enige Krinpit met wie dat bijna gelukt was, had Feng laten stelen door de Vetpotters. Het was niet eerlijk!
Plotseling nieuwe geluiden van buiten, sissende geluiden. Dulla kwam overeind en tuurde naar buiten. Hij zag vlammen omhoog reiken naar de hemel, terwijl Feng worstelde met de Italiaan en een van de Jamaicaanse vrouwen boos beiden stond uit te schelden. 'Wat is hier aan de hand?' snauwde hij.
De Italiaan duwde Feng weg en draaide zich met een berouwvol gezicht om.
'Uazzi wilde onze vrienden begroeten,' zei hij, terwijl hij naar boven tuurde. De vuurpijlen waren ontploft in de roodbruine hemel en overal om hen heen volgden kleinere explosies: ballons ontploften in de vonkenregen. 'Ik heb hem helpen richten, maar misschien – misschien ging dat wel niet goed.'
'Dwaas!' riep Dulla, bijna dansend van woede. 'Zie je wat je hebt gedaan?'
'Een paar gaszakken verbrand, nou en?' gromde Spadetti.

'Niet alleen gaszakken! Wrijf de wijn uit je ogen en kijk nog een keer, dáár! Is dat een gaszak? Zie je niet dat daar een mens hangt, die zich nu afvraagt waarom we hem hebben proberen te vermoorden en niets liever wil dan teruggaan naar zijn kamp om te rapporteren dat de Volksrepublieken de oorlog hebben verklaard? Weer een blunder! En dit keer een blunder die we misschien niet overleven!'
'Kalm, Dulla,' hijgde Feng. 'Het maakt nu niets meer uit of de Vetpotters of de Vreters boos zijn op ons. Er is hulp onderweg!'
'Jij bent een even grote idioot als hij. Vuurwerk afsteken als een boerenbrigade die viert dat ze het koolquotum hebben overschreden!'
'Ik wou,' zei Feng, 'dat je niet gered was, Dulla. Er was minder ruzie hier toen je nog bij de Krinpit was.'
'En ik wou,' zei Dulla, 'dat de Krinpit die me probeerde te doden onze leider was in plaats van jij. Hij was minder lelijk, en een minder grote dwaas.'

De bewuste Krinpit bevond zich vele kilometers van Dulla vandaan, maar was op dit ogenblik bijna even boos als de Pakistaan. Hij was bijna gek gemaakt door de ergerlijke pogingen van de Gifgeesten om met hem te communiceren, en dol van de honger en vooral van het voortdurende daverende lawaai waaraan hij werd blootgesteld.
In de lawaaierige wereld van de Krinpit was er nooit een ogenblik van stilte. Maar de hoeveelheid geluid was altijd goed te verdragen, op zijn hoogst zestig tot zeventig decibel, afgezien van een donderslag als er een storm woedde. Boven de vijfenzeventig decibel kwam het nooit.
Voor Sharn-igon was het kamp van de Brandstof Exporterende Landen een kwelling. Soms was het stil en schemerig, soms verblindend luid. De Krinpit teisterden hun gehoor niet met verbrandingsmotoren. In het kamp hadden ze er tientallen. Sharn-igon had geen enkel idee hoe ze werkten of waar ze voor dienden, maar hij kon ze herkennen als ze functioneerden: het hoge gekletter van de boormachine, het rubberige gebrul van de helikopter, het ratelen en janken van de kettingzagen, het gestage stampen van de waterpomp. Hij was bijna blind in het kamp gearriveerd, want het geraas van de turbomotor van de helikopter had zijn gehoor aangetast, net als recht in de zon staren de ogen van een mens beschadigt; het duurde dagen voor het effect goeddeels verdwenen was, en het teisterde zelfs nu nog

zijn gevoelige perceptievermogen. Hij was meteen na aankomst opgesloten in een stalen kooi. Hoe hard hij ook knaagde en zaagde, de stangen bezweken niet. Zodra hij er een kras in maakte, werden ze vervangen. De Gifgeesten vielen hem aan één stuk door lastig, en herhaalden zijn naam en de geluiden die hij maakte op een manier die hem een vreemde angst inboezemde. Sharn-igon wist niets van bandopnamen en geluiden te horen die hij kort daarvoor zelf had gemaakt, was voor hem een even verbijsterende ervaring als het voor een mens zou zijn om plotseling zichzelf in de ogen te kijken. Hij had begrepen dat de Gifgeesten met hem wilden communiceren en had een klein deel verstaan van wat ze probeerden te zeggen. Maar hij gaf maar zelden antwoord. Hij had ze niets te zeggen.
En hij verhongerde bijna. Hij wist zich in leven te houden, net, met het weinige eetbare tussen de massa's dingen die ze voor hem neergooiden – voor het grootste deel vegetatie, waarvan hij het grootste gedeelte weigerde te eten, zoals een mens geen distels en gras eet. Zijn honger werd extra onverdragelijk gemaakt doordat hij kon ruiken dat er smakelijke Geesten Beneden in de buurt opgesloten zaten, en af en toe zelfs een Geest Boven. Maar de Gifgeesten brachten hem nooit zulk eten. En altijd was er het verblindende geraas, het al even onprettige stilzwijgen als het kamp sliep en alleen de zwakke echo's van tenten en zachte lichamen hem gezelschap hielden. Mensen die nauwelijks te eten krijgen, in een isoleercel zitten opgesloten, met felle lampen op zich gericht die slapen onmogelijk maken, worden krankzinnig. Sharn-igon was het bijna.
Maar hij klemde zich vast aan zijn gezonde verstand omdat hij een doel had. De Gifgeesten hadden Cheee-pruitt gedood.
Hij had niet op tijd geleerd om onderscheid te maken tussen de ene Gifgeest en de andere, maar dat probleem was gemakkelijk op te lossen. Ze waren allemaal schuldig. Zelfs in zijn waanzin besefte hij duidelijk dat het passend was, en juist, wanneer hij een groot aantal van hen doodde om ze voor hun schuld te laten boeten, maar hij wist nog niet goed hoe. De chitine van scharen en pantserzwaard was machteloos tegen de tralies; hij was ze te lijf gegaan tot heel zijn lichaam pijn deed, en ze waren niet bezweken.
Als alle geluiden stil waren, praatte hij met de Geest Boven, zich verlangend tegen de tralies aandrukkend. 'Ik wou dat ik je kon eten,' zei hij. Als de tralies er niet geweest waren, zou de Geest Boven een gemakkelijke prooi zijn geweest. Hij was het grootste

deel van zijn gas kwijtgeraakt en kroop nu over de vloer van een kooi die veel op de zijne leek. Zijn lied was niet meer dan een pathetisch gefluister.
'Je kunt niet bij me,' zei de Geest Boven, 'tenzij je rui begint. En dan zou ik je eten.' Allebei spraken ze hun eigen taal, maar in duizenden generaties hadden alle rassen van Klong iets van de taal van de anderen geleerd. Je was voortdurend blootgesteld aan het zingen van de Geesten Boven, en zelfs de Geesten Beneden kon je horen kwetteren en fluiten in hun tunnels. 'Ik heb een paar hardhuiden gegeten,' fluisterde de Geest Boven zwakjes. 'Ik houd vooral van de ruglingen en de eerste rui.'
Het wezen schepte op, maar Sharn-igon kon het wel geloven. De ballonvaarders voedden zich grotendeels met wat in de lucht zweefde, maar om hun jongen gezond te maken hadden ze af en toe rijkere proteïnebronnen nodig. Als het paarseizoen was begonnen, gingen de vrouwelijke ballonvaarders naar beneden en stroopten als sprinkhanen de grond af. Volwassen Krinpit, in hun pantser, waren te gevaarlijk, maar als ze in de rui waren, waren ze een hulpeloze prooi. Het best van alles was de Geest Beneden; ze werden wel eens gevangen als ze een strooptocht naar de oppervlakte ondernamen, door Krinpit en ballonvaarders. De gedachte alleen al stimuleerde Sharn-igons speekselklieren.
'Hardhuid,' fluisterde de Geest Boven, 'ik ben stervende, denk ik. Je mag me opeten als ik dood ben.'
'Misschien eet jij me wel eerder dan ik jou,' zei Sharn-igon eerlijk. Maar toen merkte hij iets vreemds. De Geest Boven zat niet meer in een kooi. Hij sleepte zich langzaam over de vloer.
'Hoe ben je ontsnapt?'
'Misschien omdat ik zo dicht bij de dood ben,' zong de Geest Boven zacht.
'De Dodende Geesten maakten een gat in mijn buidel om het leven uit me weg te laten stromen en sloten het toen weer met een ding dat plakte en stak en kleefde. Maar nu is het ding losgeraakt en bijna al mijn leven is weggelekt, en daarom kon ik tussen de tralies door.'
'Ik wou dat ik tussen de tralies door kon!'
'Waarom maak je de kooi niet open? Jij hebt harde dingen. De Dodende Geesten duwen een hard ding in een plek in mijn kooi als ze hem open willen maken, en dan gaat hij open.'
'Over wat voor hard ding heb je het? Ik heb mijn pantser versleten.'

'Nee,' zuchtte de ballonvaarder. 'Niet zoals je pantser. Wacht, er is zo'n ding bij de deur. Ik zal het laten zien.'
Sharn-igons begrip van sleutels en sloten week aanzienlijk af van dat van een mens, maar ook de Krinpit beschikten over manieren om tijdelijk iets aan iets anders te bevestigen. Hij kwetterde en kraste in koortsachtig ongeduld terwijl de stervende ballonvaarder zich langzaam naar hem toe sleepte, met iets fels en hards in zijn schimmige mond.
'Kun je dat ding in de plek in mijn kooi duwen?' zei hij smekend.
De Geest Boven zong even zacht tegen zichzelf. 'Je zou me opeten,' zei hij toen.
'Ja, inderdaad. Maar je bent toch niet ver van de dood af,' zei Sharn-igon, en voegde er slim aan toe: 'Je zingt nu heel slecht.'
De ballonvaarder siste droevig, zonder woorden. Het was waar.
'Als je het harde ding in de plek in mijn kooi duwt zodat ik mijn vrijheid terugkrijg,' zei Sharn-igon, 'zal ik een paar Gifgeesten voor je doden.' Eerlijkheidshalve voegde hij er aan toe: 'Dat was ik toch al van plan, omdat ze mijn hij-vrouw hebben vermoord.'
'Hoeveel?' fluisterde de ballonvaarder wantrouwig.
'Zoveel ik kan,' zei Sharn-igon. 'Op zijn minst een. Nee. Twee. Twee voor jou, en zoveel ik kan voor mezelf.'
'Drie voor mij. De drie die naar mijn kooi komen en me pijn doen.'
'Goed dan, ja, drie,' riep Sharn-igon. 'Wat je maar wilt. Maar als je het wilt doen, doe het dan vlug, voor de Gifgeesten terugkeren!'

Uren later, vrijwel aan het eind van zijn krachten, wankelde Sharn-igon een Krinpit-dorp in. Het was niet zijn eigen dorp. Hij had de geluiden ervan al geruime tijd aan de horizon gezien, maar hij was zo zwak en vervuld van pijn dat het hem meer tijd gekost had om de afstand af te leggen dan zelfs de kleinste rugling. 'Sharn-igon, Sharn-igon, Sharn-igon,' riep hij, toen hij bij de andere Krinpit in de buurt kwam. 'Ik kom niet uit dit oord. Sharn-igon, Sharn-igon!'
Een zwanger vrouwtje schoof langs hem heen. Ze bewoog langzaam, omdat de zaailingen binnenkort te voorschijn zouden komen, maar ze negeerde zijn aanwezigheid.
Dat verbaasde Sharn-igon niet. Hij had niet anders verwacht. Ja, elke stap het vreemde dorp in viel hem zwaarder dan de vorige, terwijl communiceren met rasgenoten toch zijn werk was. 'Sharn-igon,' riep hij dapper. 'Ik wil met u spreken, al kom

ik niet uit dit dorp.'
Er kwam geen antwoord, natuurlijk. Het zou niet gemakkelijk zijn om contact te leggen. Alle dorpen waren niet alleen geografisch, maar ook cultureel van elkaar gescheiden. Conflicten waren er niet. Maar interactie evenmin. Als een groep Krinpit uit een dorp een individu of een groep uit een ander dorp tegenkwam, depersonaliseerden ze elkaar. Een Krinpit uit het ene dorp zou een Krinpit uit een ander dorp van een pad af kunnen duwen. Twee Krinpit die elkaar niet kenden, pakten misschien ieder een uiteinde beet van een Veel-Boomstronk die hen beiden de weg versperde. Allebei zouden ze tillen. Geen van tweeën zouden ze de ander aanspreken.
Genetisch waren de dorpen niet geïsoleerd. De zaailingen vielen van hun hij-vaders rug als ze rijp waren – en dat kon overal gebeuren. Als ze toevallig in de buurt waren van een ander dorp – en dat dorp wisten te bereiken zonder ten prooi te vallen aan een Geest Beneden of een andere rover – dan werden ze daar geaccepteerd en opgenomen in de gemeenschap. Maar volwassenen deden dit nooit.
Aan de andere kant overkwam volwassenen nooit wat Sharn-igon was overkomen.
'Sharn-igon, Sharn-igon,' riep hij, keer op keer, en ten slotte kwam een hij-moeder langzaam op hem af. De andere Krinpit richtte zich niet rechtstreeks tot hem, maar week ook niet achteruit, en maakte zacht het geluid van zijn naam: Tsharr-p'fleng.
'Hebt u een goed Ring-Groeten gehad, broeder uit een vreemd dorp?' vroeg Sharn-igon beleefd.
Geen antwoord, alleen werd het geluid van de naam van de ander een beetje luider en zelfverzekerder.
'Ik ben niet van deze plek,' gaf Sharn-igon toe. 'Het is hoogst onaangenaam voor mij om hier te zijn en ik ben me ervan bewust dat het ook voor u onaangenaam is. Maar toch moet ik met u spreken.'
Geagiteerd kraste en bonkte de andere Krinpit zijn naam, en wist toen uit te brengen: 'Waarom bent u hier, Sharn-igon?'
Hij zakte ineen tot hij op de knieën van zijn voorbenen steunde. 'Ik moet voedsel hebben,' zei hij. De ballonvaarder was zo mager en zwak geweest dat hij er maar een halve maaltijd aan had gehad, en Sharn-igon had er natuurlijk wel voor opgepast om iets van de Gifgeesten te eten. Hij wist niet zeker of het hem gelukt was om ze alle drie te doden, maar van twee wist hij zeker

dat ze dood waren en het zou een hele tijd duren voor de derde hersteld was. De ballonvaarder was gewroken.
Maar Cheee-pruitt nog niet.

Als Sharn-igon zich niet beroepshalve had beziggehouden met het contact leggen tussen verschillende Krinpit had hij de barrière tussen zijn dorp en dit niet kunnen doorbreken. Ook nu kostte het nog veel tijd en hij moest al zijn overredingskracht aanwenden, maar ten slotte hielp Tsharr-p'fleng hem toch naar een woonhok en verzorgde hem.
Sharn-igon verslond de krab-rat die ze hem brachten, terwijl Tsharr-p'fleng in een geagiteerd gesprek verwikkeld was met andere bewoners van het dorp, aan de andere kant van het schot. Toen kwamen ze naar binnen en schaarden zich rond Sharn-igon, terwijl ze luisterden hoe hij at. Hij negeerde hun gekras van beleefdheid en bezorgdheid tot hij het laatste hapje op had. Toen duwde hij het versplinterde schild weg en begon te spreken.
'De Gifgeesten hebben mijn hij-vrouw gedood, zonder hem op te eten.'
Een flikkerend geluid van weerzin.
'Ze hebben mij gevangen en me vastgehouden in een oord zonder deuren. Ze verwijderden mijn ruglingen en namen ze mee. Ik geloof niet dat ze zijn opgegeten, maar ik heb ze sindsdien niet meer gehoord.'
Helderder geluiden, weerzin vermengd met sympathie en boosheid.
'Verder hebben ze ook Geesten Boven en Geesten Beneden gevangen, en een groot aantal lagere levende dingen, en er geen van opgegeten. Ik heb daarom drie Gifgeesten gedood. Ik ben van plan om er nog meer te doden. Bent u ruggenoot van de Gifgeesten?'
De hij-moeder ritselde en zei verachtelijk: 'Van hen zeker niet! Hun ruggenoten zijn de Geesten Beneden.'
Een tweede zei: 'Maar de Gifgeesten beschikken over manieren om te doden. Ze hebben tot ons gesproken in onze taal en ons gezegd dat we voor hen op moesten passen, anders zouden ze ons doden.'
'Hoe bedoelt u dat? Wat hebben ze u opgedragen te doen?'
'We moeten ons ervan weerhouden om hen schade te berokkenen, want dan doden ze ons hele dorp.'
Sharn-igon zei: 'De Gifgeesten spreken niet de waarheid. Luis-

ter! Ze zeggen dat ze van een andere wereld komen, zoals de sterren in de hemel. Wat zijn die sterren?'
'Ze zeggen dat ze als warmte uit de hemel zijn,' mompelde de ander.
'Ik heb de warmte uit de hemel gevoeld. Ik heb geen warmte gevoeld van deze andere sterren. Ik hoor niets van ze. Hoe luid ik ook schreeuw, ik hoor geen echo.'
'Zelf hebben we deze dingen ook gezegd,' zei Tsharr-p'fleng zacht. 'Maar we zijn bang voor de Gifgeesten. Ze zullen ons doden, zonder te eten.'
'Dat zullen ze, het is waar,' zei Sharn-igon. Hij zweeg even. Toen ging hij verder: 'Tenzij we hen eerst doden. Tenzij al onze dorpen zich gezamenlijk op hen storten en doden, zonder te eten.'

11

Marge Menningers haar was niet blond meer. De naam in haar paspoort was niet Margie Menninger. Volgens haar marsorders was ze nu majoor, op weg naar haar nieuwe standplaats, en al stonden haar marsorders een oponthoud toe, het was niet erg waarschijnlijk dat de generaal die ze had opgesteld ook maar één seconde had verwacht dat ze een tijdje in Parijs zou verblijven.
In de kleine kamer van haar hotel speelde ze wat met haar zogenaamde croissant en iets dat door moest gaan voor jus d'orange, en belde toen de conciërge om te zien of het bericht dat ze verwachtte was aangekomen. 'Het spijt mij, Miss Bernardi, maar er is niets,' zuchtte de conciërge. Marge nam nog een hap van haar croissant en gaf er toen de brui aan. Frankrijk was officieel lid van het Voedselblok – met hangen en wurgen, en door op Algerijnse wijn een ander etiket te plakken en weer te exporteren – maar aan het ontbijt zou je het niet zeggen.
Ze had genoeg van deze kamer, met de luchtjes die er nog hingen van *khef* en de seksuele hoogstandjes van de vorige bewoners. Ze wilde verder, maar dat kon niet. En terwijl ze in deze kamer tijd zat te verknoeien, troffen de Fokkers voorbereidingen voor het lanceren van hun schepen, liep de training van de mensen die deel uit zouden maken van de tweede expeditie van het Voedselblok in het honderd, en wat voor rampen allemaal gebeurden in Washington en de V.N. – de hemel mocht het weten.
Ze liet het ontbijt voor wat het was en kleedde zich snel aan. Toen ze beneden kwam, lag er natuurlijk wel een bericht op het bureau van de conciërge, een dun blauw papiertje.

> Miss Hester Bernardi wordt om 15 uur n.m. opgehaald voor haar afspraak.

Natuurlijk had het velletje papier er de hele tijd al gelegen. Margie nam niet de moeite om de conciërge een standje te ven; als ze vertrok zou die het wel aan haar fooi merken. Ze de Rue Caumartin in. Wat moest ze nu weer doen? Zes uur ood te slaan! En ze had er geen flauw idee van hoe ze ze ief kon maken.

Het was een warme, regenachtige dag. De stank van uitlaatgassen hing zwaar in de lucht bij de Place de l'Opera. Voedselblok of geen Voedselblok, Frankrijk was goede maatjes met de soepjurken, en met de Fokkers ook. Weer een reden erbij waarom je die slakkenvreters niet kon vertrouwen, bedacht Margie duister. Een van haar grootvaders was de stad in Wehrmacht *feldgrau* binnengemarcheerd, en de andere was van de andere kant gekomen, een paar jaar later, in Amerikaans uniform, en allebei hadden ze hun mening over de Fransen aan haar doorgegeven. Het waren onbetrouwbare bondgenoten en onbetrouwbare onderdanen en de paar die enig idee schenen te hebben over wat er met het land diende te gebeuren, werden meestal een kopje kleiner gemaakt door de grote massa die daar geen enkel benul van had. Margie schatte Fransen niets hoger dan Engelsen, Spanjaarden, Italianen, Portugezen, Aziaten, iedereen die in Afrika of Midden- en Zuid-Amerika woonde, en als je de zaak op de keper bekeek, negentig procent van de Amerikanen.

Maar het probleem waar ze nu voor stond, was niet wat er mis was met de wereld, maar wat ze nu, deze dag, met haar tijd moest doen. Er was maar één antwoord. Ze kon hetzelfde doen als de meeste Amerikaanse vrouwen die naar Parijs kwamen: winkelen.

Ze kón niet alleen gaan winkelen; ze móest het; het was de beste manier om niet de aandacht te trekken. Ze moest niet alleen gaan winkelen; ze wilde het ook.

Een van Margies best bewaarde geheimen was dat ze af en toe als een wilde dingen ging kopen, de ene winkel in, de andere uitliep, stoffen kocht bij de meter, jurken aanpaste, schoenen zocht bij rokken. In haar kleine appartement in Houston waren twee kasten plus de helft van wat bedoeld was als een logeerkamer volgestouwd met haar aankopen. Ze waren op goed geluk op een plank gegooid, onder een bed gesmeten, nog in de tassen en dozen van de winkels; truitjes die ze nooit aan zou hebben, stof die half was verwerkt tot gordijnen die nooit voor de ramen zouden hangen. Haar woonkamer was uiterst eenvoudig ingericht, en haar slaapkamer was altijd netjes opgeruimd, omdat je nooit wist wie er op bezoek kon komen. Maar de geheime kamers maakten deel uit van de verborgen persoonlijkheid van Margie Menninger. Niets van wat ze kocht wa erg duur. Dat kwam niet omdat ze zuinig was. Ze had e onbeperkte hoeveelheid geld tot haar beschikking, en maakte niet uit hoeveel de dingen kostten. Maar ze gaf meer om kwantiteit dan om kwaliteit. Af en toe ging ze de uitpuilende kasten te lijf en dan werd het Leger des Heils blij gemaakt met wat ze wegdeed. Maar een week later was het weer bijna even erg.

Toen de taxi haar kwam halen, precies om drie uur, was haar goede humeur teruggekeerd. Ze leunde tegen de harde plastic rug van de bank, klaar voor alles wat er zou kunnen gebeuren.

De chauffeur stopte op de Place Vendôme, net lang genoeg om een tweede passagier in te laten stappen. Achter de opzichtige zonnebril zag Marge het gezicht van haar vader, iets dat haar niet zo verbaasde. 'Bonjour, liefje,' zei hij. 'Ik heb je speelgoedje meegebracht.'

Ze nam de camera aan en woog hem zorgvuldig op haar hand. Hij was zwaarder dan hij eruit zag; ze zou goed op moeten letten dat een ander hem niet optilde.

'Probeer maar niet om er foto's mee te nemen,' zei hij, 'want dat zal niet gaan. Als je bent waar je zijn wil . . .' hij duwde op de ontspanner en het toestel klikte van achteren open, zodat een dof metalen voorwerp zichtbaar werd – 'dan geef je dit aan je contact. Plus honderdduizend petrodollar. Die zitten in de tas.'

'Dank je wel, pappa.'

Hij draaide zich om en keek haar aan. 'Je gaat je moeder toch niet vertellen dat ik je dit laat doen, hè?'

'Jezus, natuurlijk niet! Ze zou een beroerte krijgen.'

'En zorg dat je niet wordt gepakt,' voegde hij er terloops aan toe. 'Je contact was een van Tam Gulsmits beste mensen, en die wordt echt pissend als hij erachter komt dat we z'n mannetje hebben omgedraaid. Hoe gaat het in Camp Detrick?'

'Prima, pappa. Jij zorgt voor het vervoer en ik stuur een stel goede mensen.'

Hij knikte. 'We hebben een beetje geluk gehad. De Fokkers hebben op een van onze mensen geschoten. Niks gebeurd, maar 't is een prima incident.'

'Heeft hij teruggeschoten, goddomme?'

'Nee hoor. Het was je vriendje uit het cachot, van de conferentie in Bulgarije. Voor zover ik kan nagaan, gelooft hij niet in het gebruik van geweld. Hoe dan ook, hij deed precies wat ik hem zou hebben opgedragen als ik erbij was geweest. Hij maakte dat hij weg kwam en bracht rapport uit aan de V.N.-vredesmacht, met banden en beelden om te bewijzen wat hij zei.' Hij tuurde door het raampje. Ze waren de Seine overgestoken. Nu kropen ze voort tussen een menigte andere auto's, door een grauwe arbeiderswijk. 'Hier stap ik uit. Tot ziens in Washington, liefje. En pas goed op.'

De volgende ochtend vroeg was Marge in Triëste. Ze was niet langer Hester Bernardi, maar Marge Menninger was ze ook niet. Ze was een slaperige Zwitsers-Italiaanse huisvrouw in een zweterig broekpak, op weg naar de Joegoslavische grens in een gehuurde Fiat elektrocar, samen met een massa Italianen, die net als elke andere zondagochtend in Joegoslavië op zoek gingen naar goedkope groenten en andere koopjes. Maar in tegenstelling tot hen reed ze rechtstreeks naar Zagreb, parkeerde de auto en nam een bus naar de hoofdstad.

Toen ze Belgrado bereikte, zat het ding dat haar vader haar gegeven had onderin een plastic boodschappentasje, met een oud truitje en een versleten handtas er bovenop. En ze had erg weinig slaap gehad.

Margie zou nooit op hebben kunnen groeien in Godfrey Menningers huis zonder de vlotte taal van de spionage te leren. In de hele wereld was zij de enige geweest tegen wie haar vader altijd open kaart had gespeeld. Eerst omdat ze te klein was om er iets van te begrijpen en hij daarom vrijuit had kunnen spreken. Later omdat ze het moest begrijpen. Toen de P.L.O. haar kidnapte was ze doodsbang geweest, zó bang dat een ander kind van vier er waarschijnlijk niet meer overheen gekomen was, en haar vaders geduldige uitleg, keer op keer, was het enige geweest waardoor ze met haar angst in het reine had kunnen komen. En ten slotte omdat hij er vanuit ging, altijd, dat ze begreep dat de groteske en dodelijke dingen die hij deed ergens toe dienden. Hij twijfelde er geen ogenblik aan dat wat hij nastreefde ook door Margie als essentieel werd gezien. En dus was ze opgegroeid in een sfeer van droppings en liquidaties en koeriers en dubbelagenten, in het hart van een web dat zich over de hele wereld uitstrekte.

Maar nu bevond ze zich niet in het hart van een web, maar in de periferie, waar de risico's immens waren en de straffen meedogenloos. Snel liep ze door de drukke straten en vermeed het om daarbij mensen aan te kijken. De winkeltjes, de meeste heel klein, hadden hun deuren openstaan en er kwamen verwarrende geuren uit: een messcherp aroma van bradend vlees uit een stoffenwinkel (wanneer had ze voor het laatst gegeten?), de scherpe stank van ongewassen oksels uit wat een goedkope

glitter- en juwelenwinkel scheen te zijn. Ze stak de straat over, ontweek een tram, en zag het kantoor dat ze moest hebben. Op een bord aan de gevel stond 'Elektrotek München', en eronder, op de begane grond, bevond zich een werkplaats, waarin dikke, grote mannen in t-shirts stonden te werken aan industriële naaimachines.
Ze keek op haar horloge. Haar eerste mogelijke contact zou nog meer dan een uur op zich laten wachten. De man die ze hier zou ontmoeten, was een kleine, slanke Italiaan, die een voetbaljack aan zou hebben met de naam van de voetbalvereniging van Skopje erop. Natuurlijk was er nergens iemand te bekennen die aan die beschrijving voldeed. Haar vader had haar trouwens al gewaarschuwd dat hij waarschijnlijk niet op zou komen dagen voor het eerste rendez-vous.
Verderop langs de straat stonden schuurtjes, om een betonnen gebouw heen dat eruitzag als een vervallen station. Een markt misschien? Het leek er veel op. Margie werkte zich door massa's vrouwen in baboesjka's en vrouwen in minirokjes, mannen in blauwe overalls met kisten roze nieuwe aardappelen op hun schouders en mannen met een kind aan iedere hand die naar de uitgestalde chocolade en snoepjes keken. Het was druk, en dat was plezierig. Hier zou ze niet opvallen.
Maar honger had ze nu wel.
Aardbeien schenen in massa's te worden aangevoerd. Margie kocht een pond en een flesje Pepsi, en vond een plaatsje op een stenen balustrade, naast een open koffer vol schroevedraaiers en aluminium dopsleutels. Wat ze het liefst had gehad was een hamburger, maar die scheen niemand hier te verkopen. Maar anderen zaten ook aardbeien te eten en Margie vertrouwde erop dat ze er net zo uitzag als zij of anders als een doodgewone huisvrouw die op weg was naar een heel gewoon reisdoel en hier even wat vers fruit had gekocht.
Precies om twee uur zat ze weer voor Elektrotek München en bladerde, zoals afgesproken, in een dienstregeling van de stadsbusdienst van Belgrado. Er kwam geen kleine, slanke Italiaan opdagen. Twee keer ving ze flarden van woorden op die wel Engels leken, maar als ze opkeek van haar dienstregeling zag ze niemand die er buitenlands uitzag. Ze smeet de dienstregeling in een prullebak en liep boos weg. De tweede afspraak was pas om tien uur, in een van de grote oude luxe hotels, en wat moest ze in godsnaam tot dan met haar tijd doen?
Ze moest in beweging blijven. Het was heel moeilijk om meer

dan zeven uur te blijven slenteren, hoeveel Campari's met soda je ook bereid was te drinken. God zij dank, daar was iets dat zich in Cyrillische letters een *Expres-Restoran* noemde, en toen ze doorkreeg dat het een cafetaria was, was één probleem in ieder geval opgelost. Ze wees naar iets dat eruitzag als gegrillde kip, en waarschijnlijk ook wel kip was, en na de aardappelpuree en het brood dat erbij hoorde had ze eigenlijk geen honger meer. Tijd had ze nog genoeg. Ze sloeg hem zo goed en zo kwaad als dat ging dood: een wandeling door de botanische tuinen, een lange wandeling langs de etalages van de winkels aan de Boulevard Maarschalk Tito. En toen begon het te regenen. Ze dook een *Bioskop* in en keek naar een Tsjechische komedie met Servokroatische ondertitels, tot negen uur. Het enige probleem was wakker blijven. Maar toen ze bij het hotel arriveerde, deed zich een echt probleem voor: Ghelizzi kwam ook hier niet opdagen. Ze was nu bijna duizelig van uitputting, haar kleren waren doorgezweet en vol regenvlekken en ze wist zeker dat ze begon te ruiken. Pappa had deze hele zaak niet goed doordacht, zei ze een beetje verbitterd tegen zichzelf. Hij had eraan moeten denken dat de obers van de hotelbar heus wel een bezwete, vuile buitenlandse vrouw zouden opmerken, tussen al hun marmer en strijkjes. Als ze een man was geweest, had het waarschijnlijk niets uitgemaakt. Een man kon de hotelhoeren bekijken, de magere blondine (maar met donker haar bij de wortels) die naast de open haard patience zat te spelen, de dikke met felrood haar die al twee keer met verschillende mannen weg was gegaan, binnen één uur, en nu weer op de volgende zat te wachten. Margie besloot geen Campari meer te nemen en liet zich een Turkse koffie brengen. De volgende afspraak was pas de volgende middag, en waar moest ze slapen?

De hoeren hadden kamers. Als ze nu een hoer was geweest . . .

De gedachte ging niet tegen morele bezwaren in, maar hij was gewoon niet praktisch, dat had ze in een seconde al bekeken. Zelfs als ze een kamer had, zouden de obers haar er vast en zeker uitgooien om het monopolie van de vrouwen hier te beschermen – één blik op eenzaam ronddwalende mannen was genoeg. Ze stonden haar al vol belangstelling aan te kijken, terwijl ze de kleedjes opvouwden van een paar tafeltjes in een uithoek van de salon.

Margie pakte haar kopje koffie en liep naar de tafel van de blonde vrouw. Ze sprak haar in het Engels aan, erop vertrouwend dat in een toeristenhotel de meisjes de meest gebruikelijke

woorden van een vreemde taal wel spraken. 'Hoeveel voor de hele nacht?' zei ze.
De blondine keek geshockeerd. 'Voor uzelf? Wat weerzinwekkend! Ik kan zoiets toch niet doen met een vrouw!'
'Vijftig dinar.'
'Honderd.'
'Goed, honderd. Maar ik heb wel heel bijzondere wensen en je moet precies doen wat ik vraag.'
De blondine keek sceptisch, haalde toen haar schouders op en gebaarde naar de ober. 'Eerst moet u een echte Schotse whisky voor me bestellen en uitleggen wat uw bijzondere wensen zijn. Dan zullen we nog wel zien.'

De volgende morgen werd Margie uitgerust wakker. Ze ging onder de douche om zich op te frissen, kleedde zich snel aan en betaalde de vrouw met een glimlach het overeengekomen bedrag. 'Mag ik een vraag stellen?' vroeg de vrouw, terwijl ze het geld natelde.
'Ik kan je niet tegenhouden.'
'Wat u me hebt laten doen, gewoon uw nek masseren elke keer dat u wakker werd tot u weer in slaap viel, schenkt dat u werkelijk bevrediging?'
'Je zou niet geloven hoe bevredigend dat voor me is,' lachte Margie. Ze liep vol zelfvertrouwen het hotel uit, met een beleefd knikje naar de plaatselijke politie in hun armoedige grijze uniformen, het hemd bij de hals open, hun hand op de revolver in de kartonnen holster. Een wandeling van een minuut of tien bracht haar bij het London Cafe, en daar, met een biertje voor zich, zat de slanke, kleine Italiaan, met een Skopje voetbalpetje op zijn hoofd.
Ze ging zitten, bestelde koffie en ging naar het toilet. Toen ze terugkwam, was de Italiaan verdwenen. De tas, die ze op haar stoel had laten staan, scheen onberoerd te zijn, maar haar onderzoekende vingers deelden haar mee dat de camera verdwenen was, en in plaats daarvan zat er een gidsje in over hovercraft-cruises naar de IJzeren Kloof.
Ze keerde terug naar Italië zoals ze heen was gegaan. Toen ze in Triëste arriveerde en weer de Amerikaanse toeriste Hester Bernardi werd, was ze al volledig hersteld. Aan boord van de clamjet naar Parijs sloot ze zich op in het toilet en bestudeerde de inhoud van het reisfoldertje.
Hoe Ghelizzi een vertrouwde positie had gekregen in Sir Tams

leger van spionnen begreep ze niet; op haar had hij geen erg betrouwbare indruk gemaakt. Maar dit keer had hij toch gedaan wat hij beloofd had. Het apparaatje was op weg en de volledige tekst van alle geheime tactran berichten tussen de Aarde en het kamp van het Brandstofblok op Klong was in haar handen, in de vorm van een microfiche. Haar vader zou heel trots zijn.

12

Wat Ana Dimitrova tot nog toe had gezien van de Verenigde Staten was wat ze van het grootste deel van de wereld had gezien: vliegvelden, hotelkamers, congreszalen, straten. Eerst keek ze dus met veel belangstelling uit de elektrobus die haar zoemend over de achtbaansweg naar de plaats bracht waar ze zich moest melden. Zoveel open ruimte, niet eens bebouwd! En geheel in tegenstelling daarmee, de talloze gelegenheden waar ze langs reden als ze door dorpen en steden kwamen: plaatsen waar je kon eten, plaatsen waar je kon drinken, plaatsen waar je benzine kon kopen; wat een verschrikkelijke verslinders moesten deze Amerikanen zijn om al deze zaken draaiende te houden!
Meer dan de helft van haar metgezellen in de bus was Amerikaan en zij waren ook druk aan het verslinden: een paar zaten te roken, ondanks de bordjes die dat verboden, twee zaten op kauwgum te kauwen, drie op de achterbank gaven een in een bruine zak verpakte fles aan elkaar door. De sergeant die haar een reep chocolade had aangeboden, bood nu de Canadese agronome ronde harde snoepjes aan, met een gaatje in het midden. Nan deed echt veel moeite om sympathie en vriendelijkheid op te brengen voor de anderen, omdat ze ze bij de opleiding nog vaak genoeg tegen zou komen. Maar gemakkelijk was het niet. Een voor een maakten de Amerikaanse mannen een vriendelijk praatje, dat binnen de kortste keren een poging werd om haar in bed te krijgen. Zelfs de Vietnamese kolonel, zo klein en fijngebouwd dat ze naast hem was gaan zitten omdat ze dacht dat het een vrouw was, was persoonlijke opmerkingen gaan maken in zijn mooie, hoge Engels. Tot dusverre was ze zes keer van plaats veranderd en nu zat ze resoluut naar buiten te staren, al zag ze eigenlijk niets meer; wat waren het een consumenten hier – ze kreeg de indruk dat ze haar het liefst ook zouden willen consumeren.

De volgende dag was ze bekaf. Nieuwe kleding. Nieuwe barakken. Een eerste briefing: 'Om zes uur 's ochtends ontbijt. Van zeven uur tot elf uur doet u mee aan individuele training, gericht op het vergroten van uw vaardigheid in het gespecialiseerde werk dat u op Klong zult gaan doen. Van twaalf uur tot half vijf

’s middags doet u mee aan gemeenschappelijke oefeningen om op Klong in leven te blijven. Van zes tot tien uur ’s avonds kunt u uw persoonlijke zaken regelen, behalve wanneer u bevel krijgt om mee te doen aan extra oefeningen en trainingen. Weekends? Waar is de vent die daar iets over wilde weten? O, daar. Nou, d’r zijn geen weekends hier.’ Toen het allemaal achter de rug was, was het bijna middernacht, en kon Ana naar haar celachtige kamertje. Het was bijna twee uur toen ze eindelijk sliep. Het ontbijt was ontmoedigend uitgebreid, eieren en worst en corn flakes en verschillende soorten brood met jam en marmelade en pindakaas in literblikken op elke tafel, en bij wijze van dessert kregen ze een uur lang injecties. Ze deden geen pijn, maar uit het gegrinnik en de grappen van de verplegers kon Ana wel afleiden dat de pijn later wel zou komen. En toen ging ze samen met de Canadese agronome en twee mannen die ze niet kende op weg, door de straten van het kamp, langs het honkbalveld en een bowlingbaan, tussen barakken en anonieme gebouwen door, met overal gewapende schildwachten. Ten slotte kwamen ze bij een open terrein, een halve kilometer in het vierkant. In het midden bevond zich een soort worstvormige ballon, vijftig meter lang, met bewakers bij de omheining en bij de ballon zelf. Toen voor de laatste keer haar papieren waren gecontroleerd, stond ze in een lange open schuur, bedekt met het ondoorzichtige witte plastic van de ‘ballon’. De lucht was klam en zwaar, vol vreemde geuren, en het licht was dofrood. Eerst kon ze maar heel weinig zien, maar toen zag ze dat er mensen heen en weer liepen tussen wat wel kleinere, doorzichtige bellen leken. Het licht was afkomstig van een batterij neonbuizen, allemaal rood, en was niet bepaald sterk.
De gids die haar hierheen had gebracht, vroeg: ‘Alles in orde?’
‘Ja, hoor. Wat zou er dan moeten zijn?’
‘Soms kunnen mensen niet tegen de geuren.’
Ze snoof behoedzaam: peper en gember en rottende vegetatie. ‘Nee, prima.’
‘Mooi. Dimitrova, jij bent linguïste, hè? Ga maar mee. De rest blijft hier wachten tot ik terug kom.’
Hij ging haar voor door een broeikas-achtige ruimte, langs de rijen plastic bellen. Toen haar ogen gewend raakten aan het rode halfduister, kon ze zien dat er dingen in zaten die afkomstig moesten zijn van Klong, en sommige waren reusachtig groot. Het waren voor het grootste deel planten. Een ervan was tien meter hoog en kwam bijna tot aan het dak van de ballon. Wat

een geld moest het gekost hebben om deze immense massa hierheen te krijgen! Naast de geluiden van pompen, het brullen van de oven buiten waarin de lucht uit de ballon werd verbrand, en de geluiden die de mensen maakten waren er geluiden die ze niet thuis kon brengen: een soort zacht, jammerend, hoog zingen en kreunende, kletterende geluiden. Ze kwamen vanwaar ze heen liepen.
'Welkom in onze dierentuin,' zei de gids.
En toen zag ze de ballonvaarder.
Ze herkende het wezen meteen; in het hele heelal kon geen tweede ras zijn dat er zo vreemd uitzag! Maar het zag er – beschadigd uit. Het zat opgesloten in een kooi. De grote gasbuidel trilde, maar was bijna leeg en hing tegen de grond. Ze staarde er gefascineerd naar en zag dat een flexibele plastic koppeling was vastgemaakt aan een gat in de buidel en dat een plastic buis naar een gascilinder liep. Een vrouw met een bandrecorder zat naast de cilinder gehurkt en stelde de gastoevoer bij, terwijl ze naar het klaaglijke lied van de ballonvaarder luisterde.
Geen wonder dat de stem zo zacht klonk! De druk was maar een fractie van wat het wezen nodig had, veel te laag om hem te laten vliegen, net genoeg om hem een snikkend lied te laten zingen, happend naar adem. De vrouw keek op en zei: 'Ben jij Dimitrova? Ik ben Julia Arden, en dit is Shirley. Ze zingt nu net over haar jeugd.'
Ann drukte de ander beleefd de hand en staarde naar het pathetische, gerimpelde kleine wezen in de kooi. Die geluiden – was dat een taal? Ze kon zich niet voorstellen dat ze ze ooit zou verstaan, laat staan vertalen, hoeveel keren ze haar brein ook splitsten! Onzeker zei ze: 'Ik zal mijn best doen, maar denkt u werkelijk dat u me kunt leren om met – Shirley te praten?'
'Ik? Misschien wel niet. Ik zal je helpen, en de computers ook, maar je zult het toch vooral van Shirley zelf moeten leren. Ze vindt het heerlijk om tegen ons te zingen. Het arme ding. Veel anders heeft ze trouwens niet te doen.'
Nan keek weer naar de ballonvaarder en viel toen uit: 'Nee, maar dit is toch een schande! Kunt u niet zien dat ze pijn lijdt?'
De andere vrouw haalde haar schouders op. 'Wat moet ik daaraan doen?' Haar stem klonk eerder verdedigend dan vijandig. 'Shirley zal zich heus niet vrijwillig voor dit werk hebben opgegeven, maar ik ook niet. Jouw taak is haar taal te leren, Dimitrova, en hoe vlugger je ermee begint hoe beter.'

'Maar een levend wezen pijn te zien lijden . . .'
Julia Arden lachte, en schudde haar hoofd. 'Liefje, je bent hier net. Wacht maar een paar dagen. Dan mag je terugkomen en praten over pijn.'

Van zeven tot elf spande Ana Dimitrova zich geestelijk in tot ze dacht dat ze eraan zou bezwijken, en van twaalf tot half vijf bracht ze de zaak in evenwicht door hetzelfde te vergen van haar lichaam. Julia Arden had het bij het rechte eind gehad. Binnen achtenveertig uur was Ana een expert op het gebied van pijn. Ze werd elke ochtend wakker met een wazig drukkend gevoel in haar hoofd, dat, wist ze, een eerste voorproefje was van migraine. Ze ging elke avond naar bed met zoveel blauwe plekken, halve en hele kneuzingen dat ze al haar wilskracht nodig had om de pillen die ze haar gegeven hadden niet in te nemen. Haar geest moest alert blijven, zelfs tijdens haar slaap, omdat slapen ook studeren was, want het op de band opgenomen zingen van de ballonvaarder klonk de hele nacht onder haar kussen.
En elke middag, of ze zich nu goed of beroerd voelde, deed ze mee aan de veldoefeningen. Dertig keer opdrukken, vijfhonderd meter hardlopen, de hindernisbaan, in touwen klimmen. Haar handen werden rauw, ze kregen blaren, en tenslotte eelt. Haar knieën bloedden, ondanks de overalls. Overal op armen en benen had ze blauwe plekken, waar er tenminste geen blaren of vlekken waren verschenen na de injecties tegen allergie.
Je sloot snel vriendschap met mensen in een oord als dit. Ze leerde de Vietnamese kolonel 'Guy' te noemen, kreeg al gauw respect voor zijn snelle geest, voor zijn gevoel voor humor en leerde ook dat ze beter niet alleen met hem kon zijn. Of met de sergeant, Sweggert, en eigenlijk alle mannen, want die schenen over plotselinge reserves aan kracht te beschikken als ze in de buurt waren van een aantrekkelijke vrouw. Of een onaantrekkelijke. Het meisje met wie ze haar kamer deelde, korporaal Elena Kristianides, was bepaald niet knap, maar meer dan eens wankelde Nan naar haar kamer en merkte dan dat de deur op slot zat, terwijl binnen zacht gekreun opklonk en gegiechel. Als ze uiteindelijk naar binnen kon, zei ze altijd grootmoedig: 'Ach, Kris, het geeft niet, hoor.' Maar het gaf wèl. Ze had haar slaap nodig! Waarom gold dat niet voor hen?
Toen de dagen weken werden, verminderde de uitputting, genazen de schrammen en builen, verdwenen de reacties op de anti-allergenen. De hoofdpijn bleef, maar daar was Nan aan

gewend en ze leerde om mee te doen met het gezellige geklets in de kantine. Er deden altijd heel vreemde verhalen de ronde. Ze gingen naar Zoon van Kung, maar het was een enkele reis en ze moesten daar een heel nieuw mensenras beginnen. Ze gingen helemaal niet naar Zoon van Kung, maar naar een nieuwe planeet waarvan de ontdekking nog niet bekend was gemaakt; hij had nog niet eens een naam. Ze gingen helemaal niet de ruimte in. Ze zouden worden afgeworpen aan de Schotse kust om de olieraffinaderijen te bezetten. Ze gingen naar Antarctica, waar een nieuwe kolonie van het Voedselblok zou worden gevestigd omdat ze hadden ontdekt hoe de ijskap kon worden gesmolten. Eerst werd Ana bang van al deze verhalen. Toen lachte ze erom, en ten slotte verveelden ze haar. Ze begon zelf verhalen te verzinnen en merkte dat ze even vlot werden doorverteld als de andere verhalen. Maar sommige verhalen schenen toch op waarheid te berusten. Zelfs heel erge dingen bleken waar te zijn: een onverklaarbaar ongeluk in de ruimte, dat de schepen van de Fokkers had vernietigd, en zelfs hun tachyon-transit sateliet. Die avond kwamen ze te laat voor het eten omdat ze eerst naar het nieuws wilde luisteren, en inderdaad, het was waar. Wat afschuwelijk! Wat een klap voor Ahmed! Maar toen zei de nieuwslezer dat de expedities van het Voedselblok en het Brandstofblok hun collega's van de Volksrepublieken te hulp waren gekomen, en Ana's hart schoot vol. Ze haastte zich naar de eetzaal, vroeg het woord en zei dat ze allemaal een brief moesten ondertekenen waarin hun collega's van het Mensenblok moed in werd gesproken en succes gewenst. De gezichten draaiden zich naar haar toe, fluisterden onderling, half in verlegenheid gebracht, maar uiteindelijk lieten ze haar de brief schrijven en iedereen ondertekende hem. De volgende middag mocht ze zelfs iets vroeger weg van de veldoefeningen om ermee naar de kampcommandant te gaan. Hij luisterde met een uitdrukkingloos gezicht naar wat ze te zeggen had, las de brief drie keer en beloofde toen om hem door te sturen. Die avond vertelde ze met een rood hoofd van trots wat ze gedaan had, maar haar nieuws verdronk in drie andere verhalen. Het eerste luidde dat de volgende dag een grote groep nieuwelingen aan zou komen. Het tweede dat een datum was vastgesteld voor hun vlucht naar Klong, minder dan drie weken na nu. Het derde was regelrecht in tegenspraak met dit alles: het hele project stond op de nominatie om te worden geschrapt.

Wat een verhalen! Nan stond boos op en tikte met haar vork

tegen haar dikke aardewerken kopje. 'Hoe kunnen jullie al deze nonsens geloven?' zei ze fel. 'Hoe kunnen deze verhalen nu allemaal tegelijk waar zijn?' Maar de meeste mensen besteedden geen aandacht aan haar, en ze voelde iemand aan haar elleboog trekken.
Het was de Vietnamese kolonel, Guy, die zoals hij vaak deed, tussen Ana en Elena Kristianides in was gaan zitten om te proberen haar te versieren. 'Lieve, mooie Ana,' zei hij, 'maak je niet belachelijk. Ik weet iets van deze verhalen, en ze zijn allemaal waar.'

Dat één van de drie in ieder geval waar was, bleek de volgende ochtend. Vijfenzestig nieuwe mensen arriveerden en Ana kende een van hen! De blonde vrouw, Godfrey Menningers dochter.
Natuurlijk werd alles overhoop gegooid door hun komst. Bijna iedereen moest verhuizen en een grote groep ging naar een nieuwe barak, een halve kilometer verderop. Nan raakte korporaal Kristianides kwijt en kreeg er de Canadese vrouw voor terug; ze scheen te zijn gespecialiseerd in het verbouwen van voedselgewassen op plaatsen waar je niet zou verwachten dat er iets wilde groeien. Marge Menninger zwaaide een keer uit de verte naar haar, maar door alle drukte kreeg ze niet de kans om een woord met haar te wisselen. Al met al was ze bijna een uur later dan anders bij de vrouwelijke ballonvaarder.
Het wezen was voor Ana allang niet meer een zoveelste specimen van de fauna van Klong. In de cognitieve helft van Ana's brein lagen de liederen opgeslagen die de ballonvaarders zongen en die Shirley haar had geleerd. De eerste dag had ze een paar eenvoudige frasen geleerd, binnen een week kon ze abstracte gedachten overbrengen, en nu zong ze de taal bijna vloeiend. Ana had nooit in de waan verkeerd dat ze een goede zangstem had, maar de ballonvaarder was niet kritisch. Ze zongen uren lang tegen elkaar, en Shirleys liederen werden steeds meer getekend door droefheid en wanhoop, en ten slotte werden ze zelfs onsamenhangend. Ze was, vertelde ze Ana, de laatste overlevende van tien of meer leden van haar ras die weg waren gehaald van hun thuiswereld en naar dit afschuwelijke oord gebracht. Ze verwachtte niet dat ze nog lang zou leven. Ze zong tegen Ana over de zoetheid van warm stuifmeel in een vochtige wolk, over de hete, stekende droefenis waarmee de eitjes werden gelegd, over de gemeenschappelijke vreugde van de zwerm als

ze samen zongen. Ze vertelde Ana dat ze nooit meer in de zwerm zou zingen en daarin had ze driedubbel gelijk. Ze zou niet meer durven zingen, want haar stem was door de gaspomp meelijwekkend rauw en zwak; er was geen kans op dat ze werd teruggebracht naar Klong; en ze wist dat haar dood nabij was. Twee dagen later was ze dood. Toen Ana de dierentuin binnenliep, was de kooi leeg en stond Julia Arden toezicht te houden op het steriliseren van de onderdelen. 'Geeft niet,' bromde ze. 'Je hebt alles geleerd wat je weten moest.'
'Ik huil niet om wat ik geleerd heb. Ik huil omdat ik iemand kwijt ben geraakt die me na stond!'
'Jezus Christus. Donder op, Dimitrova. Hoe hebben ze ooit een trut als jij hier binnen kunnen laten? Huilen om een dooie gasblaas en liefdesbrieven schrijven aan de Fokkers, ben je nou helemaal belazerd!'
Ana liep terug naar haar kamertje, liet zich op haar bed vallen en huilde zoals ze in maanden niet gehuild had – om Shirley, om Ahmed, om de wereld en om zichzelf. Hoe was alles zo afschuwelijk en gecompliceerd geworden?
Die middag waren de oefeningen een kwelling. De lichamelijke inspanningen waren niet zo'n probleem meer, maar de dingen die ze deden waren de afgelopen paar dagen nogal van karakter veranderd. Iedereen, de oudgedienden en de groep die pas aangekomen was, oefende niet meer om spieren en reflexen te verbeteren, maar kreeg allerlei vreemde apparatuur in handen. Ana had het grootste deel ervan in ieder geval nog nooit gezien, al schenen alle nieuwelingen, en een paar mensen van de oude groep, er wel mee vertrouwd te zijn. Wat een apparatuur! Zware slangen, net waterkanonnen, tanks die je op je rug meedroeg, met een mondstuk aan een slang (een vlammenwerper?), lasers, en zelfs granaatwerpers. Voor welk grotesk doel diende dit alles? Met opeengeklemde lippen deed Ana wat haar werd opgedragen. Herhaaldelijk kwam ze in de problemen en moest een van de anderen haar te hulp schieten. De kolonel redde haar van de verbrandingsdood toen er iets mis ging met de vlammenwerper en sergeant Sweggert hielp haar overeind toen de terugslag van het waterkanon haar onderuit haalde. 'Doet u geen moeite,' hijgde ze woedend, terwijl ze overeind krabbelde en haar hand uitstak naar het spuitstuk. 'Het is al in orde.'
'Niks in orde,' zei hij met een grijns. 'Een beetje voorover leunen, liefje, tegen de straal aan. Je hebt geen spierkracht nodig, alleen maar een beetje hersens.'

'Ik vind het niet prettig om te worden geoefend in het gebruik van wapens!'
'Wat voor wapens?' Hij grijnsde naar haar. 'Weet je dan niet dat deze spullen alleen worden gebruikt tegen ongedierte? Kolonel Menninger heeft het ons allemaal haarfijn uitgelegd. We willen geen intelligente wezens doden, dat is tegen de wet en bovendien raken we dan in de grootst mogelijke problemen. Maar alle intelligente rassen hebben kleine neefjes, krab-ratten, en luchthaaien en dingen die gaten graven door de grond en naar buiten komen en je opvreten als je niet oppast. Dáártegen gaan we al deze spullen gebruiken.'
'Hoe dan ook,' zei Ana, 'ik heb geen hulp nodig van u, sergeant. Zelfs al geloofde ik u, of die kolonel Menninger van u, en dat doe ik niet.'
Sweggert keek langs haar heen. 'Hallo, kolonel. We hadden het net over u.'
'Dat merkte ik,' zei Margie Menninger. Ana draaide zich langzaam om en zag dat ze vlak bij hen stond. En, zag Ana zonder dat het haar veel kon schelen, ze zag er heel slecht uit. De injecties hadden hun uitwerking niet gemist en haar gezicht zat onder de rode vlekken, terwijl haar ogen rooddoorlopen waren en traanden en haar haar donkere wortels had. 'Ingerukt, sergeant.' En toen Sweggert verdwenen was: 'Ana, misschien begrijp je niet alles wat hier gebeurt, maar één ding moet je geloven: *ik wil dat deze lancering een succes wordt.* Ik wil de grondslag leggen voor een samenleving die begrijpt wat samenwerking en ecologisch bewustzijn en gedegen voorbereiding betekenen. Weet je hoeveel we hierin steken? *Vier* schepen. Bijna negentig mensen. Vijfendertig ton apparatuur en spullen. Ana, als we negentig mensen sturen moeten dat de negentig beste mensen zijn die we hebben, en we moeten ze op de best mogelijke manier voorbereiden. Begrijp je? Ja? Goed, verder met de oefeningen.' En haar stem schalde over het veld. 'Oké, iedereen. Op de grond, jullie. Ik wil eens zien hoe jullie kunnen kruipen!'
Met een opstandig gevoel liet Ana zich op de grond vallen en kroop op haar buik voort, zoals ze de dag daarvoor had geleerd. Infanterie-oefeningen en dat voor een wetenschappelijke expeditie! Wat een nonsens.

Margie zat ongeduldig op de publieke tribune van de zaal waar de Veiligheidsraad vergaderde en wachtte tot ze zou worden

opgehaald. De delegatie van Peru legde omstandig uit waarom hun land voor of tegen iets had gestemd en de andere negen leden van de Raad wachtten ongeduldig tot ze elkaar te lijf konden gaan over hun stemgedrag. Het scheen te maken te hebben met visserijgrenzen. Normaal gesproken zou Margie goed hebben geluisterd, maar haar geest was een heleboel lichtjaren verder, op Klong. Toen de jonge zwarte vrouw haar kwam halen, was ze heel Peru al vergeten voor ze de zaal uit was. De vrouw bracht haar naar een onopvallende deur waarop stond 'Alleen bevoegden' en deed de deur open zonder naar binnen te lopen of te kijken.
'Ha, pappa,' zei Margie, zodra de deur dicht was, terwijl ze haar wang naar hem ophief.
Haar vader kuste haar niet. 'Je ziet er klote uit,' zei hij, zijn stem vlak en zonder genegenheid. 'Wat voor den donder leer je die "kolonisten" van je eigenlijk?'
Zijn vragen overvielen Margie onverhoeds; ze had ze niet verwacht en ze was niet naar New York gegaan om hierover te praten. Maar ze reageerde meteen. 'Ik leer ze hoe ze in leven moeten blijven op een potentieel vijandige wereld. Precies wat ik heb gezegd.'
'Kijk hier eens naar,' zei hij, terwijl hij een stapeltje holovlakfoto's voor haar uitspreidde. 'Kunstvoorwerpen uit de privécollectie van Erfgenaam-van-Mao. Heeft me heel wat gekost om ze te pakken te krijgen.'
Margie pakte er een en bewoog hem heen en weer om het effect van driedimensionale beweging te zien. 'Ik zie er te dik uit,' zei ze kritisch.
'Ze komen uit de tas van een koerier in Ottawa. Je zult ze wel herkennen. Daar, een van je knapen met een granaat in z'n hand. En een mooie foto van een oefening met vlammenwerpers. En een derde foto, met een meisje erop, ik zal niet zeggen wie, met in haar hand iets dat verrekte veel lijkt op een zwaard terwijl ze in iets steekt dat verrekte veel lijkt op een Krinpit.'
'Jezus, pappa, dat is geen zwaard. Het is gewoon een plat, scherp mes. Ik kwam op dat idee toen ik in de Oesterbar van het Grand Central keek hoe ze kreeften openmaakten. En die Krinpit is van stro en plastic.'
'Allejezus, Margie! Je geeft die lui een militaire opleiding!'
'Ik leer ze hoe ze in leven moeten blijven op Klong. Wat dacht je dan? De grootste en gemeenste gevaren waarmee onze jongens en meisjes te maken krijgen zijn de Krinpit en de gravers en de

ballonvaarders en, o ja, vergeet vooral de Vetpotters en de Fokkers niet. Ik sta geen pleidooi te houden voor een massamoord, pappa, ik leer ze alleen wat ze moeten doen als er wat gebeurt.' Haar gezicht betrok. 'Maar toch zou ik graag willen weten wie deze foto's heeft genomen.'
'Dat kom je te weten,' zei hij grimmig. 'Maar het maakt niet uit; deze foto's zijn kopieën. De Fokkers hebben de originelen, en Tam Gulsmit heeft ze waarschijnlijk ook wel, en de Fokkers en Vetpotters op Klong komen het uiterlijk volgende week te weten en dan is de vriendschap tussen de expedities voorbij. Heb je naar het debat in de Raad geluisterd?'
'Wat? O, ja – een beetje.'
'Je had heel goed moeten luisteren. Peru heeft net zijn territoriale wateren uitgebreid tot duizend mijl van de kust.'
Margie keek verwonderd. 'Wat heeft dat nou te maken met een robbertje vechten op Klong?'
'Peru zou dat niet doen zonder een hoop steun van iemand. Officieel horen ze bij ons Blok, zeker, vanwege de ansjovis. Maar ze hebben geen poot om op te staan als de vis naar het diepe deel van de oceaan gaat, en daarom proberen ze goeie maatjes te blijven met de andere blokken.'
'Welk blok?'
Haar vader trok zijn ooghoeken omhoog. Dat deed hij niet omdat er gevaar was dat ze in deze super-beveiligde kamer werden afgeluisterd; het was een reflex om de naam van Erfgenaam-van-Mao niet vaker te noemen dan strikt noodzakelijk was.
Margie zweeg even, terwijl de sorteermachine in haar hoofd de prioriteiten op een rijtje zette. Ze kwam terug op Punt Eén. 'Pappa, Peru kan z'n ansjovis in z'n oren steken, en ik ga heus niet wakker liggen over de vraag wie van mijn mensen een spion is, en een schandaaltje over oefeningen met vlammenwerpers en zo overleven we ook wel. Over een paar weken maakt dat niks meer uit omdat we dan op Klong zijn en daarom ben ik hier. Gus Lenz trekt zijn steun in. Ik heb hulp nodig, pappa. Laat hem geen streep halen door het hele programma.'
Haar vader leunde achterover in zijn stoel. Margie was niet gewend aan een Godfrey Menninger die er oud en moe uitzag, maar zo zag hij er nu toch uit – oud en moe.
'Liefje,' zei hij zwaar, 'heb je enig idee van de moeilijkheden waarin we verkeren?'
'Natuurlijk, pappa, maar . . .'

'Nee, luister. Ik geloof dat je daar géén idee van hebt. Er zit op dit ogenblik een tanker vast op Catalina Island, met zeshonderdduizend ton olie aan boord, en die olie gaat niet naar Long Beach. Normaal gesproken zou dat niet uitmaken, want in het zuiden van Californië hebben ze meer dan genoeg reserves. Maar hun reserves zijn naar dit project gegaan. Als ze die tanker niet binnen achtenveertig uur loskrijgen, zit Los Angeles dit weekend bijna zonder stroom. Hoe denk je dat de mensen daarop reageren?'
'Ach, rotzooi kun je altijd verwachten en . . .'
Hij hief zijn hand op. 'En je hebt het verhaal in de krant van vanochtend gelezen. De Fokkers weten dat hun tactran-satelliet is gesaboteerd.'
'Nee, dat is niet zo. Dat was een ongeluk. De bom moest alleen het bevoorradingsschip uitschakelen!'
'Een ongeluk bij het begaan van een misdaad wordt deel van de misdaad, Margie.'
'Maar ze kunnen niet bewijzen – ik bedoel, ze kunnen er nooit achter komen dat ik ermee te maken had, behalve . . .'
Ze keek naar haar vader. Hij schudde zijn hoofd. 'De Italiaan zal ze niets wijzer maken. Hij is al uitgeschakeld.'
Die arme Guido zou dus niet genieten van zijn honderdduizend petrodollar. 'Hij heeft goeie waar geleverd,' zei ze. 'Die microfiches van 'm bewijzen dat de Vetpotters hun basis juist op die plek hebben opgezet omdat er volgens seismische proeven olie onder zat. Dat is tegen het verdrag dat voor Klong geldt.'
'Doe niet zo kinderlijk, Margie. Wat hebben bewijzen er nou mee te maken? Sir Tam en de Fokkers kunnen niet bewijzen dat je Ghelizzi die bom hebt gegeven, maar ze hoeven het niet te bewijzen, ze hoeven het alleen maar te weten, en weten doen ze het. Peru is er het bewijs voor. Om nog maar te zwijgen over een paar andere nieuwtjes die je misschien nog niet gehoord hebt, zoals de Amerikaanse ambassade die vanochtend in brand is gestoken. Dat is een seintje van Sir Tam of van Erfgenaam-van-Mao, vermoed ik. Heb je enig idee hoe hun volgende bericht zal luiden?'
Margie besefte dat ze aan haar blaren zat te krabben en dwong zich om haar hand weg te halen. Pappa, je weet dat niemand iets kan doen dat écht ingrijpend is. Het machtsevenwicht staat het niet toe.'
'Mis! Het machtsevenwicht valt in stukken zodra iemand een vergissing maakt. De Fokkers maakten een fout toen ze vuur-

pijlen afschoten op onze ballonvaarders. *Ik* maakte er een toen ik je met die bom naar Belgrado liet gaan. Het is tijd om de zaak stop te zetten, liefje.'

Voor de eerste keer sinds ze volwassen geworden was, voelde Margie Menninger echte angst. 'Pappa! Bedoel je dat je me niet zult helpen tegen Lenz?'

'Ik bedoel meer, Margie. Ik ben het helemaal met hem eens. Morgen ga ik naar de president en ik ga hem zeggen dat de lancering moet worden geschrapt.'

'Pappa!'

Hij aarzelde. 'Liefje, later misschien. Als de toestand wat minder gespannen is . . .'

'Later heeft het geen zin meer! Dacht je soms dat de Fokkers geen versterkingen zullen sturen zodra ze weer een satelliet om Klong hebben draaien? En de Vetpotters? En . . .'

'Mijn besluit staat vast, Margie!'

Ze keek hem geschokt aan. Dit was de Godfrey Menninger die de hele CIA kende, en die zij maar zelden had meegemaakt. Ze stond niet tegenover haar vader. Ze stond tegenover een man die even onverzoenlijk en vastbesloten was als zijzelf altijd was geweest, een man die steunde op heel veel macht om zijn beslissingen kracht bij te zetten.

'Ik kan je niet op andere gedachten brengen,' zei ze. Het was geen vraag, en hij gaf er geen antwoord op.

'Nou,' zei ze, 'dan heeft het ook geen zin om hier nog te blijven. Dag, pappa. Ik zie je over een poosje wel weer eens.'

Ze keek hem niet aan terwijl ze opstond, haar bruine officierstas pakte, haar pet opzette en het vertrek uitliep.

Haar vader kon vastbesloten zijn, maar zij niet minder. Beneden in het gebouw stapte ze een telefooncel in en draaide een Newyorks nummer.

De vrouw aan de andere kant was een opvallend knappe dame. 'Dag Marjorie,' zei ze. 'Ik dacht dat je spionnenwerk aan het doen was voor je vader of zoiets – Marjorie! Wat is er met je gezicht gebeurd?'

Marge betastte haar gevlekte huid. 'O, dat. Alleen maar een allergische reactie op wat prikken. Mag ik bij je langs komen?'

'Natuurlijk, lieverd. Nu meteen?'

'Nu meteen, mam.' Margie hing op en liep vlug naar de liften. Maar voor ze instapte, dook ze even het toilet in om haar make-up te controleren.

Marge Menningers moeder woonde, onder andere, in een van de hoogste en duurste wolkenkrabbers van New York. Het was een ouderwets appartement, gebouwd toen energie goedkoop was, zodat het toen helemaal niet onlogisch was dat er geld bespaard werd op isolatie en de hele winter massa's olie werden verstookt om de zaak warm te houden, terwijl de hele zomer de airconditioning op volle toeren draaide. Het was een van het handjevol dat niet deels was herbouwd toen de olieprijs voorbij de driehonderd dollar per vat schoot, en voor de meeste mensen, zelfs voor de meeste welgestelde mensen, zou het veel te duur zijn geweest.

De butler heette haar welkom. 'Wat prettig om u weer eens te zien, miss Menninger! Wilt u gebruik maken van uw kamer, vannacht?'

'Nee, Harvey. Ik wil alleen maar met mamma praten.'

'Ja, miss Margie. Ze verwacht u.'

Toen Alicia Howe opstond om haar dochter te kussen, nam ze haar snel op, maar haar ogen misten niets. De afschuwelijke vlekken in haar gezicht! De kleren waren niet onredelijk, voor een legeruniform, en goddank had het kind het opgeruimde, knappe gezicht van haar vader. 'Er zou een paar kilo af kunnen, liefje.'

'Zal ik voor zorgen. Mamma, ik wil dat je iets voor me doet.'

'Zeg het maar.'

'Pappa doet ergens moeilijk over en ik wil de zaak in de openbaarheid gooien. Met een persconferentie.'

Alicia Howe's echtgenoot was de eigenaar van en hoop televisie: drie plaatselijke stations en grote belangen in meer dan tien satellietnetten. 'O, een van Harolds mensen zal je vast wel kunnen helpen,' zei ze langzaam. 'Mag ik weten wat het probleem is?'

'Ze laten m'n planeet barsten, mamma, ze halen m'n geld weg en klagen aan één stuk over problemen. Ik wil dat de mensen te weten komen hoe belangrijk Klong is en ik wil degene zijn die ze dat vertelt. Pappa stond eerst vierkant achter me,' voegde ze er strategisch aan toe, 'maar nu is hij van gedachten veranderd. Hij wil de hele zaak stopzetten.'

'Bedoel je dat je je eigen vader onder druk wilt zetten?'

'Precies.'

Alicia Howe glimlachte. Dat zou haar huidige echtgenoot zeker aanspreken. Met een berustend gebaar spreidde ze haar handen en liep naar de telefoon. 'Ik zal Harold vertellen wat je wilt.'

Ana Dimitrova zat met gesloten ogen in een breed, laag vertrek, haar ellebogen op een ringvormige tafel, een koptelefoon op haar hoofd. Haar lippen bewogen. Haar hoofd ging met snelle rukjes heen en weer terwijl ze probeerde het ritme te volgen van het ballonvaarderslied dat ze hoorde. Het was heel moeilijk, vooral omdat de geluiden niet door een ballonvaarder werden gemaakt, maar door een Krinpit. De band was een paar weken daarvoor opgenomen, toen de laatste Krinpit die nog in leven was in Camp Detrick alleen nog tegen Shirley kon praten, de laatste ballonvaarder.

Ze had trouwens niet Shirley geheten. Haar naam was heel mooi geweest, *mo'ahi'i ba'alu'i*, wat bij benadering Zoetgouden Wolkendrager betekende. Het stemapparaat van de Krinpit, ingericht op het maken van krassende, tikkende, bonkende geluiden, had nogal wat moeite met de geluiden van ballonvaarders. Maar Shirley had hem verstaan – nee, verbeterde Ana zichzelf, *mo'ahi'i ba'alu'i* had hem verstaan. Ana was vastbesloten om haar te evenaren, en daarom speelde ze de stukken band steeds opnieuw af.

Ma'iya'a hi'i – deze wezens die anders zijn dan wij – *hu'u ha'iye'i* – zijn gemene beesten.

En het antwoord van Zoetgouden Wolkendrager:

Ni'u'a mali'i na'a hu'iha – ze hebben mijn lied gedood.

Ana zette de koptelefoon af en wreef in haar ogen. De hoofdpijn was heel erg vanavond, een bewijs dat ze te moe was om nog te werken en daarom zette ze de bandrecorder af, hing de koptelefoon aan zijn haak en stond op. Ze wilde beleefd een paar anderen groeten die net als zij overwerk deden in de studio. Maar er was niemand. Iedereen was weggegaan terwijl zij hard aan het werk was.

Ze keek op haar horloge. Het was bijna elf uur! Over zes uur moest ze alweer haar bed uit!

Ze liep haastig door de lege straatjes naar haar kamer, maar hield halverwege stil, veranderde van koers en liep de dagkamer binnen. Haar hoofdpijn was verschrikkelijk, maar soms hielp een van die Amerikaanse frisdranken met cafeïne erin. Haar bloedvaten vernauwden zich dan en de bonkende, kloppende pijn zakte net ver genoeg weg om haar de slaap te laten vatten. Maar toen ze een dollar in het apparaat gooide en wachtte tot het bekertje volliep, merkte ze dat het toch niet zo verstandig was geweest om hier te komen. Wat een oorverdovende herrie! Een stuk of tien paren stonden wild te dansen naast de stereotoren aan een kant van de zaal, terwijl aan de andere kant een jonge Oosters uitziende man zat met een gitaar, en de kring mensen om hem heen zong dwars tegen de elektronische muziek in, zonder dat het iemand iets kon schelen. En er kwam nog meer lawaai uit de tv-kamer: opgewonden door elkaar pratende stemmen, gelach, waar zouden ze naar kijken? Ze kwam wat dichterbij en staarde naar het scherm. Iemand haalde een sloop uit een sonische wasmachine en deed verrukt over de zo-goed-als-nieuwe glans. Waren ze opgewonden over een reclamespot?

'O, Nan!' riep haar kamergenootje, terwijl ze zich door de menigte naar haar toe werkte. 'Je hebt het gemist. Ze was gewéldig!'

'Wat? Wat heb ik gemist? Wie was zo geweldig?'

'Luitenant-kolonel Menninger. Enorm. Eigenlijk heb ik haar nooit gemogen. Maar vanavond deed ze het prima. Ze zat bij het nieuws van zes uur. Het was maar een interview van een paar minuten, na een bericht over Jem. Ik weet niet waarom ze haar hebben geïnterviewd, maar ik ben wel blij dat ze haar namen! Ze heeft zulke mooie dingen gezegd. Ze zei dat Jem hoop gaf aan alle ongelukkige mensen ter wereld. Ze zei dat het een planeet was waar oude haatgevoelens vergeten konden worden. Een plek waar – wat zei ze nou precies? – ja, een plek waar elk kind de morele basis kon verwerven voor een heel mensenleven, met de ruimte en de vrijheid om dat leven ook zo te leven.'

Ana besproeide haar open hand met een regen van Coca-Cola druppeltjes. 'Heeft kolonel Menninger dat gezegd?' zei ze, naar adem snakkend.

'Ja, ja, Nan, en ze heeft het schitterend gezegd ook! We waren allemaal ontroerd, zelfs Sweggert, het beest, en die billenknijper van een Nguyen. Ze hielden hun handen eens een keer bij zich. En de interviewer zei iets over troepen naar Jem sturen en kolonel Menninger zei: "Ja, ik ben zelf soldaat. Elk land heeft soldaten zoals ik, en we bidden allemaal dat we nooit iets te doen krijgen. Maar op Jem kunnen we iets nuttigs doen! Iets dat de vrede dient, niet de vernietiging. Geef ons alstublieft deze kans." Dat zei ze. Wat?'

Nan had volkomen verbijsterd staan mompelen in het Bulgaars. 'Nee, nee, ga verder.'

'En zoëven hebben ze een paar stukken van het interview herhaald, tijdens het laatste journaal, en ze zeiden dat er een massa reacties op gekomen waren. Telegrammen, telefoontjes. Naar

het Witte Huis, naar de Verenigde Naties, naar de televisie-maatschappijen, overal heen.'
Ana vergat haar hoofdpijn. 'Misschien is mijn oordeel over kolonel Menninger wel onrechtvaardig geweest. Ik ben werkelijk verbaasd.'
'Ja, ik ook! Maar dankzij haar heb ik weer een heel fijn gevoel over wat we doen, en iedereen praat erover!'
Dat was zo. En niet alleen in de dagkamer van de barak. De telefoons van senator Lenz stonden roodgloeiend en iedereen wilde dat hij ervoor zorgde dat de helden op Jem steun kregen. Op redactiebureaus in het hele land stroomden reacties binnen: Jem! Jem! Haastig werd de publieke opinie gepeild, en de onderzoekers meldden grote, en nog steeds groeiende bezorgdheid. Godfrey Menningers telefoon ging maar één keer over, maar de man die hem opbelde was de president van de Verenigde Staten. Toen hij ophing, stond Menningers gezicht gespannen en strak, maar toen ontspande het zich en begon hij te lachen. 'Liefje,' zei hij tegen de lege ruimte, 'je hebt een zwart hart, maar je vader kan trots op je zijn.'

13

Twintig kilometer lang probeerden Charlie en zijn zwerm het kleine tweedekkertje te volgen dat dansend en ronkend door de hemel van Jem vloog, maar het ging niet. De ballonvaarders scheerden omhoog en omlaag, vonden winden die hen naar de warmtepool voerden, maar waren niet snel genoeg om het toestel bij te houden. Charlie zong een droevig vaarwel in zijn radio en het geluid drong zelfs door het lawaai van de kleine motor heen. 'Teveel lawaai,' schreeuwde Kappeljoesjnikov in Danny Dalehouse's oor. 'Afzetten, alsjeblieft.'
'Eerst even afscheid nemen.' Dalehouse zong in de kleine radio en zette hem toen af. Ver achter hen en een halve kilometer hoger gingen de ballonvaarders op en neer ten teken dat ze hem begrepen hadden. Dalehouse tuurde door de voorruit, maar het kamp van de Vetpotters was natuurlijk nog nergens te zien. Ze vlogen in een bijna rechte lijn naar de warmtepool. Wat dwaas van de Vetpotters om hun kamp op te slaan op het meest onherbergzame stuk van de planeet! Maar had iemand enig idee waarom de Vetpotters deden wat ze deden?
Kappeljoesjnikov boog zichnaar hem over en sloeg hem op zijn schouder. 'Wil je kotsen?' riep hij bemoedigend, terwijl hij over de rand van de cockpit wees. Dalehouse schudde zijn hoofd. 'Geeft niet, hoor,' ging Kappy verder. 'Is beetje ruw, ja. We vechten tegen winden, minnekozen niet met ze, zoals in ballon.' 'Ik klaag niet.' Niet dat hij daar reden toe had. De tweedekker was een technologisch wonder op Klong – op Jem, verbeterde hij zichzelf; zo moesten ze de planeet nu noemen. En ze vlogen! Het kamp van de Vetpotters was op een andere manier vrijwel onbereikbaar. Er waren geen auto's op Jem, omdat er geen wegen waren. Alleen een voertuig op rupsbanden kon ver komen, en zelfs de Vetpotters hadden zo'n ding niet over. Omdat de Vetpotters, koppig als ze waren, hun kamp tien kilometer van het dichtstbijzijnde water hadden opgeslagen was het ook onmogelijk om gebruik te maken van een boot. Je kon erheen vliegen voor de semi-topconferentie die iedereen op Jem weer vrienden moest maken. Of je kon lopen. En Dalehouse dacht even medelijdend aan de arme, trotse Fokkers die bij gebrek aan gemotoriseerd vervoer ongetwijfeld als voetganger op weg waren.

Alleen vliegen was dus al een triomf, al wou hij dat Kappy niet over luchtziekte was begonnen. Hij had niet zozeer last van de capriolen van het toestel als wel van het eten dat hij voor het vertrek gegeten had. Er waren tweeëntwintig extra monden bijgekomen en de oude, lukrake manier van eten was niet haalbaar meer. Helaas hadden de nieuwe mensen hun honger meegenomen, maar waren ze een kok vergeten. Het eten was verschrikkelijk slecht, en niemand durfde te klagen, want als je kankerde werd je zelf de volgende kok.
Maar de gemeenschap groeide. Het derde bevoorradingsschip had een heleboel spullen gebracht. Dit sputterende tweedekkertje, gedemonteerd en opgevouwen en dwaas ogend, maar het werkte. De kleine op plutonium werkende machines en instrumenten die Morrisey nu in staat stelden om met sensors de Kruipers in hun tunnels onder de grond te bestuderen, en Dalehouse radio's had bezorgd die hij aan Charlie had doorgegeven. Een nieuwe Argus satelliet om wolken te fotograferen en ze te helpen bij het voorspellen van het weer. Of in ieder geval te helpen bij het opstellen van een wat betrouwbaardere gok.
Ze waren zelfs wat verder gekomen bij hun pogingen om in contact te komen met de intelligente rassen. Min of meer. Charlie was dolblij met zijn kruisboog en zijn radio. Morrissey had de zaak op een andere manier aangepakt. Hij had de nieuwe graafboor gebruikt om drie gaten te maken langs een tunnel van de Gravers. In de gaten aan de uiteinden plaatste hij een kleine explosieve lading, het middelste gat werd verbonden met de uitlaat van het motortje van de graafboor. Toen Morrissey de springladingen tot ontploffing bracht, blokkeerde hij de uiteinden van dat stuk tunnel en de koolmonoxide velde vier Gravers voor ze zich een uitweg konden graven. Toen had Dalehouse natuurlijk niets meer aan ze, maar Morrissey kon vrolijk aan de gang.
En er waren meer wonderbaarlijke dingen onderweg. Het derde schip had acht ton goederen gebracht, maar volgens de tactran berichten zou het vierde schip bijna vijftig ton brengen, plus misschien honderd man erbij. Dan zouden ze een stad hebben! Het verzoek om deel te nemen aan de conferentie in het kamp van de Brandstof Exporterende Landen was niet alleen een welkome tocht over Jem, maar bespaarde hem ook het vervelende werk van tenten opzetten voor de versterkingen.
Wat de tactran berichten niet vermeldden, was waarvoor de versterkingen zouden worden gebruikt. Ze hadden in ieder ge-

val een hoop specialisten nodig die ze nog niet hadden. Een kok. Een tandarts. Beter uitziende vrouwen. Een betere vertaalster – bij deze gedachte leunde Dalehouse achterover om te zien hoe het met Harriët ging.
De vertaalster zat hoogst ongemakkelijk opgerold achter de piloot en Danny. Ze had nog geen vierkante meter ruimte tot haar beschikking, en die ruimte was nog bezaaid met bouten en uitsteeksels, die haar heupen en ribben vast en zeker tekenden met blauwe plekken. Als ze een ander was geweest had Dalehouse een aardige, medelijdende opmerking gemaakt, maar voor Harriët kon hij niets vriendelijks bedenken. Haar ogen waren gesloten. Op haar gezicht lag een uitdrukking van berusting in de tastbare onrechtvaardigheid dat zij het kleinste was en dus genoegen moest nemen met dit plaatsje.
'Dichtbij nu,' brulde Kappeljoesjnikov in zijn oor.
Dalehouse boog zich voorover en wreef over het glas alsof het halfduister van Jem niet aan de buitenkant, maar aan de binnenkant zat. Er was niets te zien, alleen maar bruinrode wolken . . .
Toen blikkerde de felle witte rand van de warmtepool door een gat in de bewolking. En nog iets anders. De wolken zelf waren duidelijk hel verlicht. Toen het tweedekkertje uit de wolkenmassa te voorschijn kwam, zag Dalehouse waarom.
'Jesu Crist!' riep Kappeljoesjnikov. 'Hebben ze geen gevoel voor schaamte?'
Het licht was het Oliekamp. Het lag als een baken aan de horizon en doorboorde het sombere roodbruin van Jem met lichtbakens, verlichte ramen . . . mijn God, zei Dalehouse verbijsterd bij zichzelf, zelfs straatverlichting. Het was geen kampement meer. Het zag eruit als een kleine stad.
Het verticale zoeklicht scheerde omlaag en langs hun vliegtuig om te kennen te geven dat ze waren gezien en richtte zich toen weer omhoog om hen niet te verblinden. Kappeljoesjnikov mompelde onhoorbaar in zijn microfoon, luisterde en begon toen te cirkelen.
'Wat is er aan de hand?'
'Is niets aan de hand, alleen hebben we geen haast meer. Fokkers hebben vertraging van één uur, dus laat ons dit wonder in ogenschouw nemen voor we landen.'
En inderdaad, dat was het bijna, een wonder. Er bevonden zich maar bijna veertig mensen in het kamp van de Vetpotters, maar ze schenen ongeveer evenveel gebouwen te hebben. *Gebouwen.*

Geen tenten of plastic hutten. Waar hadden ze ze van gemaakt? En wat een gebouwen! Sommige waren barakken, andere leken wel op privé bungalows. Eén bouwsel had meer weg van een kopie van de Eiffeltoren, op een tiende van de ware grootte, dan van iets waarin je kon wonen of werken. Weer een ander gebouw was meer dan vijfentwintig meter lang. En – wat was die vreemde, lage, ronde kegel aan de rand van het kamp, met die brede stroken eraan? Hij scheen te zijn gemaakt van gebogen repen blinkend metaal om een zwarte cilinder. Kon dat een zonnegenerator zijn? Dan leverde hij minstens een megawatt! En die stompe toren met de horizontaal draaiende rotor. Was dat niet de uitlaat van een *airconditioner?*
Harriët was overeind gekomen en staarde over Danny's schouder geleund naar beneden. Haar adem blies ergerlijk in zijn hals. 'Dat is een . . . een *obscene* verkwisting van energie!'
'O, ja, lieve Gasha,' riep de piloot. 'Wat zou het heerlijk zijn als ook wij ons zo'n ding konden permitteren!'

Boven het geratel en gekreun van zijn Krinpit-escorte hoorde Ahmed Dulla in de verte een sputterend geluid. 'Zet me neer. Wacht. Probeer eens even stil te zijn,' riep hij narrig in de mengeling van Urdu en hun eigen taal die communicatie tussen hen mogelijk maakte. Soms, althans. Hij liet zich uit de draagstoel glijden waarin ze hem droegen en klom op een stronk van een veel-boom. Toen hij de roze gloeiende takken opzij duwde en naar de hemel keek, zag hij een tweedekkertje dat net onder de wolken in de richting van het Oliekamp vloog. 'Zo. Alweer een triomf van de techniek.'
Een van de Krinpit, Jorrn-fteet, richtte zich op om beter te kunnen zien. Zijn stompe scharen zwaaiden heen en weer. 'Je bedoeling is niet luid,' kletterde hij.
'Geeft niet. Laten we verder gaan.' Dulla was niet in de stemming voor een praatje met uit hun krachten gegroeide kevers, hoe bruikbaar ze ook waren. 'Ga, neem de draagstoel en mijn tas mee. Ik loop wel,' zei hij. 'Het is hier te steil om te worden gedragen.' Ze kwamen nu het ondiepe rivierdal uit, hadden de beboste hellingen bijna achter zich gelaten en het droge hoogland bereikt. De begroeiing begon te veranderen; veel-bomen en varens maakten plaats voor vetplantachtige dingen, stompe stangen met felrood gloeiende knoppen erop. Dulla bezag alles met even grote weerzin. Planten bestuderen, nieuwe produkten vinden, zo zijn mijn voorouders onafhankelijk geworden van de

machines van de buitenwereld, had Feng Hua-tse gezegd voor Dulla was vertrokken, maar Dulla was astrofysicus, geen kruidendokter, en hij was niet van plan zich iets gelegen te laten liggen aan de opdracht van de idioot.
Er bevond zich nu geen gebladerte meer tussen hem en de hemel en hij kon het tweedekkertje zien cirkelen, ver weg, vlakbij de helle witte lijn van de warmtepool. Zo. De Vetpotters hadden een helikopter, de Vreters hadden nu een vliegtuig en van welk vervoermiddel maakte de vertegenwoordiger van de Volksrepublieken gebruik? Van een soort draagstoel, gedragen door dieren die eruit zagen als platgeslagen kreeften. Dulla brieste van woede. Als Feng naar hem geluisterd had, was de conferentie in hun eigen kamp gehouden. Dan was ze deze vernedering bespaard gebleven – alleen hadden dan de Vreters en de Vetpotters weer gezien hoe armzalig hun kamp was. Wat een ramp! En het was allemaal Fengs schuld. Of de schuld van Erfgenaam-van-Mao; de expeditie had op een behoorlijke manier van nieuwe voorraden en versterkingen moeten worden voorzien, maar dáár kon je bij die Chinezen van opaan: ze spaarden liever een paar stuivers uit en lieten zo het hele project in de soep lopen.
Abrupt bleven de Krinpit staan en Dulla, in gedachten verzonken, viel bijna over ze heen. 'Wat? Wat?' zei hij klaaglijk. 'Waarom gaan jullie niet verder?'
'Een zeer luid ding beweegt zich snel voort,' kletterde Jorrn-fteet.
'Ik hoor niets.' Maar nu hij in zijn wrokkige gepieker was gestoord zag hij wel iets: een wolk stof, opkolkend achter de heuvels. Het volgende ogenblik zag hij een machine over de heuvel heen komen en in zijn richting rijden. Het ding was nog een kilometer van hem vandaan, maar het zag eruit als een rupsvoertuig.
'Weer een triomf van onverantwoorde verkwisting,' snierde Dulla. 'Hoe durven ze me op te komen halen, alsof ik er zelf niet kan komen.' De Krinpit ratelden vragend, en hij voegde eraan toe: 'Laat maar, laat maar. Zet de draagstoel neer, ik draag mijn tas nu zelf wel. Verberg je. Ik wil niet dat de Vetpotters jullie zien.'
Maar de woorden waren voor de Krinpit zonder betekenis. Een Krinpit kon zich nooit verbergen voor een andere Krinpit als hij binnen diens gehoorbereik bleef. Dulla probeerde moeizaam zijn bedoeling duidelijk te maken. 'Ga terug naar de plek achter

de heuvel. De Vetpotters zullen jullie daar niet horen. Ik zal terugkeren in de tijd die we nodig hadden om van de rivier hier te komen.' Hij wist niet goed of ze dat wel zouden begrijpen. De Krinpit hadden een duidelijk besef van tijd, maar begrippen die afkomstig waren van een planeet met een dag/nacht cyclus waren niet gemakkelijk om te zetten in termen die begrijpelijk waren voor een ras dat een planeet bewoonde waar zo'n cyclus niet gold. Maar gehoorzaam wankelden ze weg, en Dulla liep kalm naar het dichterbij komende ruspvoertuig.
De chauffeur was een Koeweiter, blijkbaar een vertaler, omdat hij Dulla in foutloos Urdu begroette. 'Wilt u een lift? Spring er maar in!'
'Heel beleefd van u,' glimlachte Dulla. 'Het is inderdaad wat warm voor een wandeling.' Maar het was helemaal niet beleefd van ze, zei hij woedend tegen zichzelf, het was alleen maar het zoveelste voorbeeld van hun vervloekte arrogantie! Ahmed Dulla was er heel zeker van dat hij de enige was op Jem die Urdu sprak, en de Vetpotters hadden ervoor gezorgd dat er iemand was die in die taal met hem kon converseren! Alsof hij niet vloeiend vier andere talen sprak!
Er zou een dag komen, beloofde hij zichzelf, dat hij ze hun schofterige neerbuigendheid betaald zou zetten. Zo reed hij over de met geulen doorsneden heuvels naar het kamp van de Vetpotters, vriendelijk babbelend met de Koeweiter, een glimlach op zijn gezicht, zijn hart gezwollen van woede.

De voorzitter van de vergadering heette Chesley Pontrefact. Hij was in Londen geboren, maar zijn voorouders kwamen ergens anders vandaan. Zijn huid was paarsig bruin en zijn haar witte wol. Via gecodeerde tactran berichten was Dulla goed op de hoogte van de achtergrond van alle Vetpotters en Vreters op Jem. Hij wist dat Pontrefact air vice marshal was en officieel commandant van de expeditie van de olielanden. Maar hij wist ook dat de werkelijke macht lag bij een van de niet-militairen, iemand uit Saoedi-Arabië. Pontrefact liep drukdoenerig om de lange conferentietafel (hout! helemaal van de Aarde hierheen vervoerd!) en bood iedereen wat te drinken en te roken aan.
'Een cognacje voor u, dr. Dalehouse? En misschien een cola voor u? Jus d'orange is er helaas niet, maar ijs hebben we wel.'
'Niets, dank u,' zei Dulla, innerlijk kokend van woede. IJs! 'Als het de anderen schikt, zou ik nu willen beginnen.'
'Zeker, dr. Dulla.' Pontrefact ging zwaar aan het hoofd van de

tafel zitten en keek vragend in het rond. 'Iemand bezwaar als ik de vergadering voorzit, alleen maar pro forma, natuurlijk?'
Dulla keek naar de Vreters om te zien of ze bezwaar zouden maken en was hen een fractie van een seconde voor. 'Helemaal niet, marshal,' zei hij warm. 'We zijn uw gasten.' Maar je moest gasten beleefd behandelen, terwijl deze opstelling een weloverwogen belediging was. Pontrefact aan het hoofd, twee andere Vetpotters aan het andere eind, de tolk uit Koeweit en een vrouw die niemand anders kon zijn dan de Saoedische niet-militair die de touwtjes in handen had hier. Aan één lange kant van de tafel zaten de Vreters, Dalehouse, de Russische piloot en hun eigen tolk; en aan de andere kant zat hij, in zijn eentje. Konden ze nog meer benadrukken dat hij maar alleen was en weinig te betekenen had? Bescheiden zei hij: 'Omdat we, meen ik, allemaal goed Engels spreken, kunnen we het misschien zonder de tolken stellen. Een oud gezegde van mijn volk luidt da het succes van een conferentie omgekeerd evenredig is aan het aantal deelnemers.'
'Ik blijf,' zei de tolk van de Vreters vlug. Pontrefact trok zijn witte wenkbrauwen op, maar zei niets; Dulla haalde beleefd zijn schouders op en wachtte tot ze zouden beginnen.
De Saoedi fluisterde enige tijd met de tolk. Aan de andere kant van de tafel aarzelde Dalehouse, kwam toen overeind en stak zijn hand uit. 'Fijn dat je weer hersteld bent, Ahmed.'
Dulla raakte de uitgestoken hand van de ander heel even aan. 'Dank je.' En met enige tegenzin voegde hij eraan toe: 'En dank je dat je hebt geholpen om me naar mijn eigen kamp terug te brengen. Ik heb nog geen gelegenheid gehad om van mijn dankbaarheid blijk te geven.'
'Blij dat ik iets kon doen. Hoe dan ook, het is plezierig om iemand van jullie expeditie te zien – we zien jullie niet vaak.'
Dulla keek Dalehouse woedend aan. Toen zei hij stijfjes: 'Ik heb een grote afstand afgelegd om aan deze conferentie deel te kunnen nemen. Kunnen we niet beginnen?'
'Ach, barst,' zei Pontrefact aan het hoofd van de tafel. 'Hoor eens, jongens, we zitten hier bij elkaar omdat we beter willen samenwerken. We weten wat een klotenzooi onze chefs ervan gemaakt hebben op Aarde. Zullen we eens zien of we het er hier beter vanaf kunnen brengen?'
Vergenoegd zei Dulla: 'Uw opmerkingen gelden voornamelijk uw eigen groepering.' Precies wat hij verwacht had; de Vetpotters gingen iedereen beledigen en zichzelf schoonwassen. Deze

Westindiër – zijn vader had vast en zeker nog kaartjes geknipt in de Londense ondergrondse – mocht zichzelf best voor gek zetten. Maar niet de Volksrepublieken.
'Maar ik meen wat ik zeg, dr. Dulla. We hebben u hier uitgenodigd omdat het duidelijk is dat we allemaal langs elkaar heen werken. Uw eigen kamp verkeert in ernstige moeilijkheden en dat weten we allemaal. Het kamp van het Voedselblok en ons eigen kamp zijn er wat beter aan toe, ja. Maar u beschikt niet over een echte arts, nietwaar, dr. Dalehouse? Om over andere dingen maar te zwijgen. En van ons kan toch niet worden verwacht – ik bedoel, wij beschikken ook niet over onbeperkte middelen. Volgens de resolutie van de Verenigde Naties moeten we samenwerken en de taken onderling verdelen. Vooral wat betreft de technologische problemen. Wij hebben ons op de geologie gericht en u kunt niet zeggen dat we daarbij geen eerlijk spel hebben gespeeld. We hebben heel wat gedaan.'
'Zeker,' zei Kappeljoesjnikov effen. 'Is zuiver toeval dat grootste gedeelte is gebeurd in persoonlijke omgeving en vooral te maken heeft met splijtbare stoffen en met zoutkoepels.'
'Met aardolie, dus,' knikte Dulla. 'Ja, ik geloof dat we dat allemaal doorhebben, marshal Pontrefact.' Wat attent van de Vreters en de Vetpotters om zo gauw al onderling ruzie te gaan maken!
'Hoe het ook zij,' ging de voorzitter koppig verder, 'er is een verrekte hoop te doen, en we kunnen niet alles doen. Astronomie, bij voorbeeld. We hebben een observatorium in een baan om Jem gebracht, maar u weet net zo goed als ik dat er storingen zijn opgetreden. Ik zal u eens iets laten zien.' Hij stond op en liep naar een likrisscherm aan de wand. Hij draaide even aan een paar knoppen en toen begonnen de kristallen te gloeien en werd een veelkleurige grafiek zichtbaar. 'U hebt onze zonnegenerator gezien. In deze grafiek is de hoeveelheid zonneënergie afgebeeld die onze generator heeft binnengekregen. Zoals u ziet, zitten er pieken in. Misschien acht u dat niet zo belangrijk, maar onze generator is een precisie-instrument. Hij doet zijn werk niet goed als de zonneconstante niet, eh, constant is.'
Dulla staarde met zwarte jaloezie naar de grafiek. Hierom was hij op Jem, omdat hij was gespecialiseerd op dit gebied! Hij hoorde het nauwelijks toen Dalehouse zei: 'Als Kung vreemd gaat doen, zou dat wel eens meer gevolgen voor ons kunnen hebben dan wat onregelmatigheden in de stroomtoevoer voor jullie generator.'

Pontrefact knikte. 'Natuurlijk. We hebben Herstmonceux-Greenwich op de hoogte gebracht en ze een kopie van de band gestuurd. Ze zijn nogal bezorgd. Kung is misschien een variabele ster.'
'Onmogelijk,' snauwde Dulla. 'Een paar zonnevlammen kunnen voorkomen, dat is waar.'
'Maar wat we niet weten is hoeveel of hoe groot ze zullen zijn, en dat is nu net wat we wel te weten moeten komen. Wat we verwachtten, als ik zo vrij mag zijn, was dat uw expeditie voor astronomische gegevens zou zorgen, dr. Dulla.'
'Maar dit is werkelijk te gek!' ontplofte Dulla. 'Hoe kun je aan astrofysika doen als je honger hebt? En wiens schuld is dat?'
'In ieder geval niet de onze, beste man,' zei Pontrefact verontwaardigd.
'Maar iemand heeft onze schepen opgeblazen, *beste man.* Iemand heeft vierendertig burgers van de Volksrepublieken vermoord, *beste man.*'
'Maar dat was . . .' Pontrefact zweeg abrupt en deed zichtbaar moeite om zijn zelfbeheersing niet kwijt te raken. 'Hoe dan ook, waar het om gaat is dat het werk moet gebeuren en dat iemand het moet doen. Jullie hebben de instrumenten en wij niet, in ieder geval niet voor we goede telescopen krijgen. Wij hebben de mankracht en jullie blijkbaar niet.'
'Neemt u mij niet kwalijk, maar kennelijk bent u niet op de hoogte van mijn academische status. Sta mij toe om u op de hoogte te brengen. Ik ben directeur van het Planetologisch Instituut van de Zulkifar Ali Bhutto Universiteit en heb een graad in astrofysika behaald in . . .'
'Maar niemand bestrijdt je academische status, beste man, alleen maar je vermogen om er iets mee te doen. Laat ons onze astronoom naar je kamp brengen. Beter nog, laat Boyne je apparatuur hierheen brengen. Je kunt hier betere observaties doen . . .'
'In geen geval! Geen van tweeën!'
'Ik vind dat werkelijk niet eerlijk. Wij hebben jullie toch ook geholpen, met voedsel bij voorbeeld?'
'Wat een voedsel! Voor jullie, niet voor ons: allemaal meel en bijna geen rijst.'
Verzoenend zei Dalehouse: 'We zullen voor wat rijst zorgen als je dat liever hebt.'
'Wat aardig van jullie!' snauwde Dulla.
'Zeg eens, Dulla, we hebben ons best gedaan voor jullie en als je

zo begint hebben wij ook wel een paar dingen. Jullie hebben op mij geschoten!'
Dulla trok een grimas. 'Dat was alleen maar Hua-tse's stommiteit. Hij had nooit vuurwerk af mogen steken. De Volksrepublieken hebben hun spijt over het gebeurde betuigd.'
'Tegen wie? De dode ballonvaarders?'
'Ja,' snierde Dulla, overdreven nederig. 'Natuurlijk, het is waar, wij bieden onze welgemeende excuses aan aan jullie dierbare vrienden, de komische gaszakken. En ook aan uw vrienden, mijnheer, het gravende ongedierte waar u zoveel plezier van hebt.'
'Als u de Kruipers bedoelt,' zei Pontrefact, die zijn irritatie nauwelijks in bedwang kon houden, 'die gebruiken we in ieder geval niet als lastdieren.'
'Nee! U gebruikt ze om de mineraalschatten van deze planeet te roven! Is het niet waar dat er stralingsziekte heerst?'
'Nee, dat is niet waar! In ieder geval niet hier. We hebben een paar Kruipers gebruikt om naar monsters te graven, elders, en ja, daar kwam enige straling voor, maar ik moet wel zeggen dat ik me verzet tegen de suggestie dat we de inheemse bevolking uitbuiten.'
'O, daarvan ben ik overtuigd, marshal Pontrefact, temeer daar uw voorouders al heel wat uitbuiting zullen hebben meegemaakt, van de andere kant, zullen we maar zeggen.'
'Hoor eens, Dulla! Ik . . .' Maar Pontrefact werd onderbroken door de Saoedische vrouw, die zei: 'Ik geloof dat we de vergadering maar het beste kunnen schorsen om iets te eten. We hebben veel te bespreken en naar elkaar schreeuwen haalt niets uit. Laten we ons voornemen om vanmiddag meer concrete resultaten te bereiken.'

Maar al ging het er die middag rustiger aan toe, Danny Dalehouse vond niet dat er veel bereikt werd. 'In ieder geval hebben we er een behoorlijke maaltijd aan overgehouden,' zei hij tegen Kappeljoesjnikov.
'Is als as in mijn mond,' gromde de Rus. 'O, wat hebben ze hier een mooie dingen. En niet alleen eten.'
Daar viel niets tegenin te brengen. Aan de overkant, tegenover het gebouw waar ze hadden vergaderd, werd een nieuw gebouw neergezet. Een rupsvoertuig liet een vracht aarde in een stalen bak vallen, de man ernaast duwde de hendel naar voren, ze hoorden een hoog gejank en even later klapten de zijkanten van

de bak weg en tilde een kraan het kant en klare stuk steen eruit. Er werd iets door de samengeperste aarde gedaan dat hem bij elkaar hield.
'En heb je gezien wat ze op de heuvel hebben gedaan?' vroeg Harriët met jaloezie in haar stem. Op de hellingen boven de kolonie waren terrassen gemaakt waar groene zaailingen opkwamen. *Groene!* De Vetpotters gebruikten batterijen witte lampen om gewassen te verbouwen!
'Ho! Boyne!' schreeuwde Kappeljoesjnikov, toen ze om de laatste barak heen waren en het vliegveldje zagen. 'Kom afscheid nemen van collega!'
De Ierse piloot aarzelde en liep naar hen toe. 'Hallo,' zei hij neutraal. 'Ik heb net onze vriend Dulla in een jeep naar huis gezet.'
'Z'n stemming was om op te schieten,' zei Dalehouse.
De piloot grinnikte. 'Ja, z'n gevoelens waren gekwetst, geloof ik. Hij wilde niet dat we merkten dat hij gebruik maakte van Krinpit om hier te komen. Wisten jullie dat niet? Ze zijn per boot over de rivier gekomen, en toen hebben de Krips hem een kilometer of tien gedragen, tot we hem oppikten.'
'Maar hoe is het mogelijk dat eerst agressieve Krinpit dragers zijn geworden van edele Pakistaanse sahib?'
'Dat weet ik ook niet,' zei Boyne somber. 'Maar ik heb er niks mee op. Die eerste Krinpit die jij en ik hierheen hebben gesleept, Dalehouse, die zich Sharn-igon noemt, weet je nog? Nou, hij is razend op alle mensen, blijkbaar omdat z'n vriendinnetje, of eigenlijk z'n vriendje, geloof ik, doodging bij het eerste contact met de Fokkers en nu wil hij wraak nemen. Alleen vat hij dat op als zoveel mogelijk ellende veroorzaken voor zoveel mogelijk mensen. Hij heeft de Krips hier in de buurt volkomen verpest, we kunnen helemaal geen contact maken. Hij wil de Fokkers, die zelf niks meer hebben, tegen ons helpen tot wij ook niks meer hebben. Ziet er verrekt beroerd uit voor de toekomst, als je 't mij vraagt.'
Hij liep met ze mee naar het vliegtuig, maar deed heel gereserveerd; hij keek niemand van het drietal recht in de ogen en wat hij zei was eerder een monoloog dan een gesprek.
'Hee, Boyne,' zei Kappeljoesjnikov verzoenend, 'ben je ergens nijdig om? Wij tweeën zijn lid van de grote interstellaire broederschap van piloten. Ruzie mag niet, hoor.'
'Hoor eens, het gaat niet om jullie persoonlijk,' zei Boyne boos. 'Ik heb verschrikkelijk op m'n donder gekregen omdat ik jullie

de laadschop heb geleend, om nog maar te zwijgen van het feit dat ik een beetje meer heb verteld over wat wij hier doen dan de bedoeling was.'

'Maar we zitten allemaal in hetzelfde schuitje,' kwam Dalehouse ertussen. 'Zoals Pontrefact zei – we moeten gegevens uitwisselen.'

'O, Ponty heeft het goede idee, maar het is wel de bedoeling dat het twee kanten op werkt, hoor. Jullie hebben het ook nooit nodig gevonden om ons op de hoogte te stellen van een paar dingen. Van de wapens bij voorbeeld die jullie aan de ballonvaarders gegeven hebben, tegen de Krinpit.'

'Dat hebben we niet gedaan! Daar ga ik nota bene zelf over, Boyne. We hebben ze alleen maar een paar eenvoudige wapens gegeven om zich te beschermen tegen de *ha'aye'i*.'

'Nou, die gebruiken ze nu tegen alles wat ze maar te pakken kunnen krijgen. Om nog maar te zwijgen van het bevoorradingsschip van de Fokkers.'

'Dat was een ongeluk!'

'Tuurlijk, een ongeluk. Net zoals het een ongeluk is dat dat vliegtuig van jullie . . .'

Hij aarzelde en deed toen z'n mond dicht. 'Kom op, Boyne, wat wou je zeggen?'

'Niks. Laat maar zitten.' Boyne keek over zijn schouder naar het kamp en zei toen snel: 'Hoor eens, deze vredesconferentie is een fiasco geworden, nietwaar? Er is niks geregeld. En zoals de zaken nu staan – nou, ik vrees het ergste. De Krips in de buurt vergassen af en toe onze Gravers in hun gangen – daar zitten de Fokkers achter, denk ik. Het schip van de Fokkers ontploft, jullie zeggen dat het een ongeluk is, maar de generaal zegt dat het het werk was van de CIA. Jullie geven de ballonvaarders wapens. En jullie vliegtuig – Jezus, man,' zei hij met een nijdige blik op Kappeljoesjnikov. 'Ik heb ogen. Dus ik heb nou niet zo'n zin in een eerlijk gesprek, oké? Misschien later eens een keer. Dus tot ziens, en een goeie vlucht naar huis.' Hij knikte kortaf en liep weg.

Kappeljoesjnikov keek hem somber na. 'Ook ik heb last van dingen die me dwars zitten,' zei hij. 'Ook wat betreft goede vriend en collega Boyne. Vragen die ik graag zou stellen, maar dit is niet goede tijd.'

'Ik zou wel iets meer willen weten over de dingen waarvoor ze de Gravers gebruiken,' zei Dalehouse knikkend. 'En eerlijk gezegd zit dat verhaal dat wij verantwoordelijk zijn voor dat ongeluk

van de Fokkers me helemaal niet lekker. Denk je dat het waar zou kunnen zijn?'
Kappy keek hem nadenkend aan. 'Je bent heel aardige jongen, Danny,' zei hij bedroefd. 'Misschien stel je jezelf niet genoeg vragen. Zoals waarom Vetpotters landingsbaan hebben terwijl gillicopter overal kan landen.'
'Daar had ik niet aan gedacht,' gaf Dalehouse toe.
'Ik wel, Net zoals Boyne dacht aan vreemd vierkant ding in bodem van vliegtuig. Gasha heeft erop gezeten. Jij en Gasha kijken ernaar en zeggen: "O, wat onhandig. Geen idee waartoe het dient." Maar wanneer een piloot het ziet, Boyne of ik, dan zegt hij meteen: "O, wat vreemd dat vliegtuig voor vreedzame verkenning is voorzien van ingebouwd bommenluik".'

Dertig meter onder het vliegveldje werd Moeder dr'Shee wakker met de geur van cyanide in haar gespleten neus, te zwak om gevaarlijk te kunnen zijn, te sterk om te negeren. De Gepantserde Duivels waren weer bezig.
Ze kefte gebiedend. Het broedsellid dat dienst had, bleek t'Weechr te zijn, de kleinste van de worp, die altijd de minst aantrekkelijke karweitjes op moest knappen – waaronder, besefte ze nu, het verzorgen van de Moeder als ze wakker werd. Het laatste broedsel was maar zeven groot en het waren allemaal mannetjes, terwijl geen van hen de grootte of de kracht of de intelligentie van hun vader had. Het was een vreemde tijd, zonder vastigheid en dat was niet best voor haar humeur.
'Voedsel,' zei ze scherp. 'En iets te drinken. En laat iemand me verzorgen terwijl ik wacht.'
Nederig zei t'Weechr: 'Ik ben maar alleen, Broedmoeder. Ik zal vlug eten halen en u verzorgen terwijl u eet.'
'En waarom ben je alleen?'
'De Nieuwe Duivels leren ons nieuwe dingen, Broedmoeder, en daarbij moet iedereen aanwezig zijn.'
'Tsshie.' Als dr'Shee een mens was, zou het geluid een gebrom zijn geweest, geschreven als 'Hmf'. Maar ze was eigenlijk meer bezorgd dan ontevreden en toen t'Weechr terugkeerde, had hij niet alleen knollen en een holle buis met water, maar zelfs een paar verse bladeren en vruchten van Boven. 'Meegenomen of gekregen?' vroeg ze, terwijl ze ze wantrouwig besnuffelde.
'Dit waren geschenken van de Nieuwe Duivels, Broedmoeder,' zei de jongen verontschuldigend.
'Tsshie.' Maar ze waren smakelijk en ze had honger. Toen ze

klaar was deed ze keurig haar behoefte in de holle buis en t'Weechr maakte hem dicht.
'Nog een dienst, Broedmoeder?' vroeg hij, terwijl hij een laatste lok haar op zijn plaats likte.
'Nee. Ga maar weg.' Hij raakte haar neus aan met de zijne en kronkelde weg om de buis naar de rotkamers te brengen. Het volgende broedsel zou de inhoud van de rotkamers vermengen met de plantmodder en die aanbrengen tegen het dak van de groeitunnels als ze met de volgende oogst begonnen. Dan zouden de uitwerpselen goed gerijpt zijn en zeer waardevol bij het verbouwen van de knollen. Haar t'Weechr was een goed kind, al was hij dan de kleinste van het stel. Ze zou hem missen als het broedsel volwassen werd en zijn eigen weg ging. En die tijd was niet ver meer. Elke keer dat ze ontwaakte waren haar tepels kleiner en harder. De paarmannetjes wisten het en elke keer dat ze haar nest verliet raakten ze haar aan, neus tegen anus, om te zien of ze al aan paren toe was. Gisteren nog had het mannetje met het litteken op zijn been gezegd, half schertsend: 'Wat zou je de volgende keer willen hebben, dr'Shee? Krinpit pantser? Een levende Vliegende Duivel? Het hoofd van een Nieuwe Duivel?'
'Je eigen hoofd,' zei ze, half geïrriteerd, half flirtend. Snuivend door zijn gespleten neus had hij gelachen en was weggekropen, maar hij zou wel terugkomen. Het was geen onplezierige gedachte. dr'Shee's broedzuster had twee broedsels geleden met dat mannetje gepaard. Een mooi broedsel, drie vrouwtjes! En de zuster had gezegd dat hij onvermoeibaar was bij het paren. Zo zo. Ergens hoopte ze dat hij haar het mooiste geschenk zou brengen.
Zachte, verre trillingen in de aarde deden haar snorharen beven. Dat waren ook de Nieuwe Duivels. Er was een tijd geweest dat deze trillingen niet meer hadden betekend dan een bijzonder zware storm Boven, of misschien het neerstorten van een veel-boom. Nu schraapten de Nieuwe Duivels de aarde weg en verplaatsten rotsen en heuvels naar believen en de aarde was niet vertrouwd meer. Toen ze door haar kamer kroop om te controleren of alles nog op zijn plaats lag, werd ze vooral geleid door haar tastzin, reukvermogen en smaakzin. Soms hadden haar mannetjes stukken mos en vegetatie in de muren gestopt, als ze met hun afscheiding de wanden van de tunnels hard en waterdicht maakten, en de rottende vegetatie verspreidde een zwakke gloed. dr'Shee waardeerde het licht, maar ze had het

niet nodig. Voor haar volk waren ogen bijna een handicap, vooral bij de zeldzame keren dat ze zich Boven waagden. Alleen een zeer dicht wolkendek en een zware storm maakten Kungs licht nog net draaglijk.
'Gegroet, dr'Shee.'
Ze snuffelde geschrokken en herkende toen het vrouwtje in de ingang van haar kamer. 'Hoe gaat het met je, qr'Tshew? Kom binnen, kom binnen.'
De andere vrouw trad binnen en dr'Shee zei meteen: 'Ik zal voedsel laten halen.'
'Ik heb gegeten,' zei qr'Tshew beleefd. 'Wat een schitterende paargeschenken.' Ze betastte bewonderend dr'Shee's verzameling. Zes broedsels, zes mooie geschenken: een hard ding, gestolen van de Nieuwe Duivels, waarvan niemand wist wat het was, de poot van een krab-rat – dat was haar eerste geschenk geweest, en het minste, maar om de een of andere reden was ze daarmee toch het meest in haar sas geweest. Zelfs de klauwen van een ballonvaarder. Ze waren stuk voor stuk gestolen van de Oppervlakte, en dat was een hoogst gevaarlijke onderneming. Weinig mannetjes overleefden meer dan twee, drie half verblinde bezoeken aan de Oppervlakte, waar ze op jacht gingen naar paargeschenken. De vijanden waren overal.
Toen de door de etikette voorgeschreven frasen en handelingen achter de rug waren, kwam qr'Tshew ter zake. 'De vader van mijn laatste broedsel is gestorven aan een slecht ademen,' zei ze, 'en drie jongen van andere moeders ook.'
'Wat jammer,' zei dr'Shee. Dat gold natuurlijk niet het mannetje; zodra het paren achter de rug was, wilde het vrouwtje niets meer met hem te maken hebben. Maar de jongen die aan het cyanidegas stierven!
'Ik vrees voor onze manier van leven,' zei qr'Tshew strak. 'Sinds de komst van de Nieuwe Duivels zijn onze worpen niet meer geweest zoals vroeger.'
'Ik heb dezelfde gedachte gehad,' zei dr'Shee. 'Ik heb erover gesproken met mijn zusters.'
'En ik met de mijne, en ik en mijn zusters hebben iets bedacht dat we willen delen. Onze jongen wordt van allerlei geleerd door de Nieuwe Duivels. dr'Shee, zouden wij moeders niet moeten leren wat onze jongen leren?'
'Maar zij leren manieren om de dood te brengen! Jij en ik zijn moeders, qr'Tshew!' zei dr'Shee geshockeerd.
'De Krinpit brengen ons de dood, is het niet? De broedsels in de

hoogste gangen hebben de tunnels geblokkeerd waar de slechte lucht vandaan is gekomen, maar het is niet zeker dat de Gepantserde Duivels niet opnieuw door zullen breken en meer slechte lucht in onze gangen zal dringen, nietwaar?'
'Ik kan niet de dood brengen, behalve natuurlijk om voedsel te verkrijgen.'
'Laten we ze dan opeten, met pantser en al,' zei qr'Tshew grimmig. 'Raak mij goed aan, dr'Shee. Er is een verhaal . . .' Ze aarzelde. 'Ik weet niet hoe waar het is. Het is afkomstig van een Krinpit, maar het had net zo goed verteld kunnen zijn door een Vliegende Duivel.' Dat was een oude uitdrukking om aan te geven dat je niet zeker wist of iets wel op waarheid berustte, maar dr'Shee besefte dat ze hier de woorden letterlijk op diende te vatten. 'Deze Gepantserde Duivel treiterde een jong van mijn zusters door te zeggen dat Nieuwe Duivels een hele stad van ons ras hadden uitgeroeid. Hij zei dat de Nieuwe Duivels ons beschouwden als ongedierte, en niet zouden rusten tot we allemaal dood waren. Daarom hebben ze de Krinpit de slechte lucht gegeven.'
'Maar de Nieuwe Duivels leren onze broedsels om Krinpit te doden.'
'Het volgende deel van het verhaal is verwarrend, maar waar is het denk ik wel. De Gepantserde Duivel zegt dat er drie soorten Nieuwe Duivels zijn. Eén soort moordde de stad uit. Een tweede soort gaf ze de slechte lucht waarmee ze ons hier kwaad doen. En het soort dat onze broedsels les geeft, is het derde soort. Ze hebben Vliegende Duivels en Krinpit gedood, en ook leden van de twee andere groepen van hun ras. Maar ons doden ze niet.'
Geagiteerd bewoog dr'Shee haar lange, soepele lichaam heen en weer. 'Maar dat is niet waar! Ze hebben een aantal broedsels weggehaald en naar een andere plek gebracht en daarvan zijn er maar een paar teruggekeerd. En die zijn zwak en traag en zeggen dat al hun broedselgenoten dood of stervende zijn!'
'Mijn zusters en ik hebben dit ook gehoord,' zei qr'Tshew.
'Tsshie!' De plooien langs de gespleten neus van dr'Shee gingen wild op en neer. 'Het voelt,' zei ze ten slotte, 'alsof het leren van de dood niet slecht is. Als we de Krinpit de dood brengen, kunnen ze ons geen slechte lucht meer brengen. Als wij onze Nieuwe Duivels helpen om andere Nieuwe Duivels de dood te brengen, zullen die andere Nieuwe Duivels niet in staat zijn om de Krinpit of de Vliegende Duivels te helpen tegen ons.'
'Ik heb dezelfde gedachte gedacht, dr'Shee.'

‘Ik heb een verdergaande gedachte gedacht, qr’Tshew. Als we deze anderen de dood hebben gebracht, kunnen we misschien onze eigen Nieuwe Duivels de dood brengen.’
‘En dan zijn onze broedsels weer van ons, dr’Shee!’
‘En zijn onze tunnels weer veilig en duister. Ja! Ga niet weg, qr’Tshew. Ik zal t’Weechr laten komen, en hij zal ons deze dingen gaan leren!’

14

Ook op Jem, waar de omstandigheden gunstiger waren dan op Aarde – de luchtdruk was hoger en de zwaartekracht lager – was aan natuurkundige wetten niet te ontkomen. Danny Dalehouse kon alles de lucht inkrijgen wat hij wilde, gewoon door meer ballons te vullen met waterstof. Charlie daarentegen kon dat niet. Hij kon dragen wat hij kon dragen, en daarmee afgelopen. Een geschenk van Danny Dalehouse dragen betekende ballast en daarom beweeglijkheid opofferen. Alle geschenken tegelijk dragen was onmogelijk. Toen Danny hem verwijtend toezong omdat Charlie de kruisboog aan een zwermgenoot had gegeven – en dat in een tijd dat er overal *ha'aye'i* schenen te zijn – zong Charlie verzoenend: 'Maar ik moet de spreker-tot-de-lucht houden! Ik kan ze niet allebei dragen, kan ze niet allebei dragen.'

'En als je wordt gedood door een *ha'aye'i,* wat heb je dan aan de radio?' Maar Charlie scheen de vraag niet eens te begrijpen. Hij en de zwerm zongen een soort rapsodie over de spreker-tot-de-lucht en hoe hij hun koor verrijkte en Dalehouse liet het er verder maar bij zitten. Het feit dat Charlie nu een radio had, was niet voor honderd procent gunstig. Het betekende dat Dalehouse eigenlijk ook vanaf de grond in contact kon blijven met de zwerm, als de ballonvaarders tenminste in de buurt van het kamp bleven, en dat was majoor Santangelo, de nieuwe commandant, niet ontgaan. Het was minder gemakkelijk om te gaan vliegen dan vroeger. Verder was ook het verblijf in het kamp er niet aantrekkelijker op geworden. Santangelo had onmiddellijk de touwtjes in handen genomen. Hij had Harriët en Alex Woodring eropuit gestuurd om te proberen contact te leggen met een afgelegen nederzetting van de Gravers, in de hoop dat die nog niet waren verpest door de Vetpotters. En het leven in het kamp werd op steeds straffere militaire leest geschoeid.

Dalehouse onderbrak het lied van de zwerm. 'Ik moet teruggaan. Er zijn vier zwermen van ons volk onderweg om zich bij ons aan te sluiten en ik wil er zijn wanneer ze aankomen.'

'We zullen met je meegaan, we zullen met je meegaan . . .'

'Nee, dat doen jullie niet. Er zijn teveel *ha'aye'i* in de buurt van het kamp.' Dat was waar, en ook dat was een gevolg van de

'geschenken' die hij ze gegeven had. De Vetpotters waren erachter gekomen dat Santangelo's 'wetenschappelijke instrumenten' door de ballonvaarders werden gebruikt om een oogje te houden op wat er gaande was in hun kamp en schoten nu systematisch elke ballonvaarder neer die binnen een straal van een kilometer van hun kamp kwam. Omdat daar weinig ballonvaarders meer te vinden waren, hadden de luchthaaien hun jachtterrein verplaatst. 'Vlieg naar de Natte Dalen. Kijk of alles goed gaat met onze mensen daar.'
'Onnodig,' zong Charlie. 'Kijk, de vleugels van je vriend Appy komen daar nu vandaan.' En inderdaad, achter de kust zag hij Kappy's tweedekkertje, op de terugweg van de vooruitgeschoven post.
'Vaarwel dan,' zong Dalehouse en loosde behendig waterstof tot hij op het niveau was van de windstroming die hem terugbracht naar het kamp.
Hij werd echt goed in het omgaan met een ballon en hij lachte terwijl hij over Santangelo's hobby gleed, het kleine aarden fort aan het water. Toen hij geland was, vergaarde hij de leeggelopen ballons, hing ze over zijn schouder en liep tevreden naar de waterstofhut.
Daar werd een abrupt einde gemaakt aan zijn vergenoegde stemming. Het halve kamp stond om Kappeljoesjnikov en Santangelo heen, een eindje verderop. Jim Morrissey en een stuk of zes anderen kwamen op hem toegelopen. Hun gezichten stonden grimmig. Dalehouse greep Morrissey bij de arm toen de ander langs hem heen liep. 'Wat is er aan de hand?'
Morrissey bleef staan. 'Problemen, Danny. Er is iets gebeurd, daarginds. Harriët, Woodring, Doegatsjenko – ze zijn alle drie spoorloos. Kappy zegt dat het kamp een chaos is en dat er niemand te zien is.'
'Harriët?'
'Alle drie, verdomme. En overal bloed en sporen van Krinpit. Vooruit, we moeten naar Slot Santangelo – voor het geval ze vanuit zee aanvallen, denk ik. Santangelo deelt links en rechts orders uit; ga maar kijken wat voor klus hij jou toebedacht heeft.'
Maar Dalehouse, die nooit een plaats in de verdediging van het kamp toegewezen had gekregen, was niet van zins er nu om te gaan vragen. Hij liep vlug met de anderen mee en om de rand van het kamp naar de communicatiehut.
In de hut hield de ploeg die dienst had een steeds veranderende

serie bewegende symbolen tegen een achtergrond van groene coördinaat-rasterlijnen in het oog: de vier bevoorradingsschepen waren al in een baan om Jem en brachten de laatste correcties in hun koers aan voor ze begonnen aan de landing. Dalehouse verwachtte dat Kappeljoesjnikov hier wel zou verschijnen en even later kwam de piloot inderdaad binnen. 'Ah, Danny,' zei hij neerslachtig, 'je hebt goede smaak bij het vinden van plaats om ellende aan te horen. Wacht even terwijl ik kijk of zakkige verkeersleider per ongeluk schepen in goede baan heeft gekregen.' Hij tuurde naar het scherm, bromde iets tegen de technici, haalde toen zijn schouders op en kwam teruggelopen. 'Is op koers. Vraag is nu: is koers goed? We komen er wel achter. Arme Gasha!'
'Weet je zeker dat ze dood is?'
'Heb geen corpus delicti gezien, nee. Maar Danny, wel veel bloed, op zijn minst twee liter.'
'Maar je hebt de lijken niet gezien.'
'Nee, Danny, niet gezien. Bloed gezien. Tenten gezien, in repen gescheurd, overal kleren, voedsel, radio kapotgeslagen, overal waar ik keek sporen van platte kreeften. Geen lijken. Ik heb geschreeuwd, geluisterd, in struiken gekeken. Toen naar huis gegaan. Dus arme Gasha, om nog maar te zwijgen van arme Alexei en arme Gregor.'
Verbijsterd schudde Danny zijn hoofd. 'Krinpit zijn verrekte lawaaierig. Ik heb geen idee hoe ze het kamp onverhoeds hebben kunnen overvallen, en als het geen verrassingsaanval was, hadden ze toch van zich af moeten kunnen bijten. Santangelo heeft ze vuurwapens mee laten nemen.'
Kappeljoesjnikov haalde zijn schouders op. 'Als je wilt vlieg ik je erheen en kun je zelf de plaats van misdaad bestuderen. Wil mij nu excuseren. Eerste schip komt zo meteen uit omloopbaan en ik moet zorgen dat verkeersleider persoonlijke hoge peil van accuratesse evenaart.'

De helft van de mensen in het eerste schip bestond uit militairen – een feit dat Dalehouse tot voor kort onaangenaam zou hebben verrast, maar nu keek hij er toch anders tegenaan. Toen ze nog in een baan om Jem draaiden, was de Vietnamese kolonel die het bevel voerde over de radio ingelicht over het gebeurde, en meteen na aankomst stelde het peloton zich naast het schip op, trok zijn wapens en draafde naar de rand van het kamp om de bewakers daar te versterken. Het tweede schip bevatte ook voor het grootste deel militairen, maar er zat een gezicht bij dat hij herkende. Het duurde even voor hij het wist, maar toen zag hij dat het het Bulgaarse meisje was dat hem en Margie Menninger had proberen te helpen in Sofia. Hij riep naar haar en zwaaide; ze schrok op en lachte toen, heel aantrekkelijk, vond hij, en riep hem een vrolijke groet toe. Tijd voor een praatje was er niet. De nieuwe kolonel had overleg gepleegd met majoor Santangelo en het hele kamp werd gemobiliseerd. De Vietnamees – Nguyen Tree heette hij – liet Kappy met zijn vliegtuigje opdraven en meer dan twee uur vlogen ze om het kamp heen, eerst op grote hoogte, toen rakelings over de boomtoppen. Alle tenten moesten worden afgebroken. Toen de derde raket landde, stonden de tenten weer, nu in rijen van zes, vier rijen naast elkaar, net als in een militair kampement. Op alle hoeken van het kamp werden gaten gegraven en uit het derde schip kwamen machinegeweren en vlammenwerpers die daar werden opgesteld, terwijl de paar soldaten die geen gespecialiseerde taak hadden, niet uit hoefden te laden, geen tenten op hoefden te zetten en niet aan het graven van schuttersputjes waren gezet, tien meter buiten de rand van het kamp stalen palen in de grond moesten slaan. Een deel van de vracht van het derde schip bestond uit twee enorme rollen prikkeldraad, en toen het laatste schip aan de landing begon was al dat prikkeldraad aan de palen bevestigd.

De hemel van Jem was eindelijk eens vrijwel wolkenloos toen het vierde schip in zicht kwam, hoog boven de verre horizon van het oceaan-meer. Eerst een brede, felle meteoorachtige lichtflits toen de hitteschilden het grootste deel van de overtollige energie absorbeerden en in gloeienden brokstukken uiteen vielen. Toen werd het schip zelf zichtbaar. Even was het in vrije val. Een snelle blauwwitte straal bracht een koerscorrectie aan. Toen kwam de startparachute vrij en trok de drie hoofdparachutes mee. Het schip scheen bijna bewegingloos in de rossige lucht te blijven hangen, maar langzaam, heel langzaam werd het groter, tot het bijna recht boven hen hing, tweehonderd meter boven de grond. Toen werden de parachutes losgekoppeld en zakte het schip naar het strand, gedragen door de verblindende, oorverdovende raketten.
Dalehouse had, hij telde ze na, nu vijf van deze landingen gezien, het schip waarin hijzelf had gezeten niet meegerekend. Het was elke keer weer bijna een wonder om ernaar te kijken.

En elke keer waren ze weer anders. De schepen zelf waren anders. Van de vier nieuwe schepen had er maar een de hoge, zilveren vorm van zijn eigen schip. De andere drie waren gedrongen dubbele kegels, tien meter van de afgeronde bovenkant tot de afgeronde onderkant en met een maximale diameter van bijna twintig meter.
De eerste die eruit kwam was Marge Menninger.
Dat verbaasde Dalehouse niet. Wat hem wel verbaasde was dat ze niet eerder gekomen was. Hij besefte dat hij haar half verwacht had, elke keer dat er weer een schip landde. Ze zag er moe en gejaagd uit en aan haar olijfgroene uniform was wel te zien dat ze er de hele week dat de reis geduurd had in geslapen had. Maar Dalehouse vond haar er ook aantrekkelijk uitzien. De vrouwelijke leden van de expeditie waren niet uitgekozen om hun sex-appeal. Afgezien van een vluggertje met iemand die hij eigenlijk niet zo mocht – soms geholpen doordat ze een ballonvaarder zo gek kregen dat hij ze besproeide, soms puur uit verveling – was Dalehouses sexleven vreugdeloos en saai geweest. Margie deed hem denken aan betere tijden.
Margie had het ver geschopt sinds Sofia; op haar kraag zaten geen kapiteinsstrepen meer, maar de adelaars die beduidden dat ze nu de rang van kolonel had, en toen ze een stap opzij deed om de rest van de troepen van boord te laten gaan, begonnen kolonel Tree en majoor Santangelo al aan hun rapport. Ze luisterde oplettend, terwijl haar ogen het kamp opnamen, de voorbereidingen die werden getroffen tegen een mogelijke aanval en de snelheid waarmee het lossen in zijn werk ging. Toen begon ze te spreken, in korte, vlugge zinnen. Dalehouse stond te ver van het drietal vandaan om haar woorden te verstaan, maar dat het bevelen waren was wel duidelijk. Tree was het ergens niet mee eens. Goedgehumeurd sloeg Margie haar arm om zijn schouder terwijl ze antwoordde en gaf hem een tik op zijn billen toen hij met een boos gezicht wegliep om te doen wat hem was opgedragen. Zij en Santangelo begonnen naar het hoofdkwartier te lopen, nog steeds pratend, en Dalehouse begon tot andere gedachten te komen over wat het weerzien met Margie Menninger kon inhouden.
Maar toen ze in de buurt kwamen van de plek waar hij stond, kreeg ze hem in het oog en draafde op hem toe om hem te omhelzen. 'Ha, Dan! Geweldig om je hier te zien!' Ze kuste hem enthousiast. Je ziet er prima uit, voor zover je dat in dit licht kunt zien.'

'Jij ook. En gefeliciteerd.'
'Waarmee? Dat ik hier ben? O, de adelaars. Nou ja, ze moesten me toch iets geven om Guy Tree in de hand te kunnen houden. Dimitrova zou hier ook ergens moeten zijn, heb je haar gezien? Als we nou die Pak zover krijgen dat hij op bezoek komt, kunnen we mooie herinneringen ophalen aan de dag dat we met z'n allen in de bak hebben gezeten in Sofia.'
'Kolonel Menninger . . .'
'Oké, majoor, ik kom eraan. Ga er niet vandoor, Dan. We moeten van alles inhalen.'
Hij staarde haar na. Vreemd, vroeger toen hij nog studeerde had hij altijd gedacht dat kolonels heel anders waren. Maar zijn aandacht werd afgeleid door een donkere man in een sergeantsuniform. 'Bent u dr. Dalehouse? Er is post voor u in de bibliotheek.'
'O. Bedankt.' Na een laatste blik op Margie liep hij weg.
Het grootste deel van de 'post' was afkomstig van Michigan State en Double-A-L, maar een van de brieven was een verrassing. Hij was van Polly! Zo lang geleden, zo ver weg! Dalehouse was bijna vergeten dat hij ooit getrouwd was geweest. Hij had geen flauw idee waarom ze hem schreef. Bijna iedereen die deel uitmaakte van de eerste twee groepen had ook post gekregen en de rijen voor de viewers waren ontmoedigend lang. Dalehouse stopte alle microfiches in zijn zak en liep naar Kappeljoesjnikovs privé-verzameling luxe goederen, in de waterstofhut. De piloot had allang alles gegapt wat hij belangrijk vond om het bestaan op Jem te veraangenamen en daar hoorde een eigen microfiche-viewer ook bij. Nieuwsgierig schoof Dalehouse de brief van zijn ex-vrouw in het apparaat.

Beste Daniël,
Misschien heb je niet gehoord dat grootvader Medway afgelopen zomer is overleden. Hij heeft ons het Grand-Havenhuis nagelaten. Ik denk dat hij er niet aan toegekomen is om zijn testament te veranderen, na onze scheiding.
Echt veel is het niet waard, maar toch wel wat — de executiewaarde is $ 43500, zegt de makelaar. Ik weet niet goed hoe ik het moet zeggen, maar ik heb zo'n idee dat jij afstand zult doen van jouw helft. Als je dat echt wilt, kun je daarvan misschien een officiële verklaring laten opstellen — is er iemand op Jem die zoiets kan? Als je het niet wilt, wil je me dan laten weten wat je met het huis wilt doen?

Het gaat met iedereen hier goed, Daniël, ondanks alles. Detroit zat vorige week weer zonder elektriciteit, en de rellen en plunderingen waren heel beroerd. De nieuwe noodbelasting wordt moordend. En dan zwijg ik nog maar over de dagen dat de verwarming het niet doet en de tv die overdag niet meer mag uitzenden en het enge nieuws over de internationale toestand. De meeste mensen schijnen te denken dat het allemaal de schuld is van wat jullie daarginds doen, maar dat is toch niet zo? Ik denk vol genegenheid aan je, Daniël, en ik hoop dat dat wederzijds is.

Pauline

Op de rand van Kappeljoesjnikovs brits gezeten legde Dalehouse de viewer nadenkend neer. Het Grand-Havenhuis. Eigenlijk was het maar een bungalow, minstens vijftig jaar oud en nooit echt gemoderniseerd. Maar hij en Polly hadden er hun wittebroodsweken doorgebracht, in januari, midden in de sneeuw, terwijl de wind dag in dag uit over Lake Michigan kwam gieren. Natuurlijk mocht ze het huis hebben. Er was vast wel iemand die een verklaring op kon stellen waarbij hij afstand deed van zijn aandeel, in ieder geval iets dat er officieel genoeg uitzag voor een plattelandsrechtbank.
Hij ging languit op zijn brits liggen en dacht na over zijn ex-vrouw en haar brief. Het nieuws van de Aarde had tot nog toe niet interessant of niet erg relevant geleken, en Dalehouse had veel meer tijd en moeite besteed aan zijn werk dan aan de korte stukjes in de muurkrant van het kamp. Maar wat Polly schreef – dat was niet mis. Rellen, plunderingen, geen elektriciteit, dagen dat de verwarming het niet deed! Hij besloot om er eens een paar van de pas aangekomenen over aan te schieten. Dat Bulgaarse meisje, bij voorbeeld. Ze kon hem vertellen wat er thuis gaande was en bovendien was ze aardig. Soezerig bleef hij liggen en probeerde tot een besluit te komen. Kon hij het beter nu meteen doen of zou hij lekker blijven liggen en zijn eigen gedachten denken?
De beslissing werd hem uit handen genomen. ‘Dag dr. Dalehouse,’ zei de stem van Ana Dimitrova. ‘Meneer Kappeljoesjnikov zei dat u hier zou zijn. Maar ik moet bekennen dat ik niet zeker was of hij dat echt meende.’
Dalehouse deed zijn ogen open en ging rechtop zitten toen Kappy en het meisje bukkend door de deur kwamen. De uitdrukking op het gezicht van de piloot maakte duidelijk dat hij

eigenlijk gehoopt had dat er niemand zou zijn, maar hij herstelde zich aardig en zei: 'Ah, Anjoesjka, je moet leren dat je me kunt vertrouwen. Hier is een oude vriendin van je, Danny.'
Dalehouse drukte de hand die ze hem formeel toestak. Ze had een aardige glimlach, dacht hij bij zichzelf. Als ze haar haar niet zo streng naar achteren had gekamd en make-up zou hebben gebruikt, had ze er zelfs heel aantrekkelijk uitgezien. 'Ik hoopte al dat ik een keer met u zou kunnen praten, miss Dimitrova.'
'Lieve help, Ana, alstublieft. Oude gevangenisboeven moeten niet formeel tegen elkaar doen.'
'Maar aan de andere kant,' zei de piloot, 'niet beste Danny lastig vallen, die natuurlijk honger heeft en niets liever wil dan meteen naar kantine gaan om maaltijd van hondevlees-en-snot niet te missen.'
'Goed geprobeerd, Kappy. Maar nee, ik heb geen honger. Hoe staan de zaken op Aarde, Ana? Ik heb net een paar beroerde dingen gehoord.'
Haar gezicht betrok. 'Als de verhalen die u gehoord hebt gaan over geweld en dood, ja, zo staan de zaken er thuis voor. Net voor we vertrokken waren er op de tv berichten over de staat van beleg die was afgekondigd in Los Angeles en in een paar steden in Europa. En er is een Australisch marinevaartuig tot zinken gebracht voor de kust van Peru.'
'Goeie God!'
'O, er is nog veel meer aan de hand, dr. Dalehouse – Dan. Maar we hebben alle kranten van de laatste tijd meegebracht en banden van tv-programma's – ik heb begrepen dat we ook een uitgebreide bibliotheek bij ons hebben. Meer dan twintigduizend boeken in microfiches, in opdracht van kolonel Menninger persoonlijk.'
'Twintigduizend boeken?' Danny schudde zijn hoofd. 'Ik had nooit verwacht dat ze zoveel las.'
Ana lachte en ging met gekruiste benen op de grond zitten. 'Zullen we het ons gemakkelijk maken? Ook ik ben soms vol verbazing over kolonel Menninger.' Ze aarzelde. 'Maar soms is ze niet geheel te vertrouwen. Ik had verwacht dat ik mijn regering zou kunnen raadplegen voor we vertrokken, dat had ze me beloofd. Maar dat is niet gebeurd. Niemand mocht het kamp verlaten tot we naar de lanceerbasis werden gebracht. Misschien was dat omdat ze ons niet wilde blootstellen aan de onstabiele omstandigheden in de wereld om ons heen.'
'Is het zo erg?'

'Nog erger,' gromde Kappeljoesjnikov. 'Danny, we zouden dankbaar moeten zijn dat we veilig op tropisch paradijs planeet Jem zitten, waar af en toe alleen geïsoleerd groepje wordt uitgemoord door reusachtige kakkerlakken.'
'Dat is ook zoiets,' zei Danny. 'Marge Menninger maakt geen erg bezorgde indruk, na wat er gisteren is gebeurd.'
'Geen reden om zorgen te maken, Danny. Ik en kleine Vietnamese kolonel hebben tot in verre omtrek terrein verkend, met magnetometer, I-R-peilers en goede pilotenogen. Is geen metalen ding dat groter is dan broodmand in de buurt, dat beloof ik, en niet meer dan drie, misschien zes wezens groter dan krab-rat. Veilig slapen vannacht, Danny. In eigen bed,' voegde hij er veelbetekenend aan toe. 'En vlug ook,' bleef onuitgesproken.
Ana was hem te vlug af. 'Dat is een goede raad, Kappy. Ik denk dat ik hem zelf ook maar opvolg.'
'Ik zal je wegbrengen,' bromde Kappeljoesjnikov. 'Nee, doe geen moeite, Danny. Ik kan wel zien dat je heel moe bent.'
Ana zuchtte. 'Gospodin Kappeljoesjnikov! Afgezien van het feit dat ik moe ben en heel gedesoriënteerd door al deze nieuwe ervaringen, kennen jij en ik elkaar nauwelijks. Ik hoop wel dat we vrienden gaan worden. Maak dat niet moeilijk door je te gedragen als een Kozak met een boerenmeisje.'
Kappy keek verbluft, toen nijdig, en begon daarna te grinniken. 'Anjoesjka, je bent een prima Slavisch meisje. Ja, we zullen meteen vriendschap sluiten. Later misschien meer – maar,' voegde hij er haastig aan toe, 'alleen zoals het Sovjets betaamt, zonder intimiteiten vooraf, goed? Laten we nu alle drie door aangename Jemmiaanse modderschemering naar je tent wandelen.'
Ana lachte en sloeg hem op de schouder. 'Russische beer! Ga maar mee.' Ze liep naar buiten en stond even om zich heen te kijken naar de rest van het stiller wordende kamp. De lichtbakken die de 'dag' van de 'nacht' scheidden waren uit, maar Kung stond helder donkerrood aan de hemel. 'Ik weet niet of ik gewend kan raken aan een wereld waar het nooit nacht is.'
'Is ernstige handicap voor bepaalde activiteiten, ja,' zei Kappeljoesjnikov instemmend. Ze beklommen de lage heuvel en liepen over de kam naar de plek waar de tenten van de vrouwen waren opgezet. Aan de rand, omringd door een border van ronde stenen in plaats van een gazon, stond een tent die groter was dan de andere. Er stond een platte steen voor waarop was geschilderd: *Kol. M. Menninger, Commandant.*

'Margie neemt het ervan,' zei Dalehouse.
'Aangename bijkomstigheid van hoge rang,' zei Kappeljoesjnikov, maar hij staarde langs het strand naar de vier nieuwe schepen, een lang en slank, drie gedrongen, rustend op hun landingsgestel.
'Vreemd, hè?' zei Dalehouse. 'Die drie zien er heel anders uit dan de andere.'
Kappy keek hem aan. 'Goed gezien, Danny.' Maar er lag een eigenaardige klank in zijn stem.
'Oké, Kappy. Wat is het geheim?'
'Geheim? Eenvoudige piloot wordt niet op de hoogte gesteld van geheimen. Maar ik heb ogen en kan gevolgtrekkingen maken.'
'Kom op, Kappy. Je vertelt het vroeg of laat toch, dus waarom nu niet.'
'Twee gevolgtrekkingen. Nummer één: observeer vorm van drie nieuwe ruimtevaartuigen. Stel je voor dat schip in tweeën wordt gesneden, zodat twee kleine kegels ontstaan. Stel je dan voor dat zes kleine kegels om rand van kamp worden opgesteld, met die lange, smalle patrijspoorten, die zo nutteloos zijn voor het navigeren in de ruimte, eruit gehaald. Wat hebben we dan?'
'Op hun kop staande kegels met lange smalle patrijspoorten,' raadde Dalehouse.
'Ja, precies. Alleen wanneer ze aan de rand van versterkt terrein worden opgesteld, hebben we andere naam voor ze. Dan noemen we ze "machinegeweerposten".' Hij zuchtte. 'Ik denk dat dit triomf is van dubbelhartige techniek, niet toeval.'
'Maar dat is toch bijna niet te geloven!' zei Anna. 'Dit is toch een vreedzame wetenschappelijke expeditie en geen invasieleger?'
'Ja, precies. Is alleen maar toeval dat zoveel leden van vreedzame wetenschappelijke expeditie ook soldaten zijn.'
Dalehouse en het meisje zwegen en staarden naar de ruimteschepen. 'Ik zou je het liefst niet geloven,' zei Ana ten slotte. 'Maar misschien . . .'
'Wacht eens even!' interrumpeerde Dalehouse. 'Die drie schepen – die hebben geen trap voor de terugreis! Daarom zijn ze zo kort!'
Kappeljoesjnikov knikte. 'En dat is tweede gevolgtrekking,' zei hij zwaar. 'Eigenlijk onweerlegbare conclusie. Bibliotheek van twintigduizend boeken is geen lichte lectuur voor weekend. Ruimteschepen die uit elkaar kunnen worden gehaald en waarvan forten kunnen worden gemaakt, zijn niet voor terug-

reis. Schepen zonder trap voor terugreis zijn geen ongelukje. Conclusie is duidelijk. Voor velen van ons is het niet de bedoeling dat we ooit nog teruggaan naar dierbare oude planeet Aarde.'

Dat hij de dag daarop weer de Jemmiaanse hemel in kon, was een overwinning voor Dalehouse en hij wist niet hoeveel van die overwinningen er nog zouden komen. De dag was niet erg veelbelovend begonnen. Toen de lichten weer aangingen ten teken dat de 'dag' was begonnen, had hij een mini-memo op de bank in zijn tent gevonden dat hem meedeelde dat hij vanaf acht uur 's ochtens die dag deel uitmaakte van de strijdkrachten van de Voedsel Exporterende Landen, met de nominale rang van kapitein. En toen hij zijn ontbijt ging halen, was hij een oppasser tegengekomen die met twee dienbladen Margies tent binnenliep. En op de terugweg zag hij de Vietnamese kolonel naar buiten komen.

Vliegen was fijn, maar Charlie en zijn zwerm waren nergens te bekennen, onder andere omdat majoor Santangelo wilde dat ze ook andere delen van Jem observeerden en fotografeerden, maar vooral omdat Danny ze niet in de buurt wilde hebben vanwege het grote aantal *ha'aye'i* dat in de wolken op de loer lag. Maar waarschijnlijk hadden de luchthaaien onderscheid leren maken tussen een ballonvaarder en een tros ballonnen met een mens eraan; hij kreeg er tenminste niet een in zicht. Met enige tegenzin ging hij terug naar het strand, over een stuk land waar een kleine tractor voren ploegde (als de Vetpotters groenten konden verbouwen, konden de Vreters het zeker!), loosde gas en landde op het kiezelstrand.

Toen hij de lege ballonnen bijeen had geraapt en weggeborgen, zag hij Marge Menninger aan komen lopen, samen met de vrouwelijke sergeant die haar oppasser was. 'Dat zag er goed uit, Danny,' zei ze. 'Wil je mij een keer meenemen?'

Hij staarde haar een ogenblik aan. Ze zag er werkelijk heel mooi uit, zelfs in het dofrode licht van Kung, dat haar lippen donker maakte en het goud van haar haar verhulde. Haar uniform was nieuw en pas gestreken en haar korte haar zwaaide leuk heen en weer als ze haar hoofd bewoog. 'Wanneer je maar wilt, Marge. Of is het "kolonel"?'

Ze schoot in de lach. 'Jullie nieuwbakken officieren zijn allemaal hetzelfde, je erg bewust van je rang. We hebben nu geen dienst, Danny, dus het is Marge. Je leert het nog wel.'

'Ik weet nog niet zo net of ik soldaatje wil leren spelen.'
'O, dat gaat vanzelf. Tinka, loop jij voorop? Danny, ga mee een eindje lopen.'
De sergeant draafde voor hen uit naar de prikkeldraadversperring. De soldaten bij de machinegeweerpost op de hoek tilden het prikkeldraad op, zodat ze eronder door konden lopen. De sergeant die de leiding had salueerde vlot en ze knikte vriendelijk terug. 'Als je in dit water zou gaan zwemmen zou je dan door iets worden opgevreten?'
'Tot dusver niet. We zwemmen heel vaak.'
'Het ziet er heel aanlokkelijk uit. Ga je mee?'
Dalehouse schudde zijn hoofd, niet omdat hij niet wilde, maar volkomen verbijsterd. 'Marge, je bent me er een. Ik dacht dat kolonels het razend druk hadden, vooral wanneer ze denken dat hun troepen gewapende schildwachten nodig hebben en prikkeldraadversperringen.'
'Beste Danny,' zei ze goedgehumeurd, 'ik ben nog niet zo lang kolonel, maar ik heb de theorie ervan aan een paar duizend man aan de Academie onderwezen. Ik geloof dat ik de grondprincipes redelijk onder de knie heb. Een kolonel hoeft niet veel te doen, ze hoeft er alleen maar voor te zorgen dat alle andere mensen alles doen. Ik heb vanochtend al vier uur hard gewerkt.'
'Ja, ik zag kolonel Tree je tent uit komen.'
Ze keek hem nadenkend aan, reageerde niet, maar ging verder: 'Wat je andere punt betreft, je bezorgdheid voor de troepen onder mijn bevel strekt je tot eer en uit hun naam bedank ik je ervoor. Maar er wordt in de bossen patrouille gelopen, om het uur wordt alles vanuit de lucht verkend en bovendien kan Tinka prima met alle handwapens omgaan. Maak je maar geen zorgen.'
'Ik maakte me geen zorgen over mijn persoonlijke veiligheid.'
'Nee, dat weet ik.' Ze grinnikte en tikte hem op zijn arm. 'Wacht even.' Ze haalde een sigarettenkoker uit haar zak, dook achter hem weg om uit de wind te zijn en stak een stickie aan. Ze zoog de lucht diep in haar longen en hield hem zo lang mogelijk vast, terwijl ze hem de sigaret doorgaf. Toen ze uitademde riep ze naar de sergeant: 'Tinka!'
'Ja, kolonel.'
'Bewaar de volgende keer de zaadjes. We zullen eens zien of we het spul hier ook kunnen laten groeien.'
'Ja, kolonel.'
Danny nam ook een lange trek. Zijn gespannenheid werd min-

der. In Margie Menningers gezelschap verkeren was nooit saai, dat was zeker. Toen hij langzaam de rook uitblies, keek hij haar bewonderend aan. Ze had zich van het ene ogenblik op het andere aangepast aan de warmte, de lagere zwaartekracht, de dikke lucht die iedereen weken lang dwars had gezeten. Wat een vrouw.

Toen het stickie op was, waren ze uit het zicht van de soldaten en bij een plaats waar het strand breder werd, begrensd door een hoge, kale rotswand. Margie hield stil en keek om zich heen. 'Waarom niet hier? Tinka op je plaats.'

'Ja, kolonel.' De sergeant klauterde behendig omhoog en Margie schoot uit haar uniform. Eronder had ze niets aan. 'Als je mee gaat, ga dan mee. Als je niet mee gaat, blijf dan maar hier en help Tinka om de wacht te houden.' En ze liep luidruchtig spetterend het water in.

Of het nou door de hasj kwam, het gezelschap of wat dan ook, Dalehouse voelde zich beter dan hij zich de hele dag gevoeld had. Hij schaterde, trok toen zijn eigen kleren uit en liep achter haar aan.

Tien minuten later lagen ze allebei weer op het strand om op te drogen. Ze waren maar op hun kleren gaan liggen en zelfs dat was niet erg comfortabel. 'Au,' zei Margie. 'Als ik ooit nog eens mensen krijg voor een strafkorvee laat ik ze de stenen uit het zand halen.'

'Je raakt er wel aan gewend.'

'Alleen als het niet anders kan, Danny. Ik wil hier een fijn kamp van maken als ik kan – een mooie taak. Weet je bij voorbeeld wat er vanavond staat te gebeuren?'

Hij draaide zijn hoofd om om naar haar te kijken. 'Wat dan?'

'Het eerste Jemmiaanse Voedsel Exporterende Blok dansfeest.'

'Een dansavond?'

Ze grinnikte. 'Begrijp je nou wat ik bedoel? De hufters die het tot voor kort voor het zeggen hadden, hebben daar nooit aan gedacht. Maar er is niks aan. Leg een paar vlakke platen op de grond, stop een paar banden in het apparaat en klaar ben je. Prima voor het moreel.'

'Je bent waarschijnlijk de beste kolonel in het Amerikaanse leger als het om lol maken gaat.'

'De beste kolonel voor alle andere dingen ook, Danny, denk daaraan.'

'Ja hoor, Margie, ik geloof je best. Maar het is een beetje moei-

lijk om daaraan te denken onder de, eh, huidige omstandigheden.'
'Aha. Ik wil mijn kleren wel weer aantrekken als dat beter is voor je concentratie. Dit is niet alleen maar een lolletje. Ik wilde met je praten.'
'Waarover?'
'Over alles wat je me wilt vertellen. Hoe jij vindt dat de zaken gaan. Wat niet gedaan wordt en wel gedaan zou moeten worden. Wat jij hebt geleerd en waar ik nog niet achter ben.'
Hij richtte zich op een elleboog op om naar haar te kijken. Ze keek sereen terug en krabde aan haar buik, net boven het schaamhaar. 'Nou, je zult alle rapporten over de contacten met de intelligente rassen hier wel hebben gelezen.'
'Ik ken ze uit m'n hoofd, Danny. Ik heb zelfs een paar van die wezens gezien, in Camp Detrick, maar ze waren er niet best aan toe. Vooral de Graver niet.'
'We hebben niet zoveel geluk met ze gehad, nee.'
'Helemaal niet, zou ik zeggen.'
'Eh – ja, eigenlijk heb je gelijk. Maar we hebben wel ongeveer tien exemplaren te pakken gekregen, waarvan twee nog in leven waren. En Morrissey heeft een heel rapport over ze, dat nog niet is verstuurd. Hij zegt dat ze gewassen verbouwen – van onderen. Interessant, hè? Ze planten een soort knollen in het dak van hun tunnels. Hij wilde graag praten met die expert die met jou mee zou komen – ik weet niet hoe ze heet.'
'Sondra Leckner? Die is niet meegekomen, Danny. Ik heb haar laten schrappen.'
'Waarom?'
'Omdat ze een Canadese is.' Ze keek hem nadenkend aan. 'Zegt dat je niks?'
'Geen bal.'
'Nee, dat dacht ik al. Canada heeft voor Peru's duizend-kilometergrens gestemd, in de VN. Dat is aanpappen met de Fokkers. En iedereen weet dat Canada graag naar de Vetpotters over zou lopen vanwege die vervloekte Athabasca teerzanden van ze. Ze zijn politiek onbetrouwbaar, Danny. Er stonden vier Canadezen op de nominatie om mee te gaan en ik heb ze er alle vier afgedonderd.'
'Behoorlijk paranoïde als je het mij vraagt.'
'Nee, realistisch. Ik heb geen tijd om je de feiten van het leven te leren, Danny. Wat is er verder nog, afgezien van die Gravers dan?'

Hij keek haar nadenkend aan. Ze lag op haar rug, haar handen achter haar hoofd, ongegeneerd naakt, en kneep haar ogen dicht tegen het gloeiend rode licht van Kong. Voor een meisje dat iets aan de zware kant was, ging haar middel heel mooi over in haar heupen en haar borsten waren rond, zelfs nu ze op haar rug lag. Maar onder dat blonde haar zat een brein dat hij niet helemaal begreep.

Hij liet zich achterover vallen en zei: 'Nou, verder heb je de ballonvaarders nog. Over hen weet ik het meest. Onze eigen zwerm zit in de buurt van de warmtepool, maar daar is er nog een, daar, boven het water. Iedere zwerm heeft eigenlijk zijn eigen territorium, maar . . .'

'Je bent een tijdje geleden in het kamp van de Vetpotters geweest, hè?'

'Ja. Toen we nog over en weer bezoeken aflegden. Moet ik daarover vertellen?'

'Onder andere.'

'Oké. Ze hebben een verrekte hoop dingen die wij niet hebben, Margie.' Hij beschreef de machine die bouwblokken maakte, de plasmagenerator, de airconditioning, het *ijs*.

'Klinkt prima. Al die dingen krijgen wij ook, Danny – dat beloof ik je. Heb je een vliegtuig en vier zweefvliegtuigen gezien?'

'Nee. Wel een landingsbaan. Kappy zei er nog iets van; het was niet logisch, met alleen maar een helikopter. Maar toen hadden ze nog geen vliegtuig.'

'Nu wel. Ik dacht wel dat ze versterking hadden gekregen zonder dat jullie er iets van hadden gemerkt. Wisten jullie iets af van de basis aan de Schaduwzijde?'

'Aan de *andere* kant van Jem? Wat kan iemand daar nou zoeken?'

'Daar wil ik ook achter zien te komen. Maar hij is er wel. Waarom denk je dat ik vier extra omwentelingen heb gemaakt voor ik landde? Ik heb alles op de foto gezet en met de radar bekeken en ik ken elke satelliet die om Jem draait. Ik ken elke plek op het oppervlak die energie verbruikt en ik denk zo het mijne over het een en ander. De basis aan de Schaduwkant – daar ben ik echt van geschrokken. Heb je kinderen gezien in het kamp van de Vetpotters?'

'Kinderen? Jezus, nee! Waarom zouden er . . .'

'Ik heb zo'n idee dat ze hele gezinnen naar Jem overbrengen, Danny, wat schijnt te betekenen dat ze meer van plan zijn dan

een verkenningsexpeditie.'
'Hoe kun je dat nou vanuit de ruimte zien?'
'Ik heb ook niet gezegd dat dat de enige manier was waarop ik dingen over de Vetpotters te weten ben gekomen. Nog één ding. Nee, twee. Hebben ze een honkbalveld?'
'Honkbal?' Hij zat nu rechtop en staarde haar verbluft aan. 'Wat moeten ze nou in vredesnaam met een honkbalveld? Cricket misschien, en voetbal, dat zeker, maar . . .'
'Dat is geluk hebben,' zei ze, zonder uit te leggen waarom. 'Laatste vraag. Ben je daar toevallig iemand tegengekomen die Tamil heette?'
'Geloof het niet.'
Dalehouse dacht ingespannen na.
'Wacht even. Korte vent met kaal hoofd? Speelt hij schaak?'
'Weet ik niet. Het is een Indonesiër.'
'Ik ben er niet helemaal zeker van, maar ik geloof dat er een petrochemicus was met zo'n soort naam. Ik heb niet met hem gepraat. Ik geloof dat hij geen Engels sprak.'
'Jammer.' Margie keek even peinzend voor zich uit, ging toen rechtop zitten en hield haar hand boven haar ogen. 'Zijn dat die ballonvaarders van je?'

Toen Dalehouse zich omdraaide om te kijken, stond Margie al rechtop en liep een paar passen naar de waterkant en hij keek niet naar de hemel, maar naar haar. De kunstenaar Hogarth had gezegd dat de mooiste lijn in de natuur de welving van de rug van een vrouw was en Margie, een silhouet tegen de rode hemel, zag er schitterend uit. Half geamuseerd voelde Dalehouse dat hij belangstelling begon te krijgen. Maar het was alleen maar een begin. De stimulans was dat mooie achterwerk, dat hij zich nog zo goed herinnerde. Maar dwars daar tegenin gingen alle dingen die ze zei. Het zou nog wel even duren voor hij precies wist hoe hij tegenover Margie Menninger stond.
Toen ging zijn blik langs haar heen en hij zei woedend: 'Er zitten daar *ha'aye'i!*'
'Wat zijn dat?'
'Roofdieren die jacht maken op de ballonvaarders. Dat is onze eigen zwerm niet; waarschijnlijk zijn ze op de lichten afgekomen. En die wolken zitten vol *ha'aye'i!*' De zwerm was nu zo dichtbij dat ze hem konden horen zingen, een paar honderd meter van hen vandaan. En ver boven hen doken drie gestroomlijnde gedaanten op hen neer.

'Dat is een hoe heet zoiets ook al weer! Jezus! Kijk nou eens,' riep ze toen de eerste luchthaai behendig de ballon van een groot vrouwtje openscheurde, langs haar heen schoot, draaide en tien meter lager wachtte op de neerstortende ballonvaarder, die met haar laatste waterstof haar doodslied brulde. 'Dat ding daar deed een *Immelmann,* godverdomme! Dat heeft niemand meer gedaan sinds de Eerste Wereldoorlog!'
'Jezus, Margie, dit is geen vliegwedstrijd! Ze moorden de ballonvaarders uit!' Nog twee *ha'aye'i* hadden toegeslagen. Maar in ieder geval was het Charlies zwerm niet – er waren geen vrienden bij. 'Zie je het spul dat uit het vrouwtje komt? Dat zijn haar eieren. Het zijn lange dingen, net spinnerag. Ze blijven tot in de lengte van dagen zweven, maar ze worden niet bevrucht, omdat de mannetjes niet . . .'
'Laat ze barsten met haar eieren, jongen! Ik ben voor die haai! Wat een moordmachine! God, Danny, ik kan wel zien waarom het hier zo slecht gaat. Jullie hebben de verkeerde bondgenoten uitgekozen. We zouden sam-sam moeten doen met de haaien!'
Dalehouse was geschokt. 'Het zijn dieren! Niet eens intelligent!'
'Laat me een professor zien en ik laat je een zulthoofd zien. Hoe intelligent moet je zijn om te vechten?'
'Jezus. De ballonvaarders zijn onze vrienden. Ze voeren verkenningen voor ons uit. Dat zouden de *ha'aye'i* nooit doen. En vrede sluiten doen ze nooit. De *ha'aye'i* zingen niet, en zingen is het enige dat het leven voor de ballonvaarders zin geeft. Met wezens die niet zingen, kunnen ze nooit van z'n leven communiceren.'
'O.' Margie liet zijn hand los en wendde haar blik af van de haai, die was begonnen zijn nog steeds levende prooi te verslinden. Ze leunde achterover op haar armen. 'Zeg eens, Danny, zou jij me willen laten zingen?'
Hij staarde haar aan. God, ze raakte seksueel opgewonden van de slachtpartij in de lucht!
Hij wierp een blik op de rotswand, waar het roerloze hoofd van de sergeant te zien was. 'Misschien kunnen we maar beter teruggaan.'
'Wat is er aan de hand, knul? Heb je bezwaar tegen publiek? Tinka valt ons heus niet lastig, hoor.'
'Tinka kan me niet schelen.'
'Wat is er dan?' vroeg ze opgewekt. 'Hee, dat zal het zijn. Je bent nijdig over de kolonel.'
'Tree? Die kan me niks schelen.'

'O, kom nou toch, jongen.' Ze klopte op de grond, naast zich. Hij aarzelde en ging toen zitten, niet al te dicht bij haar. 'Je denkt dat er wat is tussen mij en die ouwe Nguyen.'
'Ik denk het niet, ik weet het.'
'En als dat zo was?'
'Dat zijn jouw zaken,' zei hij meteen. 'Ik heb misschien wel van die ouderwetse bezittersneigingen, maar . . .'
'Niks misschien. Nou en of je ze hebt, Danny boy.' Ze glimlachte, maar haar gezicht stond hard.
Hij haalde zijn schouders op. 'Laten we teruggaan, kolonel.'
'Laten we hier blijven. En ik ben veel hoger dan jij, en als een kolonel zoiets zegt tegen een kapitein dan staat dat gelijk aan een bevel.'
Dalehouse had geen lustgevoelens meer; hij was tegelijk boos en geamuseerd over zijn boosheid. 'Laten we de dingen even op een rij zetten. Geef je me een dienstbevel om met je te neuken?'
'Nee. Op het ogenblik niet, beste jongen.' Ze grinnikte. 'Ik geef officieren bijna nooit bevel om met me te neuken. Alleen dienstplichtigen maar, en dan nog heel zelden, omdat het slecht is voor de krijgstucht.'
'Bedoel je dat de kolonel jou bevel gaf om met hem te neuken?'
'Beste Danny,' zei ze geduldig, 'ten eerste kan hij dat niet – ik heb een hogere rang dan hij – en ten tweede hoeft hij dat niet. Ik zou elk ogenblik van de dag met Guy neuken. Om wat voor reden dan ook. Omdat hij technisch mijn meerdere is. Omdat het het dagelijkse reilen en zeilen vergemakkelijkt. Omdat het spannend is om het te doen met iemand die half zo groot is als je zelf bent. Ik zou met een Krinpit neuken als het goed was voor de oorlogsinspanning, alleen zou ik niet weten hoe we de kindertjes groot moesten brengen. Maar een meisje heeft toch recht op een bepaalde hoeveelheid niet-doelgerichte recreatie, en, Danny, ik heb echt heel plezierige herinneringen aan jou, de laatste keer, in Bulgarije.'
Ontspannen rommelde ze in haar kleren en haalde een tweede stickie tevoorschijn.
Dalehouse keek toe hoe ze het opstak. Haar lichaam was van top tot teen gebronsd, zonder dat er ergens bikinistrepen te zien waren en zag er heel wat beter uit dan het bleke wit dat na een poosje kwam op Jem. Ze krabde zich tussen de plooi die haar navel verborg en haar lichte schaamhaar, blies vredig de rook uit en gaf de sigaret aan hem. Eigenlijk, zei Dalehouse tegen zichzelf, had hij ook heel plezierige herinneringen aan haar en het

scheen niet uit te maken dat hij ook slechte herinneringen had. 'Weet je wat ik bij jou zo fijn vind?' zei hij. 'Je brengt me op honderd verschillende manieren aan het lachen. Kom eens hier.'
Toen ze elkaar hadden opgebruikt, rustten ze even uit. Toen sprong Margie op en schoot weer het water in. Dalehouse rende achter haar aan; gillend en spattend draafden ze in het rond en toen ze uit het water kwamen, merkte hij tot zijn verbazing dat hij eigenlijk wel weer zin had. Maar Margie riep naar boven: 'Tinka! Tijd?'
'Dertien uur twintig, kolonel.'
Snel schoot Margie haar uniform aan, boog zich over naar Dalehouse en kuste hem terwijl hij met één been in zijn broek stond. 'Tijd om terug te gaan. Ik heb een drukke middag voor me, vanavond dat dansfeest en bovendien wil ik graag dat je iets voor me doet.'
'Wat?'
'Leer Tinka vanmiddag hoe ze met die ballons om moet gaan.'
'Waarom?'
'Ik wil dat ze een klusje voor me doet. Het is belangrijk.'
'Ik kan haar in elk geval de eerste beginselen bijbrengen. Maar ik weet niet of ze binnen een paar uur volleerd is, hoor.'
'Ze leert snel, dat beloof ik. Kom op – wie het eerst terug is.'
Ze begonnen te rennen. Marge was eerder weg, maar toen de wachtposten in zicht kwamen, haalde Dalehouse haar in. Toen hij langs haar heen wilde rennen greep ze hem bij de hand en bracht hem tot staan. 'Bedankt,' hijgde ze.
'Waarvoor? Zwemmen, rennen of neuken?'
'Allemaal, lieve Danny.' Ze haalde diep adem, en net voor ze binnen gehoorbereik van de soldaten kwamen, keek ze hem aan. 'Eén ding moet ik je wel zeggen.'
'Wat dan?'
'Laten er geen misverstanden bestaan. Met Nguyen Tree was het neuken. Met jou is het vrijen.'

Twaalf op wacht, twee ziek, drie in de hut waar de communicatieapparatuur stond en acht anderen bezig met andere klussen waar vierentwintig uur per dag mensen mee bezig moesten zijn – als je die eraf trok bleven er iets meer dan honderdtwintig man over en die waren bijna allemaal bij het feest. Margie feliciteerde zichzelf terwijl ze een wilde hora danste. Toen de dans ten einde was en een Zuidamerikaans nummer begon, wuifde ze de drie mannen weg die op haar toe kwamen lopen.

'Even op adem komen. Na het volgende nummer houd ik m'n toespraakje. Dan zijn jullie aan de beurt.'
Ze trok zich terug achter de lessenaar en haalde diep adem. Alles ging naar wens. Ze had hard gewerkt en veel bereikt; de schepen waren uitgeladen, ze waren aan allerlei nuttige dingen begonnen, de stemming was goed en ze kon aardig overweg met Dalehouse – een persoonlijke kwestie, maar niet onbelangrijk, zeker niet in de toekomst. Marge hield lange-termijn mogelijkheden altijd scherp in de gaten, en als toekomstige partner (*als* op Jem iedereen weer een vaste partner kreeg – misschien ging het wel heel anders) was Dalehouse de beste man die ze tot nu toe had gevonden. Er moest nog wel veel gebeuren hier en ze hadden geen zware apparatuur, bulldozers bij voorbeeld om de moerassen te lijf te gaan. Ze moest een verlanglijstje opstellen en naar de Aarde sturen, en wel zo snel mogelijk. Ze maakten daar zo'n hoop stennis dat ze er geen idee van had hoeveel vrachtjes ze nog kon verwachten. Ze wist al een stel dingen, maar de oudgedienden wisten er waarschijnlijk nog wel meer. Morrissey, Krivitin, Kappeljoesjnikov – daar moest ze een keer mee om de tafel gaan zitten.
De geur van marihuana die uit de zaal kwam, stemde haar tevreden. Ze overwoog om nog een stickie op te steken voor ze aan haar toespraakje begon – een andere manier om te laten zien wie ze was. Maar het was minder dan een half uur geleden dat ze er een had gehad en ze wist precies wat ze kon hebben. Als ze er zo vlug weer een nam, kon ze wazig worden.
De cha cha cha was afgelopen en het meisje bij de bandrecorder keek naar Margie en zette hem af. Margie knikte en stond op. Het gelach en geroezemoes stierf weg, terwijl iedereen zich omdraaide en naar haar keek. Ze lachte even naar hen en wachtte tot het helemaal stil zou zijn. Ze zagen er net zo uit als de recruten in West Point, net als het publiek bij een hoorzitting van een Senaatscommissie, net als elke andere groep waar ze ooit tegenover had gestaan. Marge had een goed contact met de mensen, ze kon er altijd voor zorgen dat ze haar aardig vonden en daarom vond zij hen ook aardig. Ze zei: 'Welkom bij het eerste wekelijkse Voedselblok Expeditie zaterdagavondfeest. Ik ben kolonel Marjorie Menninger, USA, en ik ben de commandant van jullie kamp. Een stel mensen hier kent elkaar al goed. De rest zal elkaar na een poosje wel leren kennen – we hebben trouwens weinig keus, met zo'n kleine groep. Maar ik maak me daar geen zorgen over en jullie hoop ik ook niet. We zijn een

select gezelschap.' Ze liet haar blik langs de groep gaan, naar de rand van het verlichte gebied, waar twee van haar soldaten een derde vasthielden terwijl hij over stond te geven. 'Al zou je dat af en toe niet zeggen.' Zacht gelach, maar wel gemeend. 'We zullen maar meteen met het kennismaken beginnen. Guy? Saint? Waar zijn jullie.' Ze stelde Tree en Santangelo voor. 'En nu Vince Cudahy – ben je daar? Vince is wiskundige, maar ook onze aalmoezenier. Vroeger gaf hij les aan een katholieke universiteit, maar hier op Jem werkt hij voor alle gezindten. Als er mensen zijn die willen trouwen, is Vince dus je man.' Gegrinnik. 'Hij is een tikje ouderwets, dus hij zou het op prijs stellen als jullie van verschillende kunne zijn.' Dit keer lachten ze wat harder, maar er lag een vragende klank in. 'En voor het geval jullie willen trouwen, en ook als jullie niet getrouwd zijn, hier is Chiche Arkashvili. Chiche? Daar is ze, onze dokter. Probeer de eerste vierentwintig uur niet ziek te worden, want ze is nog bezig om de zaak op poten te zetten. Maar daarna staat ze voor jou klaar. In Ordjonikidze hield ze zich vooral bezig met gynaecologie.' Dit keer werd er helemaal niet gelachen. Dat had ze ook niet verwacht. Ze gunde ze een ogenblik om hun conclusie te trekken en ging toen meteen door. 'Zoals jullie zien, zijn we een permanente basis aan het opzetten en ik ben van plan om dit de fijnste tijd te maken die je ooit van je leven gehad hebt, zodat een heleboel mensen er straks voor kiezen om hier te blijven. En als jullie dat doen, en als er mensen zijn die wat ik net gezegd heb serieus nemen en zich hier permanent vestigen, dan loof ik een bijzondere beloning uit. Duizend petrodollar voor het eerste kind dat hier in dit kamp wordt geboren – als het tenminste Marjorie wordt genoemd, naar mij.' Ze wachtte even. 'Tweeduizend als het een jongen is.' Ze begonnen te lachen, zoals ze gewild had, en ze besloot met: 'En nu verder met het feest.' En toen de muziek inzette, sprong ze van het podium, pakte de eerste de beste man beet en sleepte de rest mee.

Het eerstvolgende halve uur speelde Marge Menninger gastvrouw, iets waar ze heel, heel goed in was. Ze danste met de mannen die niet veel dansten, zorgde dat de muziek geen ogenblik zweeg, zorgde dat de drank bleef stromen. Ze wilde vooral dat iedereen het naar zijn zin had. Morgen mochten ze nadenken over permanente kolonies en over hoeveel keus ze hadden als hun diensttijd hier afgelopen was en ze officieel mochten kiezen tussen blijven en teruggaan. Morgen was nog

vroeg genoeg. Als ze de kans kreeg, schoot ze de mensen aan die hadden geweten wat ze zou gaan zeggen en vroeg hoe ze was overgekomen. Het scheen heel goed te zijn gegaan. Dat stemde haar tot vreugde en na verloop van tijd merkte ze dat ze het echt naar haar zin had. Ze dronk een glas mee, rookte een stickie en knikte en lachte naar iedereen. Ze voelde zich gelukkig en ontspannen, maar een tikkeltje licht in haar hoofd. Dat kwam voor een deel door de warmte en het onwennige gevoel dat ze een kwart lichter was dan ze tien jaar lang gewend was. Maar ze voelde zich ook een tikje gespannen en toen ze naging wat voor dag het was, dacht ze te weten waarom. Toen ze in de buurt kwam van de arts, zei ze in haar oor: 'Draaien je vriezers voor de sperma- en ovumbanken al, dok? Omdat ik geloof dat ik je iets te bieden heb.'
'Morgenmiddag zijn ze klaar,' beloofde Chiche Arkashvili. 'Maar aan de manier te zien waarop de jongens en de meisjes de bossen induiken, geloof ik niet dat we ze nodig zullen hebben.'
'Beter mee verlegen dan om verlegen,' zei Marge beminnelijk. Als ze kon liet ze een hele partij ingevroren sperma en ova van Aarde komen. Hoe groter de hoeveelheid genen waarmee je begon, des te groter de kans dat je binnen twee, drie generaties een gezonde, stabiele bevolking had. Maar ze was nog niet zover dat ze dat verzoek op haar volgende boodschappenlijstje kon zetten. Ze zou het al moeilijk genoeg krijgen met de dingen die ze wilde vragen, en op een afstand van God weet hoeveel lichtjaar kon ze niet echt overtuigend zijn.
Een paar meter van haar vandaan stond het Bulgaarse meisje ruzie te maken met Sweggert, de sergeant die Margie in haar eerste schip had gestopt. Normaal gesproken zou Margie niet tussenbeide gekomen zijn, al was bekend dat Sweggert alles achterna liep wat maar op een vrouw leek, maar ze wilde Dimitrova iets vragen. 'Tinka,' zei ze zacht over haar schouder.
'Ja, kolonel.'
'Blijf in mijn buurt.' Marge liep naar het ruziënde duo, dat zweeg toen ze in de buurt kwam. 'Sorry dat ik jullie stoor.'
Met een nijdige blik zei het Bulgaarse meisje: 'U stoort in het geheel niet, kolonel. De sergeant wilde me iets laten zien dat ik niet wilde zien.'
'Dat zal best, liefje,' lachte Marge. 'Wilt u ons een ogenblik verontschuldigen, sergeant?' En toen hij buiten gehoorbereik was, vroeg ze: 'Hoe is je Indonesisch, Dimitrova?'
'Indonesisch. Het is een van mijn tweede groep talen, maar ik

denk dat ik een document wel zou kunnen vertalen.'
'Ik wil geen document vertaald hebben. Ik wil weten wat "Goede morgen. Waar is het honkbalveld?" in het Indonesisch is.'
'Wat?'
'Je hebt me heel goed verstaan! Vertel ons hoe je dat zegt.'
Ana aarzelde en zei toen met enige minachting in haar stem: *'Selamat pagi, dimana lapangan baseball?'*
'Hm.' Marge herhaalde het een keer en keek naar Tinka. De sergeant haalde haar schouders op. 'Schrijf het straks maar op. Hoe zeg je "Hebt u een kaart?" '
'Saudara punja peta?'
'Heb je dat?' vroeg Marge met een blik op Tinka. 'Weet je 't niet zeker? Oké, Dimitrova, ga met Tinka naar mijn kantoortje en schrijf het daar voor haar op. Zorg dat ze het goed leert uitspreken.' Even dacht ze dat de Bulgaarse zou protesteren, maar toen knikte ze en liepen ze samen weg.
Sergeant Sweggert stond nog steeds op dezelfde plek, drie meter van haar vandaan en staarde haar met kalme belangstelling aan.
'Wat doe je daar, sergeant? Wacht je op een kans om me ten dans te vragen of wil je dat dingetje te voorschijn halen dat je Dimitrova zo graag wilde laten zien?'
'Jezus, kolonel. U hebt me helemaal verkeerd begrepen.'
'Vast Sweggert,' zei ze goedgehumeurd, 'je bent geen slechte vent, maar het is tegen mijn principes om, eh, aan te pappen met dienstplichtigen. Behalve in noodgevallen, natuurlijk. En wat jij hebt te laten zien is al wijd en zijd vertoond, dat garandeer ik je.'
'O, nee, kolonel. Het was iets educatiefs. Ze hebben hier een tamme gaszak en die is echt heel interessant.'
'O ja?' Ze keek hem nog eens goed aan en aan de manier waarop hij stond, zijn hoofd diep weggedoken tussen zijn schouders, zag ze wel dat hij behoorlijk onder invloed van het een of ander was. Maar misschien was er inderdaad wel iets belangwekkends te zien. 'Ik kom even kijken,' zei ze, en liep achter hem aan, voorbij de kooktent, en daar was een van de ballonvaarders, zachtjes en treurig in zichzelf zingend. Hij was veel groter dan het vrouwtje dat ze in Camp Detrick had gezien en er was duidelijk iets met hem aan de hand.
'Wat zegt hij?'
Met een uitgestreken gezicht zei de sergeant: 'Ik zou het werkelijk niet weten, kolonel. Wilt u hem even vasthouden? Alleen maar het touw goed beethouden.'

Margie keek hem even nadenkend aan, maar hij had gelijk, het was interessant. Ze trok aan het touw. 'Dat verrekte ding is nogal sterk. Hee, Sweggert, wat voer je nu uit?'
De sergeant was op zijn hurken gaan zitten om iets onder een dekzeil vandaan te halen. 'Alleen maar een stroboscopische flitser, kolonel.'
'En wat ga je daarmee doen?'
'Nou,' zei hij sluw, 'ik heb het nooit gezien, maar de jongens zeggen dat als je een van die dingen zo'n flitslicht voor z'n snufferd houdt er iets heel interessants gebeurt.'
Ze keek van hem naar het droevige, gerimpelde gezicht van de ballonvaarder en toen weer naar Sweggert. 'Sergeant,' zei ze grimmig, 'ik hoop voor jou dat dat zo is, anders bezorg ik je een behoorlijke douw. Aan dat flitslicht.'
'Is dat een bevel?'
'Zet die lamp aan of ik doe je wat!' grauwde ze.
En toen zette hij hem aan.

15

Na vier dagen proberen kreeg Ana eindelijk toestemming om de radio te gebruiken voor een oproep naar het kamp van de Volksrepublieken. Toen de technicus gebaarde dat ze haar gang kon gaan, boog ze zich voorover en zei in het Urdu: 'Dit is een oproep van Ana Dimitrova uit het kamp van de Voedsel Exporterende Landen. Ik wil graag spreken met Ahmed Dulla.'
De technicus zette de microfoon af en zei: 'En nu is het wachten op antwoord. Meestal duurt het tien minuten voor ze reageren.'
'Kan ik niet rechtstreeks met dr. Dulla spreken?'
'Bij de Fokkers niet, liefje. Wij zenden ze een bericht en zij zenden een antwoord terug. Als ze er zin in hebben.'
'Wat buitengewoon vreemd. Goed, dank u, ik zal buiten wachten.' Toen ze naar buiten liep, zei ze: 'Wilt u me roepen wanneer het antwoord binnen komt?'
'Daar kun je op rekenen, liefje.'
Wat een ergernis, dacht ze boos, terwijl ze met gekruiste benen in de warme kachelgloed van Kung ging zitten. Maar toch – tien minuten! Ze had veel langer dan tien minuten gewacht om Ahmeds stem te horen. En zijn lot kon niet langer zo treurig zijn als ze eerst had gedacht. In het kamp werd verteld dat de Volksrepublieken er met een bijna ongelooflijke krachtsinspanning in waren geslaagd om weer in contact te komen met hun expeditie op Jem. Er was een schip geland. Een klein schip, dat wel, maar in ieder geval waren ze niet meer hulpeloos en afhankelijk van de andere expedities. Dat moest Dulla dol van woede gemaakt hebben!
Om haar heen was iedereen druk bezig. Op de hellingen boven de nederzetting was bijna een hectare van vegetatie ontdaan en ingezaaid, en de stangen stonden er al voor de lampen die het zaad tot groei moesten brengen. Energie was het volgende punt, en daar werd ook al aan gewerkt. Eindelijk werd dan een generator in elkaar gezet die op zonneënergie werkte en ondertussen was een stoomturbine op nucleaire brandstof al aan het werk – klein, duur, maar betrouwbaar.
Ana was de beste van de drie vertalers in het kamp en na het verdwijnen van Harriët Santori de enige die in staat scheen te zijn om de structuur te ontdekken van een taal die maar zeer ten dele werd begrepen. Haar Krinpit was allesbehalve volmaakt en

veel kans om te oefenen was er niet. Voor de gravende wezens had ze vele uren doorgebracht in het gezelschap van James Morrissey, die ze als zijn persoonlijke reden voor het bestaan scheen te zien. Maar veel had dat niet opgeleverd. De microfoons die hij heel voorzichtig in de tunnels stak, vingen soms een paar flarden van piepende, kwetterende, half gesmoorde geluiden op, maar het was duidelijk dat de Gravers ze meteen ontdekten en daarna meden. Als ze ze niet stalen. Meer dan eens had Morrissey een sonde uit de grond getrokken en gemerkt dat de microfoonkop er netjes af was gehaald.
Maar de taal van de ballonvaarders sprak ze bijna vloeiend. Ze had nauw samengewerkt met professor Dalehouse – tot dusverre alleen met behulp van een radio; het intrigerende, maar angstaanjagende vooruitzicht om samen met hem onder een tros met waterstof gevulde ballonnen te hangen, zou te zijner tijd wel eens werkelijkheid worden. Toen was de Russische piloot Kappeljoesjnikov, met kolonel Menningers oppasser en een verzameling waterstofzakken vertrokken voor een dwaze, geheime opdracht, en ze had opdracht gekregen om tot nader order geen gebruik te maken van de radio. In plaats daarvan kreeg ze pastoraal werk in het hospitaal te doen, terwijl er geen pastoraal werk te doen was omdat er nog geen patiënten waren.
Maar. Niettemin. Ongeacht een paar onbelangrijke teleurstellingen en ergernissen zat ze toch op Jem, op zijn hoogst enkele tientallen kilometers van Ahmed vandaan. Om nog maar te zwijgen van de duizelingwekkende opwinding van de gedachte dat ze op Jem was. Een andere planeet! Die om een andere ster draaide! Zo ver van de Aarde dat de zon niet eens te vinden was in de rode Jemmiaanse hemel! Ze had de jungle nog niet in durven gaan, al waren anderen al wel gegaan, en veilig teruggekeerd, vol opwinding over de vreemde dingen die ze hadden gezien. Ze had nog niet eens gezwommen in dat grote meer, of die zee, terwijl die toch zo verlokkelijk dichtbij was; ze had er niet aan gedacht om een badpak mee te nemen, had nog geen tijd gehad om er een te maken en was zeker niet van plan om het voorbeeld te volgen van de mensen die met niets aan in het water dartelden en op het strand lagen. Ze kon een groep zien spetteren en hoorde hun geschreeuw. Eigenlijk moesten ze werken aan de glijboten die aan de rand van het water in elkaar werden gezet, maar hun gedachten, dat wist ze zeker, hielden zich niet met vervoer bezig, maar met de dierlijke vreugde van het strand.

Niet, dacht ze, het een tegen het ander afwegend, dat dit op zich verkeerd was; waarom zouden ze niet genieten van water en zand? Het was niet haar zorg dat anderen andere morele normen aanhielden dan zij, als ze ze maar niet aan haar probeerden op te leggen. En in het water liggen zou heel prettig zijn in deze verstikkende warmte . . .
'Dimitrova!' Ze sprong overeind en rende de tent in om het antwoord te horen op haar bericht, maar het luidde alleen: 'Ahmed Dulla is op dit ogenblik niet te spreken. Het bericht zal aan hem worden doorgegeven.'
In het Engels. En Engels met een heel slecht accent bovendien; wat Erfgenaam-van-Mao ook gestuurd had, goede vertalers en tolken niet. Ze bedankte de technicus, zonder iets te laten blijken van haar teleurstelling, en liep naar de rand van het kampterrein. Geen werk te doen, nog geen tijd om te gaan eten, wat kon ze doen nu ze wat ze wilde doen niet kon doen?
Het was werkelijk heel teleurstellend! Waar kon hij in vredesnaam zijn?
Geërgerd merkte ze dat er weer een hoofdpijnaanval op kwam zetten. Wat vervelend nu! Om de een of andere reden had ze er de eerste paar dagen dat ze op Jem was weinig last van gehad – misschien wel omdat alles zó verschrikkelijk opwindend was dat ze geen tijd had om aan hoofdpijn te denken. Ze wilde nu in ieder geval geen hoofdpijn. Ana was een ijverig meisje en ze bedacht dat nietsdoen haar hoofdpijn eerder erger dan minder erg zou maken. Wat kon ze doen? Als ze een badpak had gehad zou het heerlijk zijn geweest om te helpen bij het werk aan de glijboten. Of ze kon de helling op lopen en helpen met het planten – maar nee, op dit ogenblik waren ze alleen maar aan het ploegen en ze wist niet hoe ze met de tractor om moest gaan. De generator. Ze wist er natuurlijk niets van, maar ze had stevige armen en benen, en ze was bereid om haar spieren te gebruiken. Waarom niet?
Helaas merkte ze bij het naderbij komen dat een van de onderofficieren die bij de generator aan het werk was, sergeant Sweggert was.
Ze veranderde van koers en liep met ferme pas een andere kant op.
Sweggert had ze gemeden sinds de avond dat ze samen met de oppasser van de kolonel teruggekomen was en ze bezig had gezien, als dieren, in de open lucht, terwijl iedereen ze kon zien. Nan had zich onmiddellijk afgewend, haar hoofd rood van

verlegenheid en verder had niemand het tweetal bezig gezien, anders zou iedereen het over niets anders hebben gehad. Tinka zou niets zeggen, Sweggert zou het misschien wel niet durven, en de kolonel – Ana verkeerde niet in de waan dat ze de kolonel begreep. Maar kolonel Menninger had ze niet kunnen mijden en de vrouw had met geen woord gerept van wat er gebeurd was, had er zelfs geen blijk van gegeven dat er ooit wat was voorgevallen. Die Amerikaanse met haar gebleekte haar, copulerend met een man wiens naam ze misschien niet eens kende! Nee, dat was oneerlijk; ze kenden elkaar wel. Maar zo in ieder geval niet. O ja, natuurlijk, ze zou het wijten aan het afrodisiacum, aan . . . aan de nevel, zei ze bij zichzelf, die de gewonde ballonvaarder loosde. Daar had iedereen nu wel over gehoord. Maar toch, wat was het smerig en vies!
Ana stond plotseling bij de wachtpost langs de omheining rond het kamp en opeens werd haar duidelijk wat ze wilde. 'Ik ga een eindje wandelen,' zei ze tegen de dienstdoende korporaal, die zijn schouders ophaalde en onaandoenlijk toekeek toen ze zich tussen het prikkeldraad door werkte.
Een paar stappen later was het kamp niet meer te zien.

Als ze Ahmed niet kon zien, kon ze in ieder geval Jem gaan bekijken. Ze werkte zich door de violette begroeiing heen, hier flikkerend met blauwgroene lichtjes, en bleef staan om te luisteren. Kleine ritselende geluidjes uit het struikgewas, het ruisen van planten in de wind. Er was hier geen leven dat haar kon deren, had ze gehoord. In de omgeving van het kamp was sowieso niet veel leven meer. De dieren waren weggejaagd en de flora was vergiftigd; je kon de plekken zien waar het kampafval was begraven: daar waren de varens verschrompeld, was het krab-gras dat overal de bodem bedekte droog. Wat van de Aarde kwam was het leven op Jem even vijandig gezind als andersom, maar op Jem hadden ze geen Camp Detrick, geen zalf en geen immuniserende middelen.
Maar wat was het fascinerend en vreemd, wat er nog over was! Wouden van planten als varens, maar vruchtdragend en met houtige stammen. Vetplanten, bijna identiek aan bamboe; de holle stengels konden goed worden gebruikt als bouwmateriaal, en in Ana's zuinige hoofd kwam de gedachte op dat ze de kolonel moest vertellen dat die geen kostbaar ijzer meer moest verknoeien aan tentstokken. Slingerplanten als druiven, met harde zaden, waarvan het natuurlijk de bedoeling was dat ze via

de ontlasting van kleine dieren werden verspreid. (Als die er nog waren in dit deel van het bos.) En de mangrove-achtige reuzen die 'veel-bomen' werden genoemd, tien of nog meer stammen, die bij de kroon een uitgestrekt dak vormden waaronder ze nu liep.

Ze bleef staan en keek om zich heen. Verdwalen was onmogelijk, zei ze bij zichzelf, als ze het rood glinsterende water aan de linkerkant maar in het oog hield. Wanneer ze terug wilde gaan moest ze erheen lopen en het strand volgen naar het kamp. En van moe worden was ook geen sprake op een planeet waar je lichtvoetig over omgevallen bomen en losse rotsen klauterde. Het was een prima tijd om een eindje te wandelen, zei ze bij zichzelf, terwijl ze zich tussen de stammen doorwerkte van een veel-boom die blauwgroen glinsterde, met vuurvliegachtige kraaltjes.

Wat was dat voor geluid?

Het klonk alsof er in de verte met stokken tegen holle houtblokken werd geslagen, terwijl er iemand bij kreunde. Het was het soort geluid dat ze eerder had gehoord, op banden in Camp Detrick. De schaaldieren, ja! Maar misschien niet het intelligente soort, misschien wel de wilde en natuurlijk gevaarlijke waarvan ze bij geruchte gehoord had dat . . .

De menselijke stem achter haar klonk streng. 'Is het wel verstandig om er alleen op uit te gaan, Ana?'

In het Urdu! Met de strenge sympathie die ze uit duizenden herkende! Voor ze zich omdraaide wist ze al dat het Ahmed was.

Een uur later, een kilometer verderop, lag ze in zijn armen en durfde zich niet te bewegen uit angst dat ze hem wakker zou maken. Het geluid van de Krinpit was altijd hoorbaar, soms dichtbij, soms verderop; ze glimlachte bij de gedachte dat het wezen dicht in hun buurt was geweest toen ze elkaar liefkoosden. Dat gaf niet. Het was in ieder geval niets om zich voor te schamen – dat zou ze overal volhouden. Het was iets heel anders dan bij die gebleekte Amerikaanse vrouw, omdat – ja, natuurlijk, omdat zij het met Ahmed deed.

Hij bewoog, niesde, en ging rechtop zitten. 'Ah, Ana! Ik heb het dus niet gedroomd!'

'Nee, Ahmed.' Ze aarzelde, en zei met zachtere stem: 'Maar ik heb die droom vele keren gedroomd . . . Nee! Niet zo vlug na de eerste keer, lieve Ahmed – of, ja, zo vaak je maar wilt, maar laat me eerst naar je kijken.' Ze schudde haar hoofd en zei bestraf-

fend: 'Je bent zo mager! Ben je ziek geweest?'
De zwarte kraalogen waren ondoorzichtig. 'Ziek? Ja, af en toe, en af en toe heb ik ook honger geleden.'
'Honger! Wat afschuwelijk! Maar . . . maar . . .'
'Maar waarom? Die vraag is gemakkelijk te beantwoorden. Omdat jouw groep onze transportschepen heeft neergeschoten.'
'Maar dat is onmogelijk!'
'Het is niet onmogelijk,' verbeterde hij, 'omdat het is gebeurd. Voedsel voor vele dagen, wetenschappelijke instrumenten, twee schepen – en vierendertig mensen, Ana.'
'Het moet een ongeluk zijn geweest.'
'Je bent naïef.' Boos stond hij op en bracht zijn kleren in orde. 'Ik geef jou de schuld niet, Ana. Maar deze misdaden zijn een feit en ik moet iemand de schuld geven.' Hij verdween achter een veel-boom en een ogenblik later hoorde ze zijn urine tegen de stam spetteren.
En ook een ander geluid: het gekletter en gekreun van de Krinpit, wat dichter in de buurt dan het afgelopen uur. Als ze in Detrick maar langer met de banden had kunnen oefenen! Maar toch kon ze een patroon onderscheiden, een groep geluiden die keer op keer werden herhaald: *Sssharrn* – en dan twee snelle geluiden: *ie - gonn.*
Zwakjes riep ze: 'Ahmed?'
En hoorde zijn lach. 'Ah, Ana, ben je bang voor mijn vriend? Hij zal ons niets doen. Wij zijn geen goed voedsel voor hem.'
'Ik wist niet dat je zulke vrienden had.'
'Misschien heb ik ze ook wel niet. Nee. Wij zijn geen vrienden. Maar omdat ik de vijand ben van zijn vijanden, zijn we in ieder geval bondgenoten. Kom maar, Sharn-igon,' zei hij, als een man tegen een jong hondje, en kwam weer tevoorschijn.
Scheef achter hem aan kwam een groot wezen, afzichtelijk om te zien, kletterend en kreunend. Ana was nog nooit zo dicht bij een volwassen, levende Krinpit geweest, had nog nooit een goed idee gekregen van hun grootte en het geluidsvolume dat ze produceerden. De Krinpit had geen scharen, zoals een krab. Hij had gelede ledematen die boven het lichaam heen en weer zwaaiden, twee die eindigden in gebogen punten, zoals de nagel van een kat, en twee die uitliepen in vuistachtige massa's chitine. Het wezen hield stil en scheen naar Nan te kijken, al had het voor zover ze kon zien geen ogen. En het begon geluiden in Urdu te maken. Lettergreep voor lettergreep kraste en gromde het een zin:

'Moet de-ze ster-ven?'
'Nee, nee!' zei Ahmed vlug. 'Ze is . . .' Hij aarzelde en ging toen over op de taal van de Krinpit. Misschien lag het aan zijn accent, maar Ana kon er geen woord van verstaan. 'Ik heb hem verteld dat je mijn hij-vrouw bent,' legde hij uit.
'Hij-vrouw?'
'Ze hebben een rijk seksueel leven.'
'Alsjeblieft, Ahmed, ik ben niet in de stemming voor grappen. De Krinpit zei "sterven" en wat betekent dat?'
'Naïeve Ana,' zei hij weer, terwijl hij haar nadenkend aankeek. Toen haalde hij zijn schouders op. Hij gaf geen antwoord, maar haalde een groot roestbruin blad uit iets dat hij aan zijn zijde had hangen. Het was een metalen mes dat naar het eind toe breder werd, met een vlijmscherpe snede. Het had een greep die geschikt was voor de hand van een mens, en het hele ding was een halve meter lang.
'Ahmed! Is dat een zwaard?'
'Een machete. Maar je hebt gelijk, het is nu ook een zwaard.'
'Ahmed,' zei ze, en haar hart bonkte nu harder dan haar hoofd, 'een paar dagen geleden zijn drie mensen uit het kamp van het Voedselblok vermoord. Ik dacht dat het een ongeluk was, maar daar ben ik nu niet zeker van. Mag ik je vragen of je hier iets van weet?'
'Vraag maar wat je wilt, vrouw.'
'Geef me antwoord!'
Hij stak de machete in de leemgrond. 'Goed dan, als je erop staat, wil ik het wel vertellen. Nee. Ik heb die Vreters niet gedood. Maar ja, ik weet van hun dood. Ik treur niet om hen. Ik hoop dat er nog velen zullen sterven. En als het nodig is dat ik er een paar dood, zal ik daarvoor niet terugschrikken.'
'Maar . . . Maar . . . Maar Ahmed,' stotterde ze. 'Lieve, zachtaardige Ahmed, dat is moord! Erger dan moord is het, het is een oorlogsdaad! Als het Voedselblok nu eens terugslaat? Als de Aarde nu eens niet aanvaardt dat dit een onbetekenende worsteling is, ver weg, en onze blokken in oorlog raken? Als . . .'
'Als! Als! Als!' schreeuwde hij. 'Wat kunnen ze doen? Pakistan bombarderen? Dat mogen ze! Ze mogen Hyderabad en Multan vernietigen, ze mogen Karachi bombarderen, ze mogen alle steden van de aardbodem wegvagen, de hele kust. Jij bent er geweest, Ana – hoe groot is het deel van Pakistan dat ze kunnen vernietigen? Wat voor bommen kunnen tegen bergen op? De mensen, het volk – zij zullen het overleven. De bloedzuigers die

naar de steden trekken om te bedelen, de parasieten in de regering en de ambtenarij – ja, de intellectuelen, de trotse bloedzuigers zoals jij en ik – wat kan het mij schelen dat ze sterven? De mensen in het land zelf zullen blijven leven!'
Ze zweeg, bang, zocht naar woorden die hem tot andere gedachten zouden kunnen brengen en vond ze niet. 'Ach,' zei hij geërgerd, 'wat heeft dit ook voor zin? Maar wees niet boos op me.'
'Boos? Nee, boos ben ik niet,' zei ze verdrietig.
'Wat dan? Haat je me? Ben je bang voor me? Ana, wat moeten we dan doen? Ons laten uithongeren? We hebben één klein schip om ons te redden en wat hebben de Vreters en de Vetpotters? Een heel leger van schepen! En als de gevechten zich uitbreiden . . .' Hij aarzelde en barstte toen uit: 'Laat ze zich maar uitbreiden! Laten de rijke landen elkaar maar uitmoorden, wat kan ons dat schelen? Bedenk wel dat zes van elke tien mensen op Aarde tot ons blok behoren! Als er oorlog uitbreekt op Aarde – als er maar een miljoen mensen die oorlog overleven, dan zijn er zeshonderdduizend van dat miljoen burgers van de Volksrepublieken. En hier . . .'
Ze schudde haar hoofd, bijna in tranen. 'En hier? Ook zestig procent?'
'Nee. Meer. Op Zoon van Kung, als iemand in leven blijft – honderd procent van ons.'

16

De regen was overal – wolken kwamen op hen af, wolken waren hen al voorbij, op weg naar de warmtepool waar de regen die uit de wolken kwam een paar kilometer viel en dan verdampte, zonder de hete, zoute grond ooit te raken. De zwerm was over een kilometer verspreid en zong in ontevreden, dissonante akkoorden. 'Heb geduld,' zong Charlie bestraffend. 'We moeten blijven, moeten blijven.'

En ze zongen hem na, 'We moeten blijven,' maar mooi en harmonieus klonk het niet. Het gaf niet. Charlie had zijn tweebenige vriend beloofd dat hij op zijn post zou blijven om bepaalde vreemde, onbegrijpelijke gebeurtenissen te observeren en de zwerm zou doen wat hij zei.

Maar het was onprettig, net als een verbranding of een jeukende plek onprettig is voor een mens, om de zwerm zo chaotisch verspreid te zien. De plek die hij in de gaten moest houden, was in de buurt van het Kamp van de Grote Zon, maar niet te dicht in de buurt. Een groot aantal leden van zijn zwerm, en nog veel meer ballonvaarders uit andere zwermen, was al neergeschoten of verbrand door de verreikende projectielen van dat kamp en daarom moest hij proberen om ervoor te zorgen dat de zwerm niet daarheen afdreef, elke tegenstroom volgen, maar tegelijkertijd de regenwolken zoveel mogelijk mijden. Dalehouse had gezegd dat het moeilijk zou zijn. Maar hij had ook gezegd dat het belangrijk was.

Charlie draaide zijn oogstukken heen en weer om de hele horizon af te speuren. Geen spoor van het vliegtuig waarnaar hij uit moest kijken. Maar hij zag wel disteldons en spinzijde boven de heuvels drijven, een eind onder de zwerm. Een tegenstroom! Hij zong zijn zwerm bijeen en loosde gas.

De zwerm volgde en belandde in een luchtlaag die hen meevoerde naar een gunstiger plek, van de regen vandaan. Ze volgden hem goed, alles in aanmerking genomen. Vaardig stuurde hij hen naar de onderkant van een cumuluswolk, en ze gleden met de luchtstroom omhoog.

Het lied van de zwerm werd tevreden. Bovenaan deze onzichtbare zuilen van opstijgende lucht was het voedsel het rijkst: stuifmeel en vlinderzaadcapsules, de kleine zachte dieren die in deze ecologie de plaats innamen van de insekten op Aarde, gedroogde zoutdeeltjes en nog kleinere dingen. Een zwerm die aan het eten was zag er eigenaardig uit, met alle vinnen en sluiers uitgestoken om zoveel mogelijk voedsel te vangen. Een zwerm verkeerde ook in gevaar op zo'n moment – vroeger in ieder geeval wel. Het was een geliefde tijd voor de *ha'aye'i* om naar beneden te duiken, elke ballon die ze voorbij kwamen open te rijten en hun slachtoffers levend te verslinden, onder de hulpeloze blikken van hun zwermgenoten. Hulpeloos waren ze nu niet meer! Charlie zong een opschepperig lied over zijn grote vriend Danny Dalehouse, die hen de verreikende wapens had gegeven die de *ha'aye'i* honderd wolken ver dreven. Soms, in ieder geval. Nu beschikten alle mannen en een aantal vrouwen van de zwerm over zo'n wapen, en de *ha'aye'i* hadden Charlies zwerm leren herkennen en mijden.

Al moest ook eerlijkheidshalve worden gezegd dat hij niet meer zo aantrekkelijk was voor de luchthaaien als vroeger. Ze waren maar met zo weinig meer! Vroeger waren er honderden geweest, nu nog geen twintig.

Er was nog steeds geen vliegtuig te zien aan de horizon, en in de heuvels bij het Kamp van de Grote Zon gebeurde ook niets. Charlie ontspande zich en at, en onder het eten werd zijn stemming milder. Hij voerde de zwerm aan in liederen over jeugd en blijdschap.

Er was een tijd dat Charlie een minuscuul ballonvaardertje was, ter grootte van een erwt, zwoegend en pompend om de rimpels uit zijn kleine gasbuidel te krijgen, maar nog steeds vastzittend aan het gerafelde eind van zijn zweeflijn, een willoze prooi van de wind. Stormvlagen slingerden hem alle kanten op. Bliksemschichten schoten langs hem heen. Omdat hij zijn hoogte niet kon beheersen werd hij soms omhooggeslingerd door torenhoge convectiewolken, met de dofrode zon heet op zijn ballon, en sterren schijnend door de hemel, soms ook scheerde hij langs heuvels en over varenbomen en graaiden gepantserde of behaarde wezens naar hem terwijl hij langs tolde. Tachtig van de honderd ballonvaarders kwamen op deze heel prille leeftijd om, ten prooi gevallen aan de menigte gevaren die hen bedreigden. Nog eens tien stierven er zodra hun zweeflijn losliet en ze een smakelijk hapje werden voor de *ha'aye'i*, of soms zelfs volwassen leden van een andere – of de eigen – zwerm die behoefte hadden aan proteïne. Van elke honderd bleven er maar een paar over die zich voortplantten. En dan waren er nog de *ha'aye'i*. En de stormen. En de grijpende beesten op de grond.

Maar toch – een ballonvaarder zijn! Door de hemel scheren en zingen! Bovenal, delen in de gezongen zwerm-kennis die hen allen verenigde, van de kleinste erwtgrote ballonvaarder tot de lekkende, trage, oude reuzen die zelfs door de *ha'aye'i* werden versmaad. Charlies lied klonk triomfantelijk, en de hele zwerm staakte zijn maaltijd om mee te zingen in zijn lied.
Af en toe draaide hij zijn oogstukken naar de heuvels, maar er was nog geen spoor te bekennen van het vliegtuig en van de Nieuwe Vriend die van de grond op zou stijgen. En ze dreven met de zon mee, weg van het Kamp van de Grote Zon.
Een groot aantal leden van de zwerm was nu verzadigd en zong een persoonlijk lied van dankbaarheid. Het was een mooie zwerm, dit, al was hij, gaf Charlie toe, klein in getal.
Hij zong: 'Houd op met eten, houd op met eten! We moeten gaan!'
'Waarheen gaan, waarheen gaan?' bromde een koor van de wat tragere, nog hongerige ballonvaarders, en een persoonlijk lied steeg boven het koor uit: 'Ik moet meer eten. Ik sterf.' Het zwakke lied was afkomstig van een oude vrouw, Blauwroze Gloed. Haar gasbuidel was zwaar gehavend toen de helft van de zwerm in brand was gevlogen.
'Niet nu, niet nu,' zong Charlie bevelend. 'Volg mij!' En hij zong het nieuwe lied, het lied van plicht dat hij van zijn vriend Danny Dalehouse had geleerd. Het was niet genoeg meer om te zweven en te zingen en waterstof aan te vullen en je voort te planten. Nu niet meer. Ze moesten op een bepaalde plek blijven en een bepaalde plaats in het oog houden. En het Kamp van de Grote Zon moesten ze vermijden en ze moesten op hun hoede zijn voor de *ha'aye'i* en de zwerm moest worden bijeengehouden; er moesten zoveel dingen worden gedaan, oude en nieuwe! En dus ging hij hen voor in hun trage deinende dans door de wind.
Lange tijd leidde hij hen, onophoudelijk observerend, zoals hij had beloofd. Toch was hij niet de eerste die het zag. Ver achter hem zong de oude Blauwroze Gloed zwakjes: 'Er is een nieuw Lucht-Gevaar.'
'Blijf bij de anderen, blijf bij de anderen!' zong hij gebiedend. 'Je zingt slecht.' Hij zong het niet uit onvriendelijkheid, maar omdat het waar was.
'Ik lek,' zong ze verontschuldigend. 'Maar toch is het er, bijna binnen bereik van de Aarde-Gevaren, ver weg.'
Hij draaide zijn oogstukken en ging omhoog, naar een andere luchtstroom. Dáár. 'Ik zie het Lucht-Gevaar,' zong hij, en de rest

van de zwerm zong het hem na. Het was geen *ha'aye'i*. Het was het harde metalen ding uit het kamp van de Middelste Zon, zoals hem was verteld. Erin, wist hij, zat de Andere Vriend die af en toe gezweefd had met Danny Dalehouse, en ook de Nieuwe Vriend die hij nog nooit had gezien.
Het ging precies zoals Danny Dalehouse had gezegd. Het tweedekkertje scheerde vlak over de boomtoppen en landde op een vlak stuk grond, twaalf kilometer van het kamp van de Vetpotters. De zwerm keek toe terwijl Kappeljoesjnikov en een vrouw eruit kwamen en een net met ballonnen begonnen te vullen uit kleine cilinders.
Toen de ballonnen vol waren en ze langzaam opsteeg, steeg ook het vliegtuig op, draaide snel en scheerde de helling af naar het verre oceaan-meer. De Nieuwe Vriend schoot snel omhoog in de warmtepoolwaartse luchtstroming en ging de kant op van het Kamp van de Grote Zon.
Charlie durfde niet dichterbij te komen, maar zag haar gas lozen toen ze dicht in de buurt was. Ze dook het struikgewas in, zoals hem was verteld dat ze zou doen.
'Het is gebeurd!' zong hij triomfantelijk.
'En wat nu?' vroeg de zwerm, om hem heen draaiend, onderwijl starend naar de vallende Nieuwe Vriend.
'Ik zal het de lucht vragen,' zong hij. Zijn kleine insekteledematen worstelden met de schakelaar van de harde, glimmende spreker-tot-de-lucht die Danny Dalehouse hem had gegeven.
Hij zong een vragende groet naar zijn vriend.
Hij probeerde het een twee keer, erna luisterend, zoals Dalehouse hem had geleerd. Er was geen antwoord, alleen een onaangenaam sissend lied van atmosferische storingen en verre stormen.
'We moeten naar het Kamp van de Middelste Zon,' zong hij. 'De spreker-tot-de-lucht kan niet zo ver zingen.' Zijn vaardige ogen namen de wolken en de toppen van de varenbomen op en speurden naar de luchtstromingen die hij nodig had om terug te gaan naar zijn vriend. Het was heel jammer dat Dalehouse de laatste tijd zo zelden meer met de zwerm kon vliegen, vanwege de gehate *ha'aye'i* van zijn eigen soort, maar Charlie wist dat als hij het kamp in het oog kreeg de spreker-tot-de-lucht zijn lied over zou brengen.
'Volg mij!' zong hij. Hij verzamelde de zwerm om zich heen. Ze zakten, alle veertien, door een snel bewegende laag stratuswol-

ken, tot ze een gunstige luchtstroming vonden, dicht boven de oppervlakte.
Toen ze uit de wolken kwamen, was de oude Blauwroze Gloed verdwenen – de lekken in haar ballon waren ten slotte te groot geworden en ze was neergestort. Ook een jong vrouwtje, Schrilgil, was nergens meer te zien; zelfs haar lied was niet meer te horen.
Toen ze in de buurt kwamen van het Kamp van de Middelste Zon en Charlie in zijn radio begon te zingen, waren er nog maar twaalf ballonvaarders over in de zwerm.

Marge Menninger keek op toen Kappeljoesjnikov binnen kwam lopen en de flap van haar tent dicht liet vallen. 'Nieuws?' vroeg ze.
'Danny heeft radio gehad van gasbuidel, ja. Uw vriend is gezien toen ze neerkwam in de buurt van de Vetpotters. Ongedeerd.'
'Hoe lang geleden?'
'Bij gasbuidels zoiets nooit erg betrouwbaar. Paar uur misschien. Niet lang nadat ik was vertrokken.'
'Oké, bedankt.' Na zijn vertrek greep Marge de telefoon om de radiotent te bellen, maar bedacht zich toen. Als de Vetpotters meldden dat ze Tinka hadden gered, nadat ze hulpeloos door de wind was meegesleept en ver van haar koers was geraakt, zou de man die dienst had het haar wel laten weten. En ze had nog niets gehoord. Dus de Vetpotters speelden het stiekem en handig, en wat had Tinka in hun kamp gevonden? Waren ze erachter gekomen dat ze eigenlijk niet per ongeluk daar was beland? Kon ze . . .? Waren ze . . .? Was het niet . . .? De vragen trokken in een onafzienbare rij door haar gedachten en een recht-door-zee manier om de antwoorden te weten te komen was er niet. Je kon hopeloos stranden in dat moeras van mogelijkheden en kansen. Dat was niet de manier waarop Marge Menninger haar leven leefde. Ze nam een beslissing. Binnen één uur precies zou ze de technicus in de radiohut de Vetpotters laten opbellen om te vragen of ze iets van Tinka wisten en tot die tijd zou ze de zaak uit haar hoofd zetten.
Ondertussen duurde het nog vijftig minuten voor het lunchtijd was en waar kon ze die tijd voor gebruiken?
De vijftien zaken die ze op het kalenderblad voor deze ochtend had gezet, waren allemaal afgewerkt. Alle projecten waaraan werd gewerkt liepen volgens plan, of zo goed als. Iedereen had werk opgedragen gekregen. De eerste hectare graan zat in de

grond, zestien verschillende rassen, om te zien welk ras het het beste deed. Of deden. De verdediging was in orde. Drie torens stonden nog op het strand, klaar voor gebruik wanneer ze het terrein wilde vergroten of nog een schutterspost in wilde richten. Ze keek naar de 1:1000 kaart, twee meter lang en een meter hoog, die bijna een hele wand van de tent in beslag nam. Dat was nog eens wat! Alles binnen een omtrek van een kilometer van haar tent stond er op – zeven beken of rivieren, een stuk of twaalf heuvels, twee kapen en een paar baaien. Maar met coördinaten alleen kwam je er niet – ze hadden ook namen nodig. Was er een betere manier om aan namen te komen dan ze te laten bedenken door de mensen in het kamp? Ze zou een loterij organiseren; de winnaars mochten een naam bedenken, dan hadden ze weer wat te doen. Ze riep haar tijdelijke oppasser binnen en dicteerde een kort memo voor het mededelingenbord. 'Ga het na bij communicatie,' zei ze. 'Zorg dat we alles wat een naam verdient op een lijst zetten.'
'Ja, kolonel. Kolonel? Sergeant Sweggert wil u spreken. Zegt dat het niet dringend is.'
Margie schreef *Sweggert* op haar kalender. 'Genoteerd.' Toen zette ze ook Sweggert uit haar gedachten. Ze had nog geen beslissing genomen wat ze daaraan moest doen. Ze had een hele serie mogelijkheden, van erom lachen tot hem voor de krijgsraad slepen wegens verkrachting. Welke mogelijkheid ze koos zou voor een groot deel afhangen van hoe Sweggert zich gedroeg. Tot dusverre was hij zo slim geweest om zich gedeisd te houden.
Aan de andere kant, bedacht ze, berustte haar bevoegdheid om iemand voor de krijgsraad te slepen op het militaire gezag, dat van haar via de tactran verbinding naar nog hogere officieren op Aarde liep. En wie kon zeggen hoe lang de Aarde haar nog zou steunen? Kon het ze wel een barst schelen? Kon het ze een barst schelen of de kolonie hier het redde of ten onder ging? Het nieuws van thuis was beroerd, zó beroerd dat ze het kamp niet alles had verteld. Het tactran bericht waarin de ontvangst van haar boodschappenlijstje werd bevestigd, had gemeld dat het helemaal niet zeker was of ze alles waarom ze gevraagd had zou krijgen. En verzoeken om latere zendingen zouden 'bekeken worden in het licht van de toestand ten tijde van ontvangst van het verzoek'.
Ze had het verwacht. Maar ontnuchterend was het wel.
Op haar notitieblok schreef ze twee dingen:

Med. - bank oké?
Voedsel - schatting 6 mnd. Klopt?
1 jaar met rantsoenering?

Het was verrekte vervelend dat alle agronomen Canadezen schenen te zijn! Margie had iemand nodig die goed was en zijn kaken op elkaar kon houden – het eerste omdat wat er van hun oogsten terechtkwam waarschijnlijk ook het lot van de kolonie bepaalde en het tweede omdat ze niet wilde dat de kolonie dat te weten kwam, nu nog niet in ieder geval. Als ze alles van haar boodschappenlijstje kreeg, zou ze meer dan genoeg zaaimateriaal hebben. Maar wie wist of ze de rassen had besteld die het hier het beste deden.
Ook die gedachte zette ze uit haar hoofd.
Veertig minuten over.
Ze deed de privélade van haar bureau open en stak een stickie op. Als ze er nu eens van uitging dat ze de hele boodschappenlijst kreeg. Er stond genoeg op om de meeste rampen te kunnen overleven, en je zorgen maken had geen zin, tot het echt een keer nodig was.
Sweggert.
'Jack, stuur de sergeant binnen,' riep ze.
'Ja, kolonel. Hij is teruggegaan naar zijn post, maar ik ga 'm wel even halen.
Toen ze achterover leunde en haar gedachten over Sweggert op een rij probeerde te zetten, zoemde de intercom. Het was de radiotechnicus. 'Kolonel? Ik heb net gepraat met de Vetpotters over sergeant Pellatinka.'
'Ik heb je geen opdracht gegeven om ze op te roepen.'
'Nee, kolonel. Maar ik bleef uitzenden op haar frequentie, zoals u had gezegd, en hun radioman kwam ertussen om te vragen of we haar kwijt waren. Toen heb ik gezegd dat ze niet op mijn oproepen reageerde en ze zeiden dat ze een paar man eropuit zouden sturen om haar te zoeken.'
Margie leunde achterover en nam nadenkend een trek van haar sigaret. Volgens de ballonvaarders *moesten* de Vetpotters Tinka hebben zien neerkomen. Nu logen ze dus openlijk.

Sergeant Sweggert had een aantal karaktertrekken gemeen met Marge Menninger. Een ervan was dat hij bereid was een hoop moeite te doen om de zaken precies in orde te krijgen en als hij een kans kreeg om iets te verbeteren maakte hij daar met plezier gebruik van. Toen hij zag dat het verplaatsen van Machinegeweerpost Nummer Drie, twee meter dichter naar de oever van het meer, het schootsveld zou verbeteren, verplaatste hij Nummer Drie. Dat wil zeggen, zijn peloton verplaatste hem. Het feit dat het vijf uur keihard werken kostte, was niet van invloed op zijn beslissing. Hij hielp om het machinegeweer op zijn driepoot te zetten en draaide hem heen en weer om het schootsveld na te gaan. 'Kloten,' zei hij, 'maar voorlopig laten we het zo. Berg de munitie op.'

Hij ging ineengedoken achter het machinegeweer zitten en liet het van links naar rechts en terug draaien. Dat was iets waarin hij genoegen kon scheppen. Van de waterkant aan de linkerkant tot aan het begin van het varenwoud aan de rechterkant kon niets van enige grootte het kamp naderen zonder een levensgroot doelwit voor de schutter te zijn. De anti-infanterie mijnen en rookbommen waren ingegraven en stonden op scherp en de zender in zijn commandopost stond op de goede frequentie om ze te laten exploderen. De zoeklichten stonden op de juiste plaats en hij hield er steeds driekwart van in reserve. Om het uur ging een kwart uit en een ander kwart aan; dat gold voor de hele omgeving van het kamp, zodat je kapotte lampen of kortsluitingen op tijd zag en kon repareren. Wanneer er echt gevochten werd, zouden ze natuurlijk allemaal branden. De meeste zouden worden uitgeschoten, maar niet vlug genoeg om iemand dat open terrein over te laten steken. Niet levend.

Al was het wel zo, gaf hij toe, terwijl hij uit de koepel klauterde, dat de kans op een frontale aanval heel gering was. Misschien een luchtaanval. Misschien wel lange-afstandsraketten. Misschien wel helemaal geen aanval. Deze hele toestand was belachelijk, als je het hem vroeg. Wat was er hier godverdomme nou om voor te vechten, er was geen kroeg, er was niet eens een stad of zelfs maar een fatsoenlijke boom! Als je het hem had gevraagd, had hij dat gezegd en hij had het gemeend ook. Maar dat zou hem er niet van weerhouden hebben om ervoor te vechten.

De ballonvaarders waren nog steeds in de buurt. Sweggert keek niet rechtstreeks naar ze en de uitdrukking op zijn gezicht veranderde nietg het peloton had niets te maken met wat hij dacht. Maar in zijn hart liep hij te vloeken. De kolonel had hem een week geleden niet laten wachten. Als ze hem een douw wilde geven, waar wachtte ze dan op?. . . 'Sergeant.' Hij keek op. 'Of u naar het hoofdkwartier kunt komen.' Hij draaide zich om en zag

de korporaal zwaaien.
'Aggie, jij neemt de leiding over. Als ik terugkom en die munitie is nog niet opgeborgen, zwaait er wat.'
Hij slenterde naar de tent waar het hoofdkwartier was gevestigd en liep naar binnen. Marge Menninger zat uit een blikken bord te eten en tegelijkertijd naar een kleine viewer te kijken. Ze keek niet op. 'De verdediging ziet er goed uit, Sweggert,' zei ze. 'Staat dat machinegeweer al op z'n plaats?'
'Ja, kolonel. Kolonel? Er hangt een stelletje gaszakken rond en het exemplaar dat we gebruikten is bijna op. We worden over een paar minuten afgelost. Kunnen we de andere niet te grazen nemen met de stroboscoop?'
Ze legde haar lepel neer en keek hem aan. Na een ogenblik van stilzwijgen zei ze: 'Wie bedoel je precies met "we", soldaat?'
'O, nee, kolonel!' Jezus, wat was die lichtgeraakt! Hij besefte dat er maar heel weinig hoefde te gebeuren of hij zat in de puree. 'Ik bedoel niks, kolonel, maar het peloton heeft hard gewerkt en ze hebben wat ontspanning nodig. Het spul is binnen een uur uitgewerkt en de tweede ploeg staat toch al klaar om ons – om het peloton af te lossen.'
Ze keek hem een ogenblik strak aan. 'Oké, Sweggert, maar niet meer dan de helft van je ploeg. Hou de rest nuchter.'
'Tuurlijk, kolonel. Dank u wel, kolonel.' Hij maakte dat hij zo snel mogelijk wegkwam. Jezus, hij had voorzichtiger moeten zijn; hij wist toch hoe ze had gereageerd. Niet dat ze daar ongelijk in had. Als hij niet dronken was geweest had hij het niet gedaan. Maar God! Het was de moeite waard geweest. Toen hij zich herinnerde hoe ze geweest was, haar lichaam vol nevel, voelde hij een steek door zijn onderbuik gaan.
Toen hij weer terug was bij het peloton, keek hij ze afkeurend aan. Korporaal Kristianides was mager en had tochtlatten langs haar wangen, maar zij was de beste van het stel. 'Aggie, neem Peterson en vier anderen en blijf hier tot je wordt afgelost. Kris, jij en de anderen gaan met mij mee. Op naar de gaszakken voor een lolletje. Als iemand niet wil, moet hij maar ruilen met iemand die niet wil blijven. Kom mee.'
De ballonvaarders hingen nu boven het oceaan-meer, een halve kilometer van hen vandaan, heel laag boven de grond. Sweggert liep aan het hoofd van zijn groepje het kamp door naar de lege tenten aan het einde van de 'straat' die dwars door het kamp liep; hij deed het in de open lucht als hij moest, maar tegen een beetje privacy zei hij geen nee. De ballonvaarders van het kamp,

oorspronkelijk opgenomen omdat ze gewond waren door *ha'aye'i,* maar nu verder dan ooit van herstel verwijderd, waren al dagen daarvoor daarheen overgebracht, en het stroboscopische zoeklicht ook.
Sweggert bleef staan en begon te vloeken. Nana Dimitrova en Dalehouse stonden te praten met de ballonvaarder en een paar meter verderop stond de Russische piloot, Kappeljoesjnikov, zich over iets te beklagen bij kolonel Tree. Jezus, daar ging z'n privacy. Maar het maakte eigenlijk ook niet veel uit, hij had toestemming van kolonel Menninger en daar ging het om. Hij pakte het stroboscopische zoeklicht en richtte het op de zwerm.
Dalehouse bemoeide zich ermee – dat was te voorspellen. 'Wat voer jij daar uit, Sweggert?'
Sweggert richtte eerst de flitser en knipte hem aan en uit om de zwerm naar het kamp te laten komen. 'Gewoon, een lolletje. De kolonel heeft gezegd dat het oké was.'
'Ja, vast! In ieder geval ben ik . . .'
'Waarom gaat u het niet aan haar vragen als u me niet gelooft? Wilt u opzij gaan, kapitein? U staat tussen de gaszakken en het licht in.'
Ana Dimitrova legde haar hand op Danny's arm om hem ervan te weerhouden antwoord te geven. 'Het is niet leuk voor de ballonvaarders, sergeant Sweggert. Geen lolletje. Voor hen is een seksuele climax heel pijnlijk en verzwakkend. Deze hier is er ernstig aan toe. Als u die lamp gebruikt sterft hij misschien wel.'
'Prachtmanier om dood te gaan, hee, Ana?' grijnsde Sweggert. 'Spreek er de kolonel maar over aan – hee, Dalehouse, wat doe je nu?'
Dalehouse had zijn radio aangezet en zong er zachtjes in. Kolonel Tree liep met een belangstellende uitdrukking op zijn gezicht naar hen toe en Sweggert probeerde bij hem steun te krijgen. 'Kolonel! We hebben toestemming van kolonel Menninger om de gaszakken te laten spuiten en nou zegt deze vent hier dat ze weg moeten blijven!'
Tree bleef staan, zijn handen op zijn rug en knikte ernstig. 'Een dilemma,' zei hij met zijn zachte kinderstem. 'Ik ben benieuwd naar hun reactie.'
Die reactie bestond eruit dat ze hun formatie verbraken; sommigen lieten zich zakken naar een luchtlaag die hen naar de kust voerde, anderen aarzelden. Ze zongen luid en chaotisch, en de geluiden kwamen tegelijkertijd uit de hemel en blikkerig uit Danny's radio. Sweggert bleef doodstil staan en probeerde de

woede baas te blijven die in hem opwelde. God allemachtig! Als je toestemming had van de commandant had je toch alles wat je nodig had? Waarom hielp Tree hem niet? 'Geef hier dat ding,' gromde hij, terwijl hij zijn hand uitstak naar de radio.
Maar de uitdrukking op het gezicht van Dalehouse was veranderd. 'Afblijven' snauwde hij, en zong een snelle frase. Het antwoord was een waterval van welluidende klanken; Dalehouse keek geschrokken en de hand van Ana Dimitrova vloog naar haar mond. 'Tree! Volgens Charlie zijn er een paar Krinpit aan het strand en eten ze twee mensen op.'
'Maar Krinpit eten geen mensen,' wierp kolonel Tree tegen.
Dalehouse herhaalde zijn vraag in de radio en haalde zijn schouders op. 'Charlie zegt van wel. Hij zou het best mis kunnen hebben wat het opeten betreft – hij heeft geen duidelijk begrip van doden, behalve als manier om aan voedsel te komen.'
Sweggert legde de flitser neer. 'We kunnen het maar beter aan de kolonel gaan vertellen.'
'Inderdaad,' zei Tree. 'Dat doe jij, Dalehouse. Sergeant, stel je peloton op aan het strand, binnen dertig seconden, en met volledige bewapening. We gaan een kijkje nemen.'

Een half uur later kwam Marge Menninger zelf, met dertig soldaten achter zich aan, Sweggerts peloton tegen dat langs het strand op de terugtocht was. Er waren geen doden, in ieder geval niet aan de zijde van het Voedselblok, maar ze droegen wel twee mensen. Een van de twee hing in een soort draagbaar van twee aan elkaar geknoopte uniformjasjes en Sweggert had de tweede in een brandweergreep op zijn schouder. Ze waren allebei dood. Toen Sweggert zijn last neerlegde, werd meteen duidelijk waarom hij zo gemakkelijk te dragen was geweest. Beide benen ontbraken, en ook een stuk van het hoofd.
Het andere lichaam was minder ernstig verminkt, zodat Marge Menninger het meteen herkende.
Het was Tinka.
Ze staarde dof voor zich uit terwijl Sweggert rapport uitbracht. Geen Krinpit te zien; ze waren er vandoor gegaan en zo ver weg dat ze zelfs niet meer te horen waren. De beide mensen waren dood toen ze ze vonden, maar nog niet lang: de lichamen waren nog warm. Ze waren trouwens nog steeds warm. En de man had iets in zijn hand, in een waterbestendige verpakking. Marge nam het aan en maakte het open. Microfiches – tientallen microfiches. Een identiteitskaart, waaruit bleek dat het de Indonesiër

was die Tinka's contact was in het kamp van de Vetpotters. Een brilletje, voor een kind, leek het wel – en met vensterglas erin, niet geslepen; waarom? En als je toch aan het vragen was, hoe? Waren ze betrapt en toen toch op de een of andere manier ontsnapt? En hoe hadden ze de lange afstand afgelegd van het kamp van de Vetpotters naar de plek waar ze waren gedood?
Toen ze op de basis terug waren, was er een antwoord op die laatste vraag. Van Dalehouse hoorde ze dat de ballonvaarders iets hadden gezien dat wel op de resten van een leeggelopen rubberboot leek, een eind verderop langs het water. Ze liet het brilletje heen en weer zwaaien aan de elastieken band terwijl ze luisterde, knikkend, en alle gegevens in zich opnam voor latere verwerking. Ze was nog niet zover dat ze Tinka's dood kon voelen als een pijn.
Ze keek naar de bril. De glazen waren nu heel donker.
'Dat is interessant,' zei ze, met een stem die bijna normaal klonk. 'Het moet lichtgevoelig glas zijn. Net als een zonnebril die donkerder wordt als de zon feller gaat schijnen.' Ze keek naar de norse rode kool van Kung die boven haar aan de hemel hing. 'Maar wat heb je aan zoiets op Jem?'

17

Zes kilometer van de plek waar hij de Gifgeesten had gedood, staakte Sharn-igon zijn vlucht en begon een ondiep gat te graven onder een overhangende rots. Hij moest zich verbergen omdat hij uit moest rusten.
Graven was altijd gevaarlijk voor een Krinpit, vanwege de Geesten Beneden. Maar het was onwaarschijnlijk dat die hier in de buurt zouden zijn. Te dicht bij het water; ze liepen liever niet het gevaar dat hun tunnels volliepen. En de veel-boom op de rots boven hem was een goed teken; ze hielden niet van de wortels.
Toen hij zich in de kuil liet zakken, vroeg Sharn-igon zich even af wat er geworden was van zijn makker in de strijd, de Gifgeest Dulla. Hij voelde zich niet bezorgd om het welzijn van de ander, zoals je je bezorgd kunt maken om een medemens. Zo zag hij Dulla niet. Dulla was een wapen, een werktuig, niet een persoon. Nadat ze de Gifgeesten die Dulla 'Vetpotters' noemde, hadden gedood, waren ze allebei gevlucht en natuurlijk was Dulla sneller en verder gevlucht. Sharn-igon zag dat niet als verraad. Als hij snel was geweest, en Dulla langzaam, zou hij zeker hetzelfde hebben gedaan. Dulla's nut als werktuig lag in zijn snelheid en in zijn vermogen om dingen te zeggen die ervoor zorgden dat andere Gifgeesten aarzelden, onzeker werden, en in die tijd kon Sharn-igon ze overvallen en doden. Het was zó gemakkelijk om Gifgeesten te doden! Een paar houwen, een klap met de knotsklauw, dat was alles wat ervoor nodig was. Soms hadden ze wapens en Sharn-igon had een paar van die wapens leren respecteren. Maar het tweetal op het strand had zo weinig gehad, een helder klinkend vuurwapen, waarvan de kleine kogels afketsten op zijn pantser, een ding dat een smerige, stinkende geur spoot, waardoor hij zich heel even vreemd en onprettig voelde, maar dat hem verder geen last bezorgde. Deze wezens kon hij met of zonder zijn werktuig, de Gifgeest Dulla, doden.
Hij bewoog zijn schild heen en weer om zich wat dieper in te graven en rustte uit, zijn geluidsreceptoren waakzaam op het water gericht, zijn voelsprieten diep in de grond gestoken om de trillingen op te vangen van Geesten Beneden als die in de buurt kwamen. Voor hen was hij meer bevreesd dan voor de gevaren

die over water of over het strand konden komen.
Natuurlijk was een volwassen Krinpit onder normale omstandigheden opgewassen tegen tien en meer Geesten Beneden, als hij tenminste aan de oppervlakte kon blijven, of binnen geluid ervan. Boven de grond schenen Geesten Beneden doof te zijn en op goed geluk rond te lopen. Maar dit waren geen normale omstandigheden. Sharn-igo was niet alleen vermoeid, hij voelde zich ziek. Hij voelde zich geprikkeld, gespannen, opgezwollen. Tegen zijn hij-vrouw Cheee-pruitt (maar Cheee-pruitt was al maanden dood, en zijn schild droog) zou hij hebben gezegd dat hij op het punt stond om krassend uit zijn pantser te barsten. Maar daarvoor was het niet het juiste ogenblik. Het zou nog heel wat maanden duren, dus het kon niet de normale spanning zijn die aan elke pantserwisseling voorafging.
Abrupt ontspande zijn sluitspier zich. In een grote stroom kwam alles eruit wat hij gegeten had, vlees van doofwormen, stukken chitine van krab-ratten, halfverteerde vruchten en zwammen en bladeren.
Na het overgeven was hij zwak, maar kalm. Nadat hij eerst wat had gerust, bedekte hij de rommel en begon toen methodisch zijn pantser te reinigen. De Gifgeesten namen natuurlijk wraak voor hun dood op het strand. Resten van hun vlees moesten nog aan zijn pantser zitten en maakten hem ziek. Dat was het, plus de innerlijke ziekte die over hem gekomen was toen de Gifgeesten naar zijn stad waren gekomen, en de onafwendbare keten van gebeurtenissen was begonnen die alle vreugde in zijn leven hadden gedood.
Krinpit huilden niet. Ze hadden geen traanklieren en geen ogen voor die traanklieren. Ze kenden wel verdriet en hun beschaving legde hen geen taboes op over de manier waarop ze uitdrukking gaven aan dat verdriet. Ze gaven er uitdrukking aan door stil te zijn. Een stille Krinpit – een zo stil mogelijke Krinpit – was een huilende Krinpit.
Nadat hij het laatste beetje opgedroogd buitenaards bloed van zijn schild had verwijderd, bleef Sharn-igon bijna een uur lang stil: een raspend geluid van klauw tegen pantser, af en toe een zacht gekreun, verder bijna geen gerucht.
Ongevraagd drongen zich geluiden uit gelukkiger tijden op en weergalmden in zijn gedachten. Hij hoorde Cheee-pruitt weer, en het kleine vrouwtje – hoe heette ze ook al weer? – dat ze hadden bevrucht en die hun jongen gedragen had. Het was een heerlijk wezentje geweest. Ze had bijna een eigen persoonlijk-

heid gehad, nog afgezien van de bitterzoete aantrekkelijkheid van elk zwanger vrouwtje, en haar jongen waren gegroeid en hadden haar van binnenuit opgegeten tot er teveel werd vernietigd en ze was gestorven en hun kinderen vraten haar pantser leeg en kwamen de luide, opwindende wereld van hun vrouw-vaders rug in.
Maar nu was alles veranderd.
Het was allemaal de schuld van de Gifgeesten! Nadat de eerste was gekomen en Cheee-pruitt, zijn lieve, dode Cheee-pruitt, zo onverstandig was geweest om te proberen hem op te eten, was Sharn-igons wereld in duigen gevallen. Het was niet alleen Cheee-pruitt – het was echt zijn hele wereld. De Krinpit die hij had opgezet tegen de Gifgeesten die door Dulla Vetpotters werden genoemd, waren streng gestraft. Zijn eigen dorpsgenoten waren vanuit de lucht aangevallen en hoeveel van hen waren niet omgekomen? En hoeveel Gifgeesten had hij weten te doden? Een paar. Nauwelijks de moeite waard. De twee op het strand, de drie die hij en Dulla hadden verrast bij hun tenten – niet genoeg! En al Dulla's plannen waren op niets uitgelopen; het Krinpit dorp dat het dichtst bij de Vreters lag had geaarzeld en getalmd, beloofd om mee te doen met een overval en die belofte weer ingetrokken, en ondertussen was het enige wat hij en Dulla konden doen rondzwerven als krab-ratten, op zoek naar eenzame Gifgeesten, zonder ze te vinden. Tot deze twee uit hun zinkende vaartuig waren gekomen . . .
Er kwam een geluid van het water.
Sharn-igon verstijfde. Hij kon niet helemaal stil zijn terwijl hij ademde, maar hij deed zijn best.
Hij luisterde in zijn ondiepe kuil en hoorde een kleine, bijna onhoorbare, vage echo van het water terugkaatsen. Een bootje. Met een Gifgeest erin.
Zou hij er nog een kunnen doden? Het bootje kwam dichterbij. Sharn-igon kwam overeind uit de kuil om zich te verdedigen en toen hoorde hij zijn eigen naam, geschreeuwd door de Gifgeest: "Sharn-igon!' En toen de barbaarse geluiden die de naam waren van de bondgenoot die hij niet vertrouwde, de vijand met wie hij een wapenstilstand had gesloten: 'OCK med doel LAH.'
Hij haastte zich over het strand, half om Dulla te begroeten, half met het voornemen hem te doden, terwijl Dulla hem toeschreeuwde: 'Vlug wat! De Vreters zoeken vast en zeker de hele kust af en we moeten ervandoor!'

Met Sharn-igon aan boord lag het bootje heel laag in het water. Zinken kon het niet gemakkelijk, daarvoor zat er teveel lucht in de celwanden. Maar vollopen kon het wel.
Bij de overtocht over het Brede Water gebeurde dat vaak, en dan hoosden ze allebei en hielden ondertussen waakzaam de lucht in de gaten, met oog en oor, om te zien of er soms Geesten Boven op kwamen dagen, tot ze weer verder konden. Het zeiltje hielp wanneer de wind gunstig was, maar er was geen kiel. Als de wind draaide, moest het zeil omlaag worden gehaald en roeiden ze verder. Het scheen een eeuwigheid te duren en Sharn-igon voelde zich steeds zieker worden en tijdens de hele tocht vlogen de beschuldigingen en verwijten over en weer.
'Als jij er niet geweest was zou mijn hij-vrouw nog in leven zijn.'
'Dat is dwaas gepraat, Sharn-igon. Hij probeerde ons te doden; het is niet onze schuld dat hij daarbij omkwam.'
'En mijn dorp is aangevallen en een ander dorp is geheel verwoest en zelf ben ik ziek.'
'Praat ergens anders over, Sharn-igon. Praat over de beloften van de Krinpit om mee te doen aan de aanval op de Vreters en over het niet nakomen van die beloften.'
'Ik spreek over mijn verdriet en mijn woede, Ahmed Dulla.'
'Spreek dan ook over de mijne! Ook wij hebben geleden bij de strijd tegen de gemeenschappelijke vijand.'
'Geleden.'
'Ja, geleden! Voor mijn radio werd vernield – door jou, Sharn-igon, door jouw onhandigheid! – ving ik al niets meer op van mijn kamp. Niet één stem . . . Misschien zijn ze wel dood, allemaal!'
'Hoeveel, Ahmed Dulla?'
'Twaalf mensen, of nog meer.'
'Er zijn dus twaalf van jouw ras dood. Van ons, hoeveel? Personen: tweehonderd. Vrouwtjes: veertig. Ruglingen en kinderen . . .'
Maar pas toen ze het Grote Water waren overgestoken en Sharn-igon de stilte hoorde die uit zijn stad kwam, besefte hij de reikwijdte van de tragedie die hier had plaatsgegrepen. Er kwamen geen geluiden uit de stad. Alleen maar echo's, en wat voor echo's!
Hiervóór was de stad als ze hem over het Brede Water naderden, steeds een bonte mengeling van prachtige geluiden geweest. Dit keer niet. Hij hoorde niets. Niets! Geen gezoem van onvolwassen mannetjes aan de waterkant terwijl ze de gevangen vissen in

stukken scheurden. Geen liederen van de schimmeleters op de Grote Witte Weg. Geen gehamer van stadgenoten die aan het werk waren bij het nieuw gewonnen land en het voorzagen van een palissade. Hij hoorde de vage weerkaatsing van zijn eigen geluiden en herkende de schemerige contouren van de rotsen waaraan de boten afmeerden, een paar schuren, twee, drie boten, een paar half vernielde bouwsels, een menigte lege pantsers. Verder niets.
De stad was dood.
De Gifgeest, Dulla, praatte bezorgd tegen hem en Sharn-igon ving wat losse woorden op: 'Een tweede aanval! Er is niemand meer. De Vetpotters moeten zijn teruggekomen om het karwei af te maken.'
Hij kon geen antwoord geven. Een zwijgen overweldigde hem, een groot, rouwend stilzwijgen, zó diep dat zelfs de Gifgeest zich naar hem omdraaide en verbaasd vroeg: 'Ben je ziek? Wat is er aan de hand?'
Met veel inspanning kraste Sharn-igon een antwoord. 'Jij hebt mijn stad gedood, en al mijn ruggenoten.'
'Ik? Wij? In geen geval! Het kunnen de Volksrepublieken niet geweest zijn, we hebben er de kracht niet meer voor. Het moeten de Vetpotters zijn geweest.'
'Tegen wie je hebt beloofd ons te beschermen!' brulde Sharn-igon. Hij verhief zich op zijn achterbenen boven Dulla en de Gifgeest kromp angstig ineen. Maar Sharn-igon viel niet aan. Hij wierp zich naar voren, het bootje uit, met een massale klets die het water hoog deed opspatten. Het was hier niet diep. Sharn-igon wist een paar van zijn achterbenen op de modderige bodem te houden, terwijl genoeg adem poriën boven de oppervlakte waren om hem voor verdrinken te behoeden. Hij schoot in een schuimende V het water door en het strand op.
De tragedie maakte hem telkens weer stil, bij elke nieuwe stap en bij elke nieuwe echo. Dood! Allemaal dood. De straten leeg, afgezien van lege pantsers, al verdroogd. De winkels – leeg. De huizen – verlaten. Nergens een levende man, een levende vrouw, zelfs geen heen en weer dravende, kwetterende jongen.
Dulla waadde door de stank van dode, ronddrijvende Krinpit heen, het bootje achter zich aan trekkend en staarde om zich heen. 'Wat afschuwelijk! Nu zijn we meer dan ooit broeders, Sharn-igon.'
'Al mijn broeders zijn dood.'
'Wat? O, ja, zeker. Maar wij moeten als broeders zijn, om wraak

te kunnen nemen! We moeten bondgenoten zijn tegen de Vetpotters en de Vreters.'
Sharn-igon richtte zich op en drukte hem tegen de muur van een vernielde schuur aan. 'Ik heb nu nieuwe bondgenoten nodig, Ahmed Dulla,' knarste hij, terwijl hij zich naar voren stortte. Het laatste ogenblik zag Dulla wat de Krinpit wilde en probeerde te ontsnappen. Maar het was te laat; zijn snelheid was niet genoeg. Toen hij wegdook voor de grijpende scharen trof de moordende knots van chitine hem met volle kracht op het hoofd en verbrijzelde het.
Toen hij er heel zeker van was dat Dulla dood was, wankelde Sharn-igon weg en baande zich log een weg door de verdroogde pantsers van zijn vroegere vrienden, tot hij trillend tot rust kwam tegen de wand van een winkel die hij vroeger gekend had.
De dood van nog een Gifgeest schonk hem weinig voldoening. Hij treurde niet meer om de dood van zijn stad. Hij voelde een pijn die hem persoonlijker trof. Zijn gewrichten deden pijn, zijn lichaam voelde opgezwollen aan, zijn pantser scheen open te willen barsten. Het was niet de goede tijd. Maar er was geen twijfel over mogelijk. Alleen in het open graf dat vroeger zijn woonplaats geweest was, met niemand om voor hem te zorgen, terwijl hij hulpeloos was, begon hij te verpantseren.

18

Half twee in de 'ochtend'. Majoor Santangelo met de piloot-mijnbouwkundig ingenieur die het derde schip had bestuurd. 'Goed nieuws, Margie. Er zit een flinke laag kolen in de Bad Hills, twee kilometer hier vandaan. En verder kunnen we hout en biomassa verstoken, en Richy hier zegt dat we een stoomketel kunnen maken van stukken huid van een van de landingsvaartuigen. Als die turbine van je komt, betekent dat dat we de generator op vol vermogen kunnen laten draaien, vijftig kilowatt, zonder onze brandstofreserves aan te hoeven spreken.'
'Wanneer?'
'Tien dagen?' zei Santangelo met een blik op de ander. 'Zeg twee weken.'
'Zeg één week,' snauwde Margie. 'En alcohol?'
'Ja, Morrissey heeft een soort gist – iets dat op gist lijkt – nou ja, hoe dan ook, er fermenteert iets. Morgen gooit hij de eerste partij door de zonnedestillator. Je kunt het waarschijnlijk al ruiken.'
'Saint, ik kan het *proeven*. Ik heb die alcohol hard nodig, anders moeten we zo meteen het vliegtuig aan de grond houden omdat er geen brandstof meer is.'
'Ik zal met 'm gaan praten.'
'Doe dat.' Toen ze weg waren, pakte ze de walkie-talkie en riep de radiokamer op. 'Al een G.T.A.?'
'Nee, kolonel. Ze zijn nog steeds in een omloopbaan en rekenen uit hoe ze kunnen landen op het beetje brandstof dat ze nog hebben.' Ze verbrak de verbinding. Het bevoorradingsschip bevond zich in ieder geval in een baan om Jem en was geen lichtjaren ver meer. Maar het laatste stuk bezorgde nog de meeste hoofdbrekens. De kapitein had verteld dat hij maar heel weinig brandstof meer had en dat hij wachtte tot ze de beste landingsprocedure hadden berekend. Dat kon nog dagen duren! En de situatie was waarschijnlijk nog ernstiger. Als ze waren gelanceerd zonder een flinke reserve, betekende dat dat de zaken er op Cape Canaveral beroerd voorstonden. Nog beroerder dan uit de gecodeerde tactran berichten van de Aarde was gebleken, en die waren somber genoeg.
Ze keek op haar horloge. 'Stuur de dokter maar naar binnen,'

riep ze, en Chiche Arkashvili kwam het ogenblik daarop binnen met een kop dampende zwarte koffie.
'Voor medicinale doeleinden, Margie. Maar een beetje meer slaap zou beter zijn.'
Marge snoof waarderend en nam een slok van de hete koffie. 'Ik wou dat ze landden,' zei ze bezorgd. Een van de dingen die ze op haar verlanglijstje had staan waren koffiebonen, of zaden, of wat je nodig had om zelf koffie te verbouwen. Anders zouden de eerstvolgende paar jaar wel eens koffieloos kunnen zijn. Natuurlijk hadden de Vetpotters al koffie in de grond gestopt. Waar haalden ze anders het gore spul vandaan dat ze in die koperen potjes brouwden? Maar waarschijnlijk gaven ze het niet weg. Ze gaven trouwens nu niets meer weg, niet eens inlichtingen over de radio; en de Fokkers gaven helemaal geen antwoord meer.
Het kamp was in ieder geval kerngezond, volgens Chiche. De anti-allergie injecties werkten naar behoren en verder was er op Jem niets waarvan een mens ziek kon worden. Een paar mensen hadden hoofdpijn, waarschijnlijk van het klimaat en door de overgang naar een dag van vierentwintig uur. Hier en daar een vulling; een blindedarm die in de gaten gehouden moest worden; een aanvraag voor sterilisatie . . . 'Nee,' zei Marge scherp. 'Geen sterilisaties. Niet van mannen en niet van vrouwen.'
De arts keek nadenkend. 'Dan krijg je onherroepelijk zwangerschappen.'
'Daar ben jij toch voor? Hoe dan ook, geef ze de pil, een pessarium, condooms – alles wat tijdelijk conceptie verhindert. Ik heb een spiraaltje en dat bevalt me best, en ik kan het altijd weghalen als ik een kind wil.'
'Wil je dat?'
'Misschien *moeten* alle vrouwen wel, Chiche. Maar iedereen die kinderen kan maken en krijgen, moet zo blijven. Hoe gaat het met de babybank?'
'Gaat prima. Ik heb achtentwintig ova in de diepvries en ongeveer honderd spermamonsters.'
'Goed, Chiche, maar niet goed genoeg. Ik wil dat honderd procent meedoet. Als er iets met iemand gebeurt, wil ik niet dat zijn genen verloren gaan. Of de hare. Ze nemen niet veel plaats in beslag, dus ik wil, zeg, vier monsters van iedereen, en – waarom sta je nou te grijnzen?'
'Nou, een paar ova bleken al bevrucht te zijn. Het geeft niet, hoor. Ze blijven onbeperkt goed in de vriezer, maar wanneer je

ze weer in wilt laten planten, hoef je dus verder geen moeite te doen.'
'Hm.' Margie krabde nadenkend aan haar buik. 'Ik heb er bijna spijt van dat je ze weggehaald hebt; we zouden nu meteen met kinderen kunnen beginnen. Wie waren het? Kom op, Chiche, geen gezeur over beroepsethiek; ik ben je commandant.'
'Een van die twee was Ana Dimitrova.'
'Jezus! Van wie is dat kind?'
'Je kunt het haar vragen als je wilt. Ik heb het niet gedaan.'
Verbijsterd schudde Margie haar hoofd. 'Aan haar zou ik nou het laatst hebben gedacht. En de ander? Hee, dat kan niet! Ik toch zeker niet? M'n spiraaltje . . .'
'Een spiraaltje verhindert niet dat een ovum bevrucht wordt, het zorgt er alleen maar voor dat het zich niet vasthecht in de baarmoeder en daar tot ontwikkeling komt.'
Margie liet zich in haar stoel vallen en staarde de arts verbluft aan. 'Wel heb ik ooit!'

Nguyen Dao Tree was tien minuten te laat voor zijn afspraak van twee uur en arriveerde met slaperige oogjes en een narrig gezicht. 'Deze vierentwintiguursdag van jou is niet bepaald prettig, Margie.'
'Jij bent niet de enige die er last van heeft, Guy. Ik heb zelf de dienst van middernacht tot acht uur genomen. Als je de tijd die voor slapen is uitgetrokken nou sliep, in plaats van elke vrouw te grijpen die je grijpen kunt . . .'
'Wat dat betreft, Marjorie, ik vond het veel prettiger toen jij en ik hetzelfde slaapschema aanhielden.'
'Ja, dat zal best. Misschien moeten we daar nog wel eens wat aan doen, Guy, maar voorlopig zijn we te laat voor de inspectie.' Ze nam een laatste slok koffie, koud, maar nog steeds lekker, en liep voor Tree uit naar buiten. Afgezien van wat persoonlijke klachten functioneerde de drieploegendag goed. Pluspunten waren dat het kamp goed werd bewaakt, er elke dag tweeduizend vierkante meter landbouwgrond bij kwam en het trainingsschema dat Santangelo had georganiseerd om ervoor te zorgen dat iedereen zijn vaardigheden aan minstens één ander leerde (als Chiche Arkashvili nu eens stierf? Of de enige agronoom die ze hadden?) behoorlijk draaide. Minpunten waren dat uit luchtvaartverkenningen was gebleken dat grote aantallen Krinpit rondzwierven in de bossen, dat koffie niet het enige was waar ze niet veel meer van hadden en dat het bevoorradings-

schip nog steeds niet kon zeggen wanneer het zou landen.
Margie trok elke dag een uur uit voor haar inspectie en ze gebruikte elke minuut van dat uur. Geen zijden handschoenen, geen geouwehoer over trivialiteiten. Als iedereen zijn werk maar deed en het werk gedaan werd, vond ze het verder best. Haar opa in Bastogne had er ook niet op gelet of zijn soldaten gladgeschoren waren; het enige waar hij om gaf was of ze konden vechten. En Margie had geleerd wat er geëist werd van de commandant van een belegerd fort.
Want dat waren ze. Niemand had de nederzetting aangevallen, nog geen ronddwalende Krinpit. Maar ze waren geïsoleerd, in een wereld vol vijanden. Via spionagesatellieten en ballonvaarders, uit gebroken codes en wat ze vernamen tijdens de schaarse contacten over de radio, en bovenal uit de inhoud van de waterbestendige map van de Indonesiër, uit dat alles had Margie een behoorlijk betrouwbaar beeld weten te vormen van wat de Vetpotters uitvoerden. Wat ze een paar weken geleden uitvoerden. Ze hadden het kamp van de Fokkers bezet, ze hadden om mensen en apparatuur gevraagd in hoeveelheden die haar deden likkebaarden. Zelfs haar brief aan Sinterklaas (die nu misschien wel om Jem draaide en wachtte op het goede ogenblik om zijn zak met cadeautjes uit te pakken) was niet zo hebberig geweest. Ze hadden de plaatselijke bevolking eronder gekregen, blijkbaar door alle Krinpit in de buurt uit te moorden en elke ballonvaarder die in de buurt kwam neer te schieten. Hun Gravers schenen ze te hebben getemd. En nu gebruikten ze ze voor het verkennen van hun voorraden delfstoffen, want de Vetpotters hadden hun kamp opgeslagen op een reusachtige voorraad olie en een nog grotere hoeveelheid andere fossiele brandstoffen. Ze hadden een enzym bedacht, of misschien was het wel een hormoon – dat had ze niet precies kunnen afleiden uit de beschikbare gegevens – dat Krinpit buiten gevecht stelde doordat het een pantserwisseling teweegbracht. Van de Gravers hadden ze iets gekregen waarmee ze van gewone grond gebouwen konden maken – op dezelfde manier als de Gravers zelf de binnenkant van hun tunnels hard maakten. Ze hadden – Jezus, wat ze allemaal niet hadden gedaan! Als haar vader maar naar haar had geluisterd en haar goed had geholpen, had ze precies hetzelfde gepresteerd!
Niet dat ze het er slecht had afgebracht. Maar voor Marge Menninger bestond er geen tweede plaats en op dit ogenblik beheersten de Vetpotters de hele planeet, afgezien van de tien,

twaalf hectare van haar eigen kolonie. Hun vliegtuigen kwamen overal, meldden de spionagesatellieten. Ze hadden nu drie afzonderlijke kolonies, als je het kamp van de Fokkers – die waarschijnlijk niet meer leefden – meetelde. Afgezien van de paar keer dat ze Kappeljoesjnikov de lucht in durfde te sturen was ze blind en moest ze afgaan op satellieten en de paar ballonvaarders die nog in leven waren. Ze hield zelfs Danny Dalehouse aan de grond. Niet alleen vanwege de risico's die hij liep – alhoewel, dat was op zich wel een reden, zei ze tegen zichzelf; ze wilde niet dat hij omkwam – maar ook omdat de elektriciteit die nodig was voor zijn waterstof beter gebruikt kon worden voor de zoeklichten en de lampen die het zaaigoed beschenen. Verder had ze hem in de leer gedaan bij de agronoom, samen met Morrissey en het Bulgaarse meisje – wacht eens even, dacht ze bij zichzelf, Dalehouse en Dimitrova? Misschien. Niet waarschijnlijk. Ze waren wel aardig tegen elkaar geweest, maar ook weer niet zó aardig. Maar wie dan?
Trouwens, dacht ze, met een blik op Guy Tree die stond te praten over maatregelen bij een grootscheepse Krinpit-aanval, wie was de vader van haar eigen 'kind'? Dalehouse? Tree? Die schoft van een Sweggert met z'n gisse geintjes? Deze drie kwamen het eerst in aanmerking, maar wie van de drie? Maar belangrijker dingen gingen voor. 'Zijn er boogschutters in het kamp?'
Tree zweeg middenin een voorstel om een paar kano's te bewapenen. 'Wat?'
'Mensen die weten hoe ze met een boog om moeten gaan, verdomme. Er moeten er een paar zijn. Ik wil een wedstrijd organiseren, in het kader van het sportprogramma.'
'Dat er boogschutters zijn, lijkt me heel waarschijnlijk, Marjorie. Maar ik geloof niet dat er bogen en pijlen zijn.'
'Als ze weten hoe ze er mee om moeten gaan, weten ze toch ook wel hoe ze ze moeten maken? Hoe dan ook, het staat wel op een microfiche. Zet er vaart achter, Guy. We geven de winnaars een prijsje. Koffie, sigaretten. Ik zet een fles whisky in.' De gedachte die in haar opgekomen was toen hij het erover had om een licht machinegeweer op te stellen in een kano, was dat de voorraad munitie ook niet onbeperkt was, maar dat wilde ze zelfs tegen haar plaatsvervangend commandant niet zeggen.
Tree keek verwonderd, maar maakte toch een aantekening in zijn boekje. 'Je zou er bij het jagen wel wat aan hebben, denk ik.'
Margie knikte zonder antwoord te geven. Jagen op wat? Elk dier

dat ze op deze planeet gezien hadden, was zo zwaar gepantserd dat het om een huisvlijtboog kon lachen – een stevige blunder van de evolutie, daar was ze van overtuigd. Maar ze ging er verder niet op door.
Toen ze de energievoorziening inspecteerden, kwam een koerier van de radiohut aandraven. 'Het schip is aan het landen, kolonel!' rapporteerde ze hijgend. 'Ze hebben de retroraketten al aan. Over een paar minuten komen ze in zicht.'
'Goddank,' zei Margie. 'Roep het maar om. Guy, neem twintig man mee om te lossen. Zeg tegen majoor Arkashvili dat ze klaarstaat om te helpen voor het geval dat het een we landing wordt.'
Het werd geen ruwe landing. Maar ook geen goede. De parachutes schoten op tijd naar buiten, het schip daalde zwaaiend aan de drie bolle parachutes, die werden ook op tijd afgestoten en het laatste stuk ging weer met de raketten. Maar het schip haalde het strand waar de andere schepen waren geland niet. Het kwam bijna een kilometer te kort en verdween in de jungle.

Gelukkig was er niemand gewond geraakt. De vijftien man die aan boord waren, bereikten allemaal op eigen kracht het kamp, en twaalf van die vijftien waren jong en vrouwelijk; wat dat betreft had Godfrey voldaan aan de verlangens van zijn dochter. Maar het vervelende was dat alles over een afstand van achthonderd meter moest worden vervoerd – achthonderd meter zwaar terrein, jungle en zes ravijnen. Maar dat gaf niet. Het was tenminste op Jem. En toen Margie haar ogen over de lijst met goederen liet gaan, werd ze wat kalmer. Het was er allemaal, alles wat ze gevraagd had, en nog meer. Zaden en handgereedschappen, wapens en handboeken. Het was niet genoeg, genoeg bestond op Jem eenvoudigweg niet. Maar het was alles wat ze had willen hebben.
Het voornaamste was nu om het allemaal binnen het kamp te krijgen. Dat betekende dat er ploegen op uit moesten, begeleid door soldaten. Bij de plek waar het schip was geland, waren geen Krinpit waargenomen, maar de bossen zaten er vol van. Pas toen de eerste ploegen terugkwamen met kisten voedsel, dozen microfiches, vouwfietsen en kratten met elektronische onderdelen week Margies spanning een beetje en begroette ze de nieuwkomers. Ze drukte iedereen de hand, vroeg hoe hij of zij heette en stuurde iedereen door naar Santangelo, die zorgdroeg voor het toewijzen van de slaapplaatsen. Een kleine zwarte

majoor bleef bij haar. 'Ik heb iets voor u, kolonel,' zei hij, terwijl hij op een diplomatenkoffertje tikte. 'Onder vier ogen als u er geen bezwaar tegen hebt.'
'Ga maar mee. Vandemeer heet u, hè?' Hij knikte beleefd en liep achter haar aan haar tent binnen, waar hij het koffertje op haar bureau zette.
'Dit is het, kolonel,' zei hij, terwijl hij de sloten openknipte.
Het was geen diplomatenkoffertje. Toen hij de sloten had geopend, gleed een zijkant weg en werd een microprocessor zichtbaar, met een liquid-crystal paneel ernaast. Hij raakte een van de knoppen aan, het scherm lichtte op en een rij symbolen werd zichtbaar.
'Dat is het stuurmechanisme, kolonel. Er draaien nu twaalf anti-satelliet-satellieten in een baan om Jem en hiermee kunt u ze sturen.'
Margie raakte het apparaat aan. Een warm gevoel verspreidde zich door haar maag en onderbuik, een bijna seksuele opwinding. 'Jij kunt hiermee omgaan, Vandemeer? Kun je de satellieten van de Vetpotters vinden?'
'Ja, kolonel. We hebben vier satellieten gevonden en volgen die nu, waaronder hun grootste tactran ontvanger. De Fokkers hebben we ook te pakken; die hebben er twee, maar ze schijnen niet aktief te zijn.' Snel drukte hij een cijfercode in en de kleuren van de symbolen veranderden. 'De groene lichtjes zijn van ons. Rode lichtjes zijn de Fokkers. Gele zijn Vetpotters. De lichtjes die nog wit zijn, zijn reservesatellieten. Als er iets in de buurt van de planeet komt, wordt het gevolgd en geïdentificeerd en komt een reservesatelliet in actie.'
Het warme gevoel verspreidde zich. Dit was het grootste en belangrijkste cadeau geweest op Margies verlanglijst en ze was er bepaald niet zeker van geweest dat ze het zou krijgen. Nu hing het leven van de schoften aan een zijden draadje en zij had de schaar! 'Dank u zeer, majoor. U moet me leren hoe ik met dit ding om moet gaan en dan wil ik dat het permanent in uw of mijn bezit is; om de beurt dragen we het twaalf uur bij ons.'
'Ja, kolonel,' zei hij ongeëmotioneerd. 'En ik heb nog iets, dat uw vader me gevraagd heeft om u persoonlijk te overhandigen.'
Het was een brief. Niet een microfiche. Een papieren brief, in een envelop met haar naam erop, in Godfrey Menningers eigen handschrift. 'Bedankt, majoor. Installeert u zich eerst maar en neem dat apparaat mee.' Toen hij zich omdraaide vroeg ze: 'Majoor? Gaat het werkelijk zo beroerd thuis?'

Hij aarzelde en keek haar een ogenblik aan voor hij antwoordde. 'Het gaat beroerd,' zei hij. 'Ja, dat kan ik geloof ik wel zeggen, kolonel. Het gaat heel beroerd.'
Margie hield de brief een ogenblik in haar hand. Toen stopte ze hem in haar zak en ging naar buiten om te zien hoe het lossen verliep, omdat ze nog niet toe was aan ongecensureerde berichten over hoe beroerd 'heel beroerd' was.
Maar al stopte ze hem weg, vergeten deed ze hem niet. Toen ze sergeant Sweggert uitkafferde omdat hij stond aan te pappen met twee nieuwe meisjes in plaats van te helpen met lossen, betastte ze hem. Toen ze twee mannen scheidde die elkaar bijna in de haren vlogen over een verdwenen kist flitsers gleed haar hand weer naar haar zak. Toen de kantinebel ging voor het ontbijt kon ze de verleiding niet langer weerstaan en ze ging met haar dienblad naar haar tent en maakte de brief daar open.

Lieve Margie,

Je hebt alles gekregen wat op je lijst stond, tot en met het laatste dingetje. Maar voorlopig komt er niets meer. De Vetpotters hebben ons gelast om onze olietorens weg te halen uit het winningsgebied in het midden van de Atlantische Oceaan. Het is blufpoker en we laten ons niet overbluffen, maar elke druppel brandstof wordt nu in reserve gehouden voor geleide projectielen, tot ze toegeven. Verder is Peru er nog. De Fokkers hebben daar zogenaamde 'verkiezingen' gehouden en we laten dat niet over onze kant gaan. We blijven dus maandenlang volledig paraat, en misschien nog wel langer.
Je moet het alleen zien te rooien, liefje. Reken maar op minstens een jaar. En misschien wordt het nog wel langer, omdat de president wordt bedreigd met 'impeachment' en misschien met nog ergere dingen — afgelopen week is er een aanslag op hem gepleegd met twee tanks van de Nationale Garde. Ik heb 'm verteld wat hij doen moest. De noodtoestand afkondigen. Het Congres naar huis sturen. Met harde hand ingrijpen. Maar het is een politicus. Hij denkt dat hij de storm wel overleeft. Maar dat betekent ook dat hij de rest van zijn ambtsperiode in het gevlei zal proberen te komen bij de kiezers, en dat betekent dat er wordt gesneden in een hoop belangrijke programma's.
En een van die programma's zou wel eens de expeditie naar Jem kunnen zijn.
Ik zou je dit niet vertellen als ik niet dacht dat je dit aan kon. Je zult trouwens wel moeten.

Dat was alles; er was zelfs geen handtekening. Margie bleef met de brief in haar handen zitten, en minuten later besefte ze dat ze vergeten was om de rest van haar ontbijt op te eten.
Ze hoefde het niet meer. Maar voedsel verspillen wilde ze ook niet. Vooral nu niet. Ze dwong zich om alles op te eten en pas toen ze de laatste hap had weggewerkt, besefte ze dat het geluid van het kamp was veranderd. Er was iets mis.

Terwijl sergeant Sweggert zat te eten, hoorde hij twee geluiden, niet erg dichtbij en niet erg luid. Ze klonken als schoten. In de kantinetent scheen niemand iets gehoord te hebben, behalve hij. Hij schraapte het laatste restje ingeblikte ham en gebakken eierpoeder van zijn bord, pakte het grote stuk brood van tafel en slenterde al kauwend naar de uitgang.
Een derde schot.
Dit keer was er geen twijfel mogelijk. De een of andere idioot zat te spelen met z'n spuit. Je kon het 'm niet kwalijk nemen; als Sweggert een Krinpit voor zijn loop kreeg, zou hij ook in de verleiding komen om hem neer te knallen. Maar drie keer schieten stond gelijk aan munitieverspilling. Hij versnelde zijn pas en liep naar de rand van het kamp. Hij zag een stuk of twaalf mensen om de machinegeweerpost heen staan; ze keken het pad af in de richting van de plek waar het nieuwe schip was geland. Anderen kwamen ook aangelopen en toen hij er was, stonden er meer dan twintig mensen door elkaar heen te praten.
De schoten waren van een eind verderop gekomen. 'Wie is daar?' snauwde hij, terwijl hij korporaal Kristianides bij haar schouder pakte.
'Aggie en twee soldaten. Ze zeiden dat ze nog een lading gingen halen voor ze gingen eten. Luitenant Macklin is ze net met een patrouille achterna gegaan.'
'Hou je kop tot ze terugkomen,' zei Sweggert, maar het was een bevel dat hij zelf liever niet opvolgde. Het lag niet in Aggies aard om in het wilde weg te gaan schieten. De menigte groeide nog steeds; kolonel Tree kwam aandraven, toen zes man uit de kantinetent, toen kolonel Menninger zelf. Tien mensen praatten door elkaar heen tot de kolonel snauwde: 'Stil! Daar komt Macklin aan, we zullen zien wat hij te zeggen heeft.'
Maar Macklin hoefde niets te zeggen. Hij kwam over het uitgesleten pad gelopen met zijn karabijn schietklaar, kijkend van links naar rechts, en toen hij dichterbij kwam, konden ze zien dat de twee achter hem iets droegen en dat de laatste achterste-

voren liep, haar wapen eveneens schietklaar.
Wat ze droegen was een lijk. Het was het lichaam van een vrouw en dat was het enige wat je ervan kon zeggen. Het gezicht was onherkenbaar. Toen ze haar op de grond lieten zakken, bleek dat niet alleen het gezicht was beschadigd. Eén arm was tot aan de schouder opengereten en er zat een kogelgat tussen de borsten.
'Krinpit,' zei majoor Santangelo.
'Krinpit hebben geen vuurwapens,' zei kolonel Menninger, haar mond een rechte streep. 'Misschien Krinpit, maar ze waren niet alleen. Tree! Controleer de verdediging. Ik wil dat elk wapen bemand is en overal reserves klaarstaan. Santangelo, laat de troepen die geen dienst hebben oproepen. Geef Sweggert en mij tweehonderd meter en kom ons dan achterna. Sweggert, zoek drie man uit, en jij en ik gaan voorop.'
'Ja, kolonel.' Hij draaide zich om, pakte het terugstootloze wapen van korporaal Kristianides en koos op goed geluk drie man van zijn peloton, terwijl kolonel Menninger luisterde naar wat luitenant Macklin te rapporteren had. Hij was halverwege het schip toen hij de dode vond, plus een paar omgegooide en geplunderde kisten. Waar de andere twee waren, wist hij niet. Hij was teruggekomen om versterking te halen. Marge Menninger luisterde niet verder, stuurde hem door naar majoor Santangelo en gebaarde Sweggert om mee te gaan.
Met tussenpauzen van twintig seconden renden ze voorovergebogen over de open ruimte die het schootsveld was van de zware wapens van het kamp, en hergroepeerden zich in de wijde schaduw van een veel-boom. Terwijl Sweggert op nadere orders wachtte, kon hij het gekletter en gekreun horen van gepantserde wezens, maar niet erg dichtbij. De volgende man hoorde het ook, keek Sweggert aan en bewoog met zijn lippen, zonder geluid te maken. 'Krinpit?' Sweggert knikte verbeten en gebaarde de man om niet te praten. Toen kolonel Menninger het schootsveld overstak, liep ze tien meter verder door, liet zich op een knie zakken, keek behoedzaam om zich heen, stak toen haar hand op en gebaarde dat ze verder moesten gaan.
Wat een kloteklus, dacht Sweggert. Het was net iets voor dat klerewijf om hem voor zoiets uit te kiezen! Ze probeerde hem te grazen te nemen sinds de keer dat hij haar te grazen had genomen. Hij gebaarde naar de rest van de patrouille dat ze naar voren moesten komen, één tegelijk, twee aan de ene kant van het pad, de derde samen met hem en de kolonel aan de andere kant

en toen ze bij hem waren wachtte hij tien seconden, sprintte naar voren en liet zich naast de kolonel vallen. 'Daar hebben ze haar neergeschoten,' fluisterde hij, terwijl hij voor zich uit wees, waar een halve kist TL-buizen in scherven op het pad lag.
'Dat zie ik ook wel, sergeant! Verder! Ik wil niet dat Santangelo me straks op m'n hielen trapt.'
Hij rende gebukt verder, door wat lage begroeiing, en liet zich weer vallen. Het Krinpit-geratel in de verte was nog steeds te horen, maar niet dichterbij gekomen. De patrouille trok behoedzaam verder door de jungle, tot de metalen wand van het bevoorradingsschip zichtbaar werd, met het platgetreden terrein ervoor. Hij zwaaide met zijn arm om kolonel Menningers aandacht te trekken, en wees toen naar de kruin van een veel-boom. Ze knikte en toen het weer zijn beurt was, rende hij naar de dichtstbijzijnde stam, hing zijn terugstootloze geweer over zijn schouder en begon te klimmen. Het was heel anders dan in een echte boom klimmen – veel gemakkelijker. De horizontale, aan het eind iets afbuigende takken hadden veel weg van een trap en de stalactiet-achtige begroeiing ertussen was heel gemakkelijk om je aan vast te houden.
Minder leuk was dat je moeilijk overzicht kon krijgen over de omgeving. Sweggert moest twee keer van positie veranderen voor hij de raket goed in het oog had.
Wat hij zag was de onderkant van het schip en vlak ervoor de lijken van de andere twee soldaten. Ze waren gruwelijk verminkt. Er was geen spoor te bekennen van Krinpit en de geluiden die hij had gehoord, schenen zich verder van de plek te hebben verwijderd.
Sergeant Sweggert begon zich een beetje beter te voelen. Waarom zou hij zich ook zorgen maken om Krinpit? Het waren lawaaierige beesten en ze konden nooit binnen een afstand van twintig meter of minder komen zonder dat hij ze hoorde. En dan kon hij het wel af met zijn vuurwapen. Natuurlijk, het was best mogelijk dat ze niet alleen waren. Misschien waren er een paar Vetpotters bij. Maar dat maakte toch niks uit? Vetpotters waren Vetpotters, naar knoflook stinkende Mexicanen, Arabieren in soepjurken of van die Engelse druiloren, en voor geen van de drie was hij ooit bang geweest. Hij duwde zijn vechtpetje achterover en zocht een gemakkelijk plaatsje. Als iets de open plek opkwam, schoot hij z'n kop eraf en ondertussen kon hij genieten van het schouwspel van Margie Menninger die geruisloos over de grond naar voren sloop, bijna recht onder hem.

Aan de andere kant van het pad bewoog zich ook iets, bijna even geruisloos; hij richtte zijn wapen erop, maar toen gleed de gestalte tussen twee struiken door en zag hij dat het een lid van zijn eigen patrouille was. Hij richtte het wapen weer op Margie Menninger, zodat de kruisdraad van het vizier de onderkant van haar schedel raakte, en liet de loop toen verder naar beneden gaan, tot hij haar heupen op de korrel had. Zou het niet mooi zijn, bedacht hij, als hij haar een beurt kon geven die ze nooit vergat, recht in d'r...

Een heel zacht geluidje achter hem. Hij verstijfde.

Een beetje te laat zag hij zijn vergissing in. Krinpit en mensen waren niet de enige wezens op Jem. Toen hij zich omdraaide zag hij een mager, uitgerekt ding, langer dan hij zelf was, omhoog klauteren, snel, met op zijn minst zes poten, terwijl andere wezens iets vasthielden dat wel wat weghad van een vuurwapen. Het leek wel of het beest een zonnebril ophad, dacht hij verbaasd, terwijl hij zijn eigen wapen probeerde te richten. Hij was te langzaam. Hij hoorde het schot niet dat door zijn hoofd ging.

Marge Menninger was het eerst terug in het kamp. Ze wachtte niet op de grote schoonmaak; toen de veertig soldaten onder majoor Santangelo eenmaal wisten wat ze zochten, kamden ze snel het hele gebied uit. Ze kregen maar drie Gravers te pakken, maar een van de drie was degene die sergeant Sweggert had doodgeschoten. Je hebt ook altijd geluk, klootzak, dacht ze; nu hoef je je geen zorgen meer te maken dat ik je voor de krijgsraad sleep. Ze hield een man staande en stuurde hem op een drafje naar de radiotent en voor ze in haar eigen tent was, hoorde ze het bericht al door de luidsprekers komen: 'Majoor Vandemeer! Onmiddellijk melden bij de kolonel.'

Ze kwamen elkaar voor de tent tegen. Uitstekend, hij had maar de helft van zijn kleren aan, maar het koffertje had hij in zijn hand. 'Open dat ding!' snauwde ze. 'Ze geven de Gravers wapens en zonnebrillen om ons te lijf te gaan. Dat probeerde Tinka me te vertellen. Vlug wat, man!'

'Ja, kolonel.' Maar zelfs de onaandoenlijke majoor Vandemeer had nu moeite met de sloten. 'Klaar, kolonel,' zei hij, zijn vingers boven de toetsen.

De rode woede in haar geest werd geëvenaard door de warmte die zich verspreidde door haar onderbuik. Ze krabde zich stevig en snauwde: 'Haal ze neer!'

'Wie, kolonel?'

'De Vetpotters. Haal hun satellieten neer, allemaal!' Ze keek naar het gecompliceerde ritueel en fronste haar voorhoofd. 'Neem die van de Fokkers meteen maar mee.'

19

Godfrey Menninger werd wakker met in zijn achterhoofd de vraag wie er aan het voeteneinde van zijn bed stond te rukken. Niemand. Hij was alleen in zijn kamer, die er precies zo uitzag als honderdduizend andere Holiday Inn hotelkamers over de hele wereld. Er stond een telefoon op het nachtkastje naast het bed, de tv staarde hem grijs aan vanaf het lange bureau plus hangkast plus bagagerek dat tegen de muur stond. De telefoon was bijna het enige zichtbare element dat de kamer anders maakte dan andere kamers, want het was een drukknop-apparaat, met gekleurde lichtjes die over het scherm flitsten. Het andere element dat de kamer onderscheidde van een hotelkamer was bijna niet te zien: de gordijnen langs de wand hingen voor een immens likrisscherm, niet voor een raam. Een raam zou ook geen zin hebben. Hij bevond zich tweehonderd meter onder de grond.
Volgens de klok was het 06.22 uur.
Menninger had gezegd dat hij om zeven uur gewekt wilde worden. Daarom was hij niet wakker geworden doordat iemand hem had gewekt. Dan bleven er maar een paar mogelijkheden over en geen van die mogelijkheden was aantrekkelijk. Godfrey Menninger overwoog om de telefoon te pakken of de tv aan te zetten of de gordijnen voor het likrisscherm weg te schuiven – een van deze drie mogelijkheden zou hem meteen op de hoogte hebben gebracht van wat er aan de hand was. Hij besloot om het niet te doen. Als er acuut gevaar bestond, zou hij onmiddellijk zijn gewaarschuwd. Margies gedisciplineerde en hiërarchische aanpak van problemen was haar niet op de militaire academie geleerd; hij was haar op haar vaders knie met de paplepel ingegoten. Zij was er goed in om ongewenste gedachten uit haar hoofd te zetten, maar hij was er nog veel beter in dan zij. Hij zette de vraag van zich af, liep de badkamer in en maakte een kop instantkoffie met water uit de kraan.
Godfrey Menningers eerste minuten waren heel kostbaar voor hem. Hij was de mening toegedaan dat zijn beide huwelijken een mislukking waren geworden omdat hij geen van zijn twee echtgenotes duidelijk had kunnen maken dat er nooit, *nooit,* tegen hem mocht worden gepraat in het eerste halfuur nadat hij was opgestaan. Dat was een tijd om koffie te drinken, een tijd

om krachten te verzamelen, een tijd om te denken aan wat er gedaan moest worden. Praten haalde een streep door dat alles. Een zwakke plek in Menningers karakter was dat hij de neiging had iedereen te vernietigen die het hem lastig maakte.
De koffie had precies de goede temperatuur en hij dronk hem als een medicijn, slokje voor slokje, tot de kop leeg was.
Toen gooide hij zijn kamerjas op de grond, ging met gekruiste benen in de halve-lotushouding op het bed zitten en begon zijn mantra te zeggen.
Meer dan tweeduizend kilometer van hem vandaan en een halve kilometer dieper, in een onderzeeër van het Brandstofblok, programmeerde een vice-admiraal van de Libische marine De Bom Met Zijn Naam Erop. Menninger wist het niet. Zijn gedachten zweefden door de oneindigheid, alle kanten op, maar binnen de ruimte van zijn eigen geest. En al had hij het geweten, hij had er toch niet veel tegen kunnen doen.

Het bed bewoog weer.
Het was geen aardbeving. Er waren geen aardbevingen in West Virginia, dacht hij, terwijl hij zich uit zijn droomtoestand liet komen en zich voorbereidde op het openen van zijn ogen. Het was abrupter dan bij een aardbeving, sneller en oppervlakkiger dan het logge beuken van tegen elkaar botsende aardlagen. Heel zwaar was de schok niet en als hij nog had geslapen, was hij er misschien niet eens wakker van geworden. Maar toch, een schok. En toen flakkerden de lampen.
Tweehonderd meter diep in de flank van een berg in West Virginia mochten de lampen niet flakkeren. Een ^{239}Pu megawatt centrale, met een afvoer die via een buizenstelsel van een kilometer lengte aan de andere kant van de heuvel uitkwam, was immuun voor de meeste dingen die in de buitenwereld konden gebeuren. In transformators die diep onder de grond zaten, sloeg de bliksem niet in. De wind kon geen draden breken – de kabels kwamen nergens boven de grond. En toen, traag, de een na de ander, gingen de flikkerende lampjes onderaan zijn telefoon uit. Allemaal. Eén rood lampje lichtte op en een zoemer ging over. Hij nam de hoorn op en zei: 'Menninger.'
'Drie IBM's ingeslagen, geen voltreffers. Geen structurele schade. Ze zijn waarschijnlijk afkomstig uit Sinkiang. De stad Wheeler is geëlimineerd.'
'Ik kom eraan,' zei hij. Hij was nog steeds aan het ontwaken uit zijn meditatie en dus keek hij niet naar zijn eigen situatiepaneel,

maar een douche nemen of zich scheren deed hij ook niet. Hij wreef Franse deodorant onder zijn oksels, spul dat stonk naar een Franse hoerenkast, maar goed genoeg, haalde een kam door zijn haar, schoot zijn coverall en schoenen aan en liep energiek door de rustgevende, met beige tapijt belegde gang naar zijn commandozaal.

De situatiekaart was daar van het ene tot het andere eind verlicht.

'Hier is je koffie,' zei generaal Weinenstat. Dat was het enige wat ze zei. Ze kende zijn eigenaardigheden. Hij nam de kop aan zonder haar aan te kijken, omdat hij alleen maar oog had voor het scherm. Daarop was de Aarde in een Mercator-projectie afgebeeld. Lichtrode sterren op die kaart waren uitgeschakelde doelwitten, lichtblauwe sterren waren ook uitgeschakelde doelwitten, maar aan de verkeerde kant: Washington en Leningrad, Buenos Aires, Hanoi, Chicago en San Francisco. Gebroken rode profielen op zee waren vernietigde vaartuigen van de vijand die geleide projectielen konden lanceren. Er waren er meer dan honderd. Maar er waren ook bijna zestig blauwe. Flikkerende doelwitten, rood en blauw, waren grote centra die nog niet waren vernietigd. Er waren er niet zo veel meer en terwijl hij keek verdwenen er een stel: Kansas City, Tientsin, Kaïro en de hele agglomeratie rond Frankfurt.

De tweede kop koffie was geen medicijn, maar luxe. Hij nam een slokje en vroeg toen: 'Hoeveel tweedelijnsslagkracht hebben ze nog?'

'Niet veel meer, Godfrey. Misschien honderd IBM's binnen de volgende vierentwintig uur, maar we knabbelen daar steeds meer vanaf. Wij hebben er bijna tachtig. En er zijn maar twee van onze gefortificeerde installaties licht beschadigd.'

'Plaatselijke schade?'

'Tja – een hoop doden en gewonden. Verder gaat het niet zo beroerd. Oppervlaktebesmetting binnen aanvaardbare grenzen, tenminste als je in afgeschermde voertuigen blijft.' Ze gebaarde naar een bediende voor nog een kop koffie. 'Te vroeg om wat te zeggen over straling op langere termijn, maar het grootste deel van de graanvelden in het zuidwesten is oké, denk ik. Mexico en het noordwesten ook. De Imperial Valley zijn we kwijt.'

'Voorlopig gaat het dus niet beroerd.'

'Dat geloof ik ook, Godfrey.'

'De komende vierentwintig uur. Daarna kunnen ze hun reserves inzetten.'

Ze knikte. Het was bekend dat alle grote landen raketten en onderdelen hadden weggeborgen op een veilige plek. Ze waren niet binnen tien minuten gevechtsklaar, zoals de geleide projectielen in de onderaardse silo's en aan boord van de onderzeeërs. Ze konden niet worden gelanceerd door op een knop te drukken. Maar ze waren ook niet uit te schakelen, omdat je niet wist waar ze waren verborgen. 'En we kunnen ze niet zoeken omdat hun anti-satelliet satellieten ons half hebben verblind.'
'Wij hebben hen helemaal verblind, Godfrey. Ze hebben geen ogen meer boven de aarde.'
'Ja, ja, dat snap ik,' zei hij geïrriteerd. 'Wij hebben de eerste ronde gewonnen. De vervloekte idioten. Nou, laten we maar aan het werk gaan.'
Menningers 'werk' had niet rechtstreeks te maken met de regen van raketten, die het oppervlak van de Aarde nu snel veranderden in iets dat nog het meest leek op de Hel. Dat was niet zijn verantwoordelijkheid. Het was alleen maar het voorspel, zoals een vriendin die zich op het toilet terugtrekt om haar pessarium in te doen terwijl hij op de rand van het bed zit te wachten. Ze had zijn advies of hulp niet nodig en dat gold ook voor de Chefs van Staven zolang het eigenlijke gevecht gaande was. Hij was betrokken bij wat er onmiddellijk daarna zou gebeuren.
Ondertussen had een van de vervloekte idioten in de Libische onderzeeboot de programmering afgerond en probeerde hij genoeg bemanningsleden bij elkaar te krijgen om het projectiel te lanceren. Gemakkelijk was dat niet. De neutronenbom had precies gedaan wat dit soort wapens moest doen en de bemanning vrijwel uitgeschakeld. De Libische vice-admiraal zelf had bijna vijfduizend rad opgelopen. Hij wist dat hij nog maar een paar uur te leven had, maar met een beetje geluk was zijn doelwit nog eerder dood dan hij.

Drie uur slaap was niet genoeg. Menninger wist dat hij snauwerig en een beetje wollig in zijn hoofd was, maar hij had zijn mensen geleerd om ermee rekening te houden. Om de vijf minuten verdween de kaart en versprongen schema's op het likrisscherm, met tussenpozen van tien seconden; hoeveel procent van de industrie was vernietigd, hoeveel nog operationeel was, grafieken van aantallen slachtoffers, histogrammen met schattingen over resterend militair vermogen. In de Operations Room, naast Godfrey Menningers commandopost, werkten meer dan vijftig mensen keihard aan het bijwerken en

up-to-date houden van die gegevens. Menninger keurde ze nauwelijks een blik waardig. Hij had vooral te maken met politieke en organisatorische kwesties. Rose Weinenstat belde om de vijf minuten naar de Verenigde Chefs van Staven, niet zozeer om ze dingen te vertellen of te vragen als wel om ze ervan te doordringen, keer op keer, dat het machtigste onofficiële lid van de regering ze in de gaten hield. Drie hoge ondergeschikten stonden in contact met de regeringen van de staten en met federale bureaus, en Menninger zelf praatte met kabinetsadviseurs, belangrijke senatoren en een paar gouverneurs – als die te vinden waren. Hij bemoeide zich alleen met de Verenigde Staten, niet het Voedselblok; de bondgenoten stonden met de commandokamer in verbinding via een filter van telefonistes en toen een van hen hem persoonlijk wilde spreken, stoorde dat hem in zijn andere bezigheden. 'Hij vindt mij niet hoog genoeg,' zei generaal Weinenstat. 'Praat jij eventjes met hem, Godfrey.'
'Verdomme.' Menninger legde zijn pen precies op het woord waar hij was opgehouden met lezen en knikte naar haar dat ze het gesprek over kon zetten.
Het gezicht op het foonscherm was dat van maarschalk Bressarion van het Rode Leger, maar de stem was van zijn tolk. 'De maarschalk,' zei ze, haar stem blikkerig door de stemcodeerder, 'twijfelt er niet aan dat u en de Verenigde Chefs van Staven handelen op bevel van de president, maar hij wil graag weten wie er president is. We zijn ervan op de hoogte dat Washington niet meer bestaat en dat Kluis Een en Kluis Twee zijn gepenetreerd.'
'De huidige president,' zei Menninger, geduldig zijn ergernis in toom houdend, 'is Henry Moncas, de voorzitter van het Huis van Afgevaardigden. Dit is geregeld in onze grondwet, de Constitutie van de Verenigde Staten.'
'Ja, natuurlijk,' zei de tolk, nadat Bressarion had geluisterd en iets in het Russisch had geblaft, 'maar de maarschalk heeft hem niet kunnen bereiken om een en ander te bevestigen.'
'Er zijn communicatieproblemen geweest,' gaf Menninger toe. Hij keek langs de telefoon, waar Rose Weinenstat geluidloos 'onderweg' zei. 'Verder wordt mij zojuist meegedeeld dat de president onderweg is naar een plek waar hij veilig is voor vijandelijke geleide projectielen. De maarschalk zal ongetwijfeld begrijpen dat we daar nu nog geen mededelingen over kunnen doen.'
De maarschalk luisterde ongeduldig en sprak toen rad een paar

zinnen. De tolk klonk heel wat minder vriendelijk toen ze zei: 'Dat begrijpen we best, maar er zijn wat problemen over bij wie het gezag ligt en de maarschalk wil graag dat hij contact opneemt zodra – hallo? hallo?'
De maarschalk verdween van het scherm. Met een verontschuldigend gebaar zei generaal Weinenstat: 'Ik vond dat het tijd werd dat we communicatieproblemen kregen.'
'Prima idee. Waar zit die idioot trouwens?'
'Henry? O, op een veilige plek, Godfrey. Hij heeft je het afgelopen uur doorlopend gelast om rapport aan hem uit te brengen.'
'Hm.' Menninger dacht een ogenblik na. 'Weet je wat? Stuur een ploeg met stralingspakken naar hem toe om hem hier te brengen. Dan kan ik hier rapporteren. Laat je niet met een weigering afschepen. Zeg hem maar dat hij hier veiliger is dan in z'n eigen gat.' Hij pakte het potlood en krabde ermee over zijn maag. Zijn maag klaagde. Hij had jus d'orange nodig om het suikergehalte van zijn bloed op peil te brengen en een stapel flensjes als basis voor de volgende kop koffie, en die kop koffie. Hij wilde iets te eten hebben en hij was zich ervan bewust dat hij narrig deed omdat hij honger had. 'Dan zullen we nog eens zien wie er president is,' zei hij tegen de lege kamer.
Aan de rand van de Bahia de Campeche had de Libische admiraal zijn bemanning wat op weten te peppen en zijn onderzeeër op een diepte van tweehonderd meter gebracht. Ze waren er geen van allen best aan toe, iedereen had last van diarree en overgeven, als voorbode voor wat nog zou komen, zodat het hele schip stonk als een latrine, maar ze waren nog in staat om te functioneren. Een tijdje, in ieder geval. Libië's marine geloofde niet in tientallen kleine raketten, maar in één grote. Toen de grote raket omhoog schoot en de grens van water en lucht doorbrak, werd hij onmiddellijk gevangen door tien, twaalf radars. De bange, maar nog ongedeerde toeristen op hun lanais in Merida zagen felle, onheilspellende flitsen in het westen, op het water, toen een Cubaanse kruiser anti-raket raketten afschoot. Maar die kregen het Libische projectiel niet te pakken. Het was een kruisraket, niet ballistisch, gemakkelijk te identificeren, maar qua gedrag onvoorspelbaar. Het schoot naar het noord-noordwesten, naar de kust van Florida. Meer dan tien keer klauwden verdedigingswapens ernaar, en toen waren ze de raket kwijt. Tussen de kust en het doelwit van de raket stonden meer dan genoeg installaties die kruisraketten konden opsporen

en vernietigen, maar niet een die nog functioneerde.

Op de laatste foto die hij van Margie had gekregen, stond ze met een voet op het pantser van een dode Krinpit, en zag er vermoeid, verhit en gelukkig uit. Het was een van de beste foto's van zijn dochter sinds de tijd dat ze in een luier had rondgekropen en Godfrey Menninger had er een afdruk van laten maken die hij steeds bij zich had, in zijn portefeuille. Generaal Weinenstat keek er geruime tijd naar en gaf hem toen terug. 'Je kunt trots op haar zijn.'
Hij keek er even naar en stopte hem toen weg. 'Ja. Ik hoop dat ze de spullen heeft gekregen. Haar moeder is me er een! Ik vertelde haar dat Margie een paar patronen wilde hebben om kleren te maken en ze wilde duizend meter stof meesturen.'
'Als je haar opvoeding aan haar moeder had overgelaten, zou ze niet de hoge efficiency-beoordeling krijgen die ze nu krijgt.'
'Dat is zo.' De laatste beoordeling was alleen maar lovend geweest, in ieder geval tot het rapport van de psycholoog:

> *Latente vijandigheid ten opzichte van mannen, veroorzaakt door trauma van huwelijk en licht omgekeerd Oedipuscomplex. Goed gecompenseerd. Niet van invloed op werkprestatie.*

Ik hoop werkelijk dat dat zo is, dacht Godfrey Menninger. Rose Weinenstat keek hem aandachtig aan. 'Je maakt je toch geen zorgen om haar, hè? Omdat het echt niet nodig is – wacht even.'
Ze raakte het ding aan dat eruitzag als een gehoorapparaatje maar het niet was. De uitdrukking op haar gezicht werd somber.
'Wat is er?'
Ze zette de communicator af. 'Henry Moncas. Zijn schuilkelder heeft een voltreffer opgelopen. Ze proberen erachter te komen wie nu president is.'
'Christus!' Godfrey Menninger staarde naar de resten van zijn ontbijt zonder er iets van te zien. 'O, Christus!' zei hij weer. 'Het ziet er beroerd uit, Rosie. Het ergste is nog wel dat we geen keus hadden!'
Generaal Weinenstat deed haar mond open, maar bedacht zich toen. 'Wat? Wat wilde je zeggen?'
Ze haalde haar schouders op. 'Het heeft toch geen zin om er achteraf nog over te gaan praten.'
'Waarover? Kom op, Rosie!'

'Tja – misschien was Canada binnenvallen . . .'
'Ja. Dat was een vergissing. Inderdaad. Dat geef ik toe. Maar het was niet een vergissing aan onze kant! De Vetpotters wisten dat we niet konden toestaan dat ze troepen overbrachten naar Manitoba. Dat was een vergissing van Tam Gulsmit! De Fokkers van hetzelfde laken een pak. Toen we eenmaal in conflict geraakt waren, moesten we Lop Nor uitschakelen – snel, zonder al te veel "vuile" straling, met een minimum aan slachtoffers. Ze hadden het moeten aanvaarden in plaats van terug te slaan . . .'
Maar hij kon binnenin zijn hoofd stemmen horen die hem tegenspraken, de stemmen van Tam Gulsmit en Erfgenaam-van-Mao. 'We konden veilig troepen legeren in Canada om de teerzanden te beschermen, omdat we wisten dat je het je niet kon permitteren om het land binnen te vallen.' 'Je had Lop Nor niet mogen bombarderen. Je had moeten begrijpen dat we terug moesten slaan.' De stemmen in Godfrey Menningers geest waren de enige stemmen die ze ooit nog zouden hebben. Erfgenaam-van-Mao lag met uitpuilende ogen en zijn tong tussen zijn lippen dood in de diepe schuilkelder onder Peking, en de atomen die ooit Tam Gulsmits lichaam waren geweest, dwarrelden in de vuurzuil boven Clydeside.
De Libische kruisraket was nu Atlanta en Asheville voorbij, en Johnson City, steeds het terrein onder zich vergelijkend met de profielen die in zijn geheugen waren opgeslagen. De veiligheidsvergrendelingen van de thermonucleaire lading vielen een voor een weg toen het minuscule, paranoïde brein begon te beseffen dat het steeds dichterbij het ding kwam dat het moest vernietigen.
'Het is beroerd, Rosie,' zei Godfrey Menninger ten slotte, terwijl hij opstond en terugliep naar zijn bureau. Misschien had hij Margie toch door haar moeder moeten laten opvoeden. Dan had ze nu waarschijnlijk een man en een paar kinderen gehad. En misschien – misschien zou de wereld er dan anders hebben uitgezien. Hij vroeg zich af of hij ooit nog iets van haar zou horen. 'Rosie,' zei hij. 'Neem contact op met Houston. Vraag ze of de verbindingen met Jem nog intact zijn. En met de andere kolonies, natuurlijk.'
'Nu meteen, Godfrey? Geef me tien minuten. Er komt net een gesprek binnen van de DoD.'
'Tien minuten is oké,' zei hij, maar voor de tien minuten voorbij waren, was hij dood.

20

Het bootje werd zichtbaar tussen twee regenbuien in, toen het nog een heel eind van de kust was. In de schuttersput, waar ze samen met Ana Dimitrova in stond, kwam korporaal Kristianides – nee, het was nu luitenant Kristianides, verbeterde ze zichzelf – overeind, en keek er door haar kijker naar. 'Krinpit,' zei ze. 'Godallemachtig. Richten, Nan, maar pas schieten als ik je opdracht geef.'
Een onnodige order. Ze zou voor geen goud geschoten hebben. Pas als ze met eigen ogen had gezien dat er alleen een of meer Krinpit in de boot zaten, en niet Ahmed Dulla. Misschien zelfs dan nog niet, want deze waanzin met wapens en schieten was afschuwelijk, zelfs nu ze nog steeds geen vijand te zien hadden gekregen. Ze had nog nooit op een levend wezen geschoten en wist helemaal niet of ze dat wel zou kunnen. Ze had dat ook gezegd, maar niemand had naar haar willen luisteren. Maar het was prettig dat haar machinegeweer een telescopisch vizier had en ze had er geen bezwaar tegen om het wapen te richten.
Het bootje verdween weer in een regengordijn, maar niet voor ze had gezien dat er geen mensen inzaten, al was het groot genoeg voor drie, vier personen.
Toen het weer zichtbaar werd, was het groter en dichterbij en ze kon zien dat de ene Krinpit die erin zat, hard werkte om het binnenkomende water eruit te hozen en het trapeziumvormige zeil op de wind te houden, en ook met een peddel in de weer was om het naar het kamp te sturen. Nu wist iedereen het en minstens tien wapens waren op hem gericht. Over de luidsprekers kwam de schrille stem van Guy Tree dat er niet mocht worden geschoten. Een eind verderop aan het strand stond Marge Menninger, een automatisch geweer onder haar arm, zonder acht te slaan op de regen die haar doordrenkte. Ana veegde de druppels van haar vizier, zoals haar was geleerd en keek nog een keer. Ze was niet erg goed in het uit elkaar houden van individuele Krinpit, maar deze zag er niet bekend uit.
Een teleurstelling. Maar wat was het dwaas om te hopen, berispte ze zichzelf. Het was wel héél onwaarschijnlijk dat Ahmed weer op zo'n wonderbaarlijke manier zou opduiken. En zelfs als dat wel gebeurde – wie was deze Ahmed, die haar had meegenomen en gebruikt en toen weer had verlaten? Het was niet de-

zelfde man als ze in Sofia had ontmoet, dacht ze somber en probeerde zich te vermannen en wat constructiever te denken. Maar het ging niet. Er was zo weinig waarover ze constructief kón denken. De wereld die ze had verlaten, stond op het punt onder te gaan in een baaierd van vuur, en de wereld waar ze heen was gegaan, scheen vastbesloten te zijn om hetzelfde te doen. Wat er omging tijdens de geheime vergaderingen van Marge Menninger en haar soldaten wist ze niet en ze wilde het ook niet weten. Maar het zou heel goed hun aller dood kunnen worden.

De Krinpit was nu in ondiep water. Hij kwam overeind en liet zich voorover vallen en het bootje dobberde weg terwijl het wezen wankelend aan land kwam. Het scheen er slecht aan toe te zijn. Het wankelde in een halve cirkel naar het strand en viel met een doffe klap op de grond, terwijl kolonel Menninger en zes soldaten er behoedzaam omheen gingen staan.

Misschien zouden ze de Krinpit doden, dacht ze. Nou, dat mochten ze. Iedereen stond naar het wezen te staren, maar Ana's gedachten waren bij heel andere dingen, tot een van de soldaten naar haar toe kwam rennen. 'Dimitrova, hierheen! Het is de Krinpit die Pak spreekt! De kolonel wil dat je komt vertalen!'

Vuurrode blosjes. Gestotter. Hoofdpijn. Depressies. Dat waren de symptomen wanneer er impulsen van de ene helft van een brein naar de andere helft 'lekten'. Het littekenweefsel dat de toevoer van impulsen door het corpus callosum blokkeerde, liet beide helften van de hersenen zelfstandig en efficiënt werken. Maar er sijpelden toch wel gevoelens door. De hele tijd dat Ana Dimitrova aan het vertalen was voor kolonel Menninger, kon ze ze op haar in voelen hakken . . .

'Hij zegt dat, omdat de Volksrepublieken niet langer een macht van enige betekenis zijn, hij nu ons wil helpen tegen het Brandstofblok.'

'Schitterend. Hoe wil hij dat doen? Ze doodkrabben met die scherpe pootjes van 'm?'

. . . en de hoofdpijn was erger dan ooit, ziekmakende klappen met een zandzak tegen de onderkant van haar hoofd. Ze voelde zich misselijk en de Krinpit maakte het allemaal nog erger. Sharn-igon was weerzinwekkend ziek. Zelfs het doffe, telkens terugkerende raspen van zijn naam – Sharn-igon, Sharn-igon – werd slecht gespeeld, als een kapotte radio. Zijn pantser was

vaalgeel in plaats van het diepe mahoniebruin dat normaal was. Het was gescheurd en gespleten. Aan de randen, waar de onderkant aansloot op de zware chitinelaag van de bovenste helft, sloten de twee randen niet goed tegen elkaar en een dunne, smerige vloeistof kwam naar buiten gedropen.
'Hij heeft een nieuw pantser gekregen,' legde ze uit, 'en denkt dat hij ook dit weer kwijt gaat raken. Misschien komt dat door de chemicaliën die de Brandstof-mensen tegen de Krinpit hebben gebruikt.'
'Je ziet er zelf ook niet al te florissant uit, Dimitrova.'
'Ik kan heel goed doorgaan met mijn werk, kolonel Menninger.'
Toch ging ze een eindje bij de Krinpit vandaan staan. De vloeistof die uit de schaal droop, had het zand om hem heen donker gekleurd, en hij stonk naar ranzig vet. Het hielp niet. De hoofdpijn, en de pijn erachter, werden steeds erger, steeds erger.
Marge Menninger haalde haar handen door haar natte haar en trok het naar achteren, zodat haar oren zichtbaar werden. Ze zag er bijna uit als een klein meisje toen ze zei: 'Wat denk jij, Guy? Zijn we een echte bloeddorstige tijger rijker?'
Tree zei: 'Een bondgenoot stuur je nooit weg, Marge. Maar de Vetpotters zouden korte metten maken met deze grapjassen.'
'Wat zegt hij nou precies, Dimitrova? Dat hij al z'n kreeftevriendjes opdracht zal geven om het kamp van de Vetpotters aan te vallen als wij het sein geven?'
'Zoiets, ja. Wat hij zegt,' voegde ze eraan toe, 'is niet altijd gemakkelijk te begrijpen, kolonel Menninger. Hij spreekt een beetje Urdu, maar niet veel, en hij spreekt het héél slecht. Bovendien dwalen zijn gedachten steeds af. Het is voor hem een persoonlijke kwestie, dit doden. Het kan hem niet schelen wie hij doodt. Soms zegt hij dat hij *mij* wil doden.'
Menninger keek de Krinpit schattend aan. 'Ik geloof niet dat hij in staat is om veel te doen, laat staan om iemand te doden.'
'Moet je daar dan gezond voor zijn?' vloog Ana op. 'Ik ben ziek in mijn hart van al dit gepraat over doden, en van het doden zelf! Het is een verdorven waanzin om te doden als er nog zo weinig mensen in leven zijn!'
'Daar praten we nog wel eens een andere keer over,' zei Marge kalm, terwijl ze haar hand ophief om Guy Tree, die op het punt stond om tegen het Bulgaarse meisje uit te vallen, de mond te snoeren. 'Je ziet er klote uit, Dimitrova. Ga eerst maar eens een poosje slapen.'
'Dank u, kolonel Menninger,' zei Ana stijf, met haat in haar

hart, misschien nog het meest vanwege de medelijdende blik in Margies ogen. Hoe durfde de bloeddorstige slet medelijden te hebben!
Ana liep naar haar tent. Het regende weer hard en bliksemschichten schoten naar het water. Ze voelde de druppels nauwelijks. Bij elke stap voelde ze de martelende pijn bonken in haar hoofd en ze wist dat achter de hoofdpijn een heftiger pijn naar buiten wilde komen. Medelijden was het middel dat de dam op zou lossen, zodat de vloed los kon breken en ze wilde alleen zijn als dat gebeurde. Ze dook de tent in zonder iets te zeggen tegen de vrouw met wie ze hem deelde, trok alleen haar schoenen en haar lange broek uit en ging liggen.
Bijna meteen begon ze te huilen.
Ana maakte geen geluid, schokte niet met haar schouders, bewoog niet wild heen en weer. Alleen haar onregelmatige, hortende ademhaling maakte dat het zwarte meisje op de andere brits half overeind kwam en even naar haar keek, maar Ana zei niets en het andere meisje ging weer liggen en sliep verder. Ana sliep niet. Een uur en langer niet. Ze huilde stil, heel lang, niet bij machte om de pijn binnen te houden. Haar hoop was weg, haar vreugde was voorgoed gebroken, haar dromen waren weggevaagd. Ze had het aanvaarden van wat de Krinpit bijna in zijn eerste zin had gezegd, uitgesteld en nu liet het zich niet langer ontkennen. Haar aanwezigheid op Jem had geen zin meer. Haar leven had eigenlijk geen zin meer. Ahmed was dood.

Ze werd wakker van het harde, ongerijmde geluid van dansmuziek.
De storm van stille tranen had haar geest gezuiverd en in de diepe, droomloze slaap die op het huilen was gevolgd, was het genezingsproces begonnen. Ana was heel kalm toen ze een korte douche nam aan het eind van de rij tenten, haar haar droog borstelde en zich aankleedde. De muziek was natuurlijk afkomstig van die andere excentriciteit van Margie Menninger: het zaterdagavondfeest. Wat was het toch een vreemde vrouw! Maar soms was haar vreemde gedrag niet onwelkom. Een van de dingen die het had opgeleverd, waren de patronen en stoffen geweest die met het laatste schip waren meegekomen en Ana trok een eenvoudige blouse en een rok aan, niet echt feestelijk, maar ook niet echt streng. Naar dansen stond haar hoofd helemaal niet. Maar ze was niet van plan om het plezier te bederven van de mensen die het wel graag deden.

Ze liep langs de generator, waar de Krinpit hol in zichzelf rommelend tussen de pollen vegetatie naar iets eetbaars zocht, een soldaat achter zich aan, en liep naar het buffet aan de rand van de dansvloer om iets te eten te halen, omdat ze door twee maaltijden heen was geslapen. Als mannen haar ten dans vroegen, glimlachte ze en bedankte terwijl ze haar hoofd schudde. Het was opgehouden met regenen en Kung gloeide nors en rood aan de hemel. Ze pakte een bord kaas met crackers en sloop weg. Niet dat ze ver weg kon. Niemand liep nog door de bossen. Ze leefden en aten en sliepen op een terrein waar je binnen drie minuten doorheen kon rennen. Ze ging met haar rug tegen een machinegeweertoren zitten en at het bord leeg. Toen zette ze het naast zich neer, trok haar knieën op, legde haar kin erop en staarde over de rood-purperen golven.

Ahmed was dood.

Ze haalde diep adem en besloot om niet weer te gaan huilen.

Na een kwartiertje stond ze op en strekte haar verkrampte benen. De Krinpit wankelde langzaam naar het water om wat te drinken na zijn onaantrekkelijke maaltijd, de soldaat achter zich aan. Ze wilde niet bij het wezen in de buurt komen, maar ze moest haar bord afspoelen of het terugbrengen naar de kooktent en die was te dicht in de buurt van de dansvloer. Ze bleef op een afstandje van de Krinpit en hoorde toen opeens iemand haar naam noemen.

Het was de Russische piloot, Kappeljoesjnikov, die met zijn benen onder zich bij een schuttersputje zat en met Danny Dalehouse praatte die blijkbaar wacht had, want hij stond erin. Waarom ook niet? Ana veranderde van koers en wenste het tweetal een goedenavond.

'Is echt goed, Anjoesjka? Maar Danny Dalehouse heeft me verteld van dood van Ahmed Dulla. Heb diep medelijden met je.'

Daar had je het; het was de eerste keer dat iemand erover sprak. Ze merkte dat het niet onmogelijk was om te reageren. 'Dank je, Visja,' zei ze kalm. 'Wat, ben je een monnik geworden dat je niet danst vanavond?'

'Is niemand met wie ik dansen wil,' zei hij somber. 'Heb ook heel interessante discussie gehad met Danny over onderwerp slavernij.'

'En wat is je conclusie, Danny?' vroeg ze vlug. 'Zijn we allemaal slaven van je maitresse, de mooie blonde kolonel?'

Hij gaf niet rechtstreeks antwoord, maar omzeilde de vraag. 'Ik

weet dat je uit je gewone doen bent, Ana. Ik voel met je mee, net als Kappy.'
'Uit mijn gewone doen?' Ze knikte nadenkend en keek hem aan. 'Ja, misschien. Ik moet er van uitgaan dat mijn land is vernietigd – het jouwe ook, denk ik. Maar jij bent dapperder dan ik. Ik ben niet dapper; ik raak uit mijn gewone doen. Ik raak uit mijn gewone doen omdat wat er op Aarde is gebeurd nu weer staat te gebeuren, hier. Omdat mijn – mijn vriend dood is. Omdat de kolonel van plan is om nog een heleboel mensen te doden. Kun je het je voorstellen? Ze is van plan om een tunnel te graven onder het kamp van het Brandstofblok en daar een kernbom tot ontploffing te brengen, en daarom raak ik uit mijn gewone doen.'
Waarom doe je dit? vroeg ze zichzelf af, maar ze wist dat ze niet nog meer sympathie kon aanvaarden zonder te gaan huilen, en ze wilde niet huilen waar deze mannen bij waren. In ieder geval had ze hun aandacht afgeleid. Dalehouse fronste zijn voorhoofd.
'We hebben geen kernwapens.'
'Domme man,' zei ze minachtend. 'Je maitresse heeft wat ze hebben wil. Ik zou niet verbaasd staan als ze een hele vloot onderzeeërs had, of een tankdivisie. Ze draagt wapens op de manier waarop ze dat goedkope parfum van haar draagt; de stank van wapens hangt altijd om haar heen.'
'Nee,' zei hij koppig terwijl hij haar schuins aankeek, 'je hebt het mis. Kernwapens zou ze nooit voor ons verborgen kunnen houden. En mijn maitresse is ze niet.'
'Vlei jezelf niet met de gedachte dat mij dat iets kan schelen. Ze mag haar seksuele uitspattingen hebben met wie ze maar wil, en jij ook.'
Kappeljoesjnikov kuchte. 'Ik geloof dat dansen plotseling aantrekkelijker is geworden.'
Toen hij opstond, legde Ana haar hand op zijn arm. 'Ik jaag je weg. Vergeef me alsjeblieft.'
'Nee, nee, Anjoesjka. Zijn moeilijke tijden voor iedereen, niets te vergeven.' Hij klopte op haar hand, grinnikte toen en kuste hem. 'Verder zie ik knappe blonde kolonel alleen rondlopen en misschien wil ze dansen of andere dingen doen met nieuw persoon, zoals ik. Ook houd ik niet van goedkoop parfum van reuzenkakkerlak. Jij wenst zelf niet te dansen? Of andere dingen te doen? Nee. Blijf dan bij vriend Danny.'
Ze keken hem na terwijl hij recht op Marge Menninger afliep,

die de ronde deed langs haar controleposten. Ze hoorden haar lachen toen Kappy haar aansprak; toen haalde hij zijn schouders op en liep verder naar de dansvloer.
De Krinpit, doelloos langs de waterkant wankelend, kwam dichterbij. Kappy had gelijk: het vocht dat uit het wezen kwam, had een penetrante geur. En het zuchtende, snorrende geluid dat het maakte was ook opdringerig. Ana luisterde, en zei toen somber: 'Deze mompelt wat over zijn geliefde die op de een of andere manier de dood heeft gevonden, ik weet niet hoe. Ik geloof dat Ahmed er iets mee te maken had en om die reden is hij vastbesloten om mensen te doden. Maar hij was Ahmeds bondgenoot geworden! Dan, is dat geen waanzin? Het is alsof doden een doel op zich is geworden. Het maakt niet meer uit wie er gedood wordt, of voor welk doel. Alleen het doden zelf is van belang.'
Dalehouse ging in het ondiepe schuttersputje staan en keek naar de dansende mensen. 'Ze komt hierheen,' zei hij. 'Luister eens, voor ze hier is. Dat ze mijn maitresse is, is . . .'
'Danny, alsjeblieft. Ik zei het zonder erbij na te denken en omdat ik, ja, uit mijn gewone doen ben. Dit is er niet de tijd naar om je over persoonlijke zaken zorgen te maken.'
Hij was duidelijk niet tevreden en zou erop doorgegaan zijn als Margie niet te dichtbij was geweest. Ze bleef staan om een sigaret op te steken en bekeek de Krinpit en de begeleidende soldaat, die nu stram in de houding stond. Toen kwam ze met een glimlach op Danny en Nan af. 'Jullie kunnen het best met elkaar vinden, hè?' zei ze vriendelijk. 'Wanneer heb je voor het laatst geluisterd of je wat hoorde, Danny?'
Met een schuldig gezicht drukte Danny de koptelefoon tegen een oor. Hij was de begraven microfoons vergeten die moesten waarschuwen voor geluiden die op ondergrondse activiteit wezen. Geen geluid. 'Sorry, Margie.'
Ze schudde haar hoofd. 'Als je dienst hebt is het "kolonel". En als ik "waf" zeg dan blaf je. Als dat duidelijk is,' zei ze met een zonnige glimlach, 'kunnen we ter zake komen. Iemand een stickie?'
'Het is niet mijn gewoonte om narcotica te gebruiken,' zei Ana.
'Jammer. Danny?' Ze keek toe hoe Dalehouse zijn longen vulde en toen ze de sigaret van hem overnam zei ze: 'Ik wil dat jij dat vriendje van je, die ballonvaarder, recruteert. Honderd . . .' ze keek op haar horloge, '. . . honderdacht uur na nu, plus of minus een uur of wat, vallen we het kamp van de Vetpotters aan, en

hij moet onze luchtmacht worden.'
Dalehouse verslikte zich in de rook en begon te hoesten en te kuchen. 'Hij – hij kan niet . . .'
'Kalmpjes aan, Danny. Terwijl je weer op adem komt, kun je meteen even luisteren. De storm is voorbij. We kunnen een dag of vijf, zes goed weer verwachten, denk ik. Ik neem vijftien man mee, plus jou, Danny. We krijgen dat kamp in handen zonder dat we er veel moeite voor hoeven te doen. Alleen wil ik geen vliegtuig meenemen en ik wil niet dat ze jou of Kappy aan ballons zien hangen. Dan blijft alleen Charlie over.'
'Charlie kan niet vechten.'
'Ach,' zei ze kalm, 'ik hou jou ook niet voor een geharde moordenaar. Maar dat verwacht ik ook niet van je. Jij communiceert. Charlie observeert. De Vetpotters letten er toch niet op of er een gaszak rondhangt of niet.'
'Gelul. Ze schieten al tijden lang elke ballonvaarder neer die ze in het vizier krijgen.'
'Danny,' zei ze, 'ik vraag je niet om advies, ik geef je een order.' Ze deed een trek aan het stickie, tot het nog maar een centimeter lang was, wreef het toen zorgvuldig uit en stak het in haar zak voor ze de rook uitblies. 'Kijk, de Vetpotters zullen tot dezelfde conclusie komen als ik, alleen kost het ze wat meer tijd. Een van ons tweeën moet de baas zijn. De enige manier waarop je dat kunt bereiken, is door de ander uit te schakelen. Het enige wat Charlie hoeft te doen is in de lucht hangen en ons op de hoogte brengen als ze een vliegtuig op laten stijgen of mensen het bos in sturen. Ik ga over land. Maar we zijn heel kwetsbaar zonder luchtdekking. We moeten weten wanneer we ons moeten verstoppen. Dat is toch simpel?'
'Ja, gemakkelijk genoeg. Maar – Jezus, Margie. Hij is bijna de laatste ballonvaarder van de zwerm die nog in leven is. Je vraagt nogal wat . . .'
'Maar ik vraag niks, Danny, je blijft die vergissing maken. Ik deel een order uit. Als hij het niet doet, maak ik een mooie fakkel van 'm.' Ze krabde onder haar riem en keek hem vriendelijk aan. 'Na het feest deel ik het nieuws mee aan het kamp, en morgen om deze tijd zijn we op weg.'
'Om een atoombom te laten ontploffen onder het kamp van het Brandstofblok,' zei Ana bitter.
Marge Menningers gezicht verstrakte. Na een ogenblik zei ze: 'Ik zal dat laten passeren, Dimitrova, omdat ik je niet met zoveel woorden bevolen heb om je mond te houden. Maar de volgende

keer heb je niet zoveel geluk. Wat je hoort wanneer je vertaalt is *geheim*.'
'Jezus Christus,' zei Dalehouse. 'Heb je echt een atoombom?'
'Nou en of, Danny. Je hebt een stukje ervan in je grondmicro's zitten.'
'Waar? Bedoel je de plutonium energiekernen? Daar heb je niks aan, Margie – kolonel, bedoel ik. Er zijn er niet genoeg. En zelfs als er genoeg waren, kon je ze nog niet aan elkaar prutsen voor die bom van je.'
'Twee keer mis, Danny. Je hebt achttienhonderdzoveel gram nodig voor een reactie. Ik heb iets meer dan zesduizend gram, allemaal keurig opgeborgen in de kisten met "reserve-energiecellen" erop. De plannen hiervoor zijn al een hele tijd geleden gemaakt en alles past zo goed in elkaar omdat een paar knappe koppen van Bevoorrading en Bewapening het zo hebben bedacht, nog voor het vertrek van het eerste schip. O, het is geen honderd megaton bom. Misschien zelfs geen kiloton, daar kan ik de reactiemassa niet lang genoeg voor bij elkaar houden. Maar ik wil ook geen grote klap. Ik wil het kamp van de Vetpotters niet van de kaart vegen, ik wil het veroveren. Ik wil hun munitievoorraad en hun voedselvoorraad opblazen en ik weet precies waar ik m'n verrassing moet deponeren om dat te bereiken. Dan kunnen ze op hun knieën naar me toe komen.'
Ze keek sereen en onschuldig toen ze het zei en Dalehouse reageerde geschokt en ongelovig. 'Dat is - dat is ongeprovoceerde agressie. Een mes in hun rug!'
'Mis, Dalehouse. Dat heet de eerste klap uitdelen voor de ander het doet. De Vetpotters hebben ook geen keus, maar zij weten het nog niet.'
'Jezus Christus! Dit is precies wat de Jappen hebben gedaan in Pearl Harbor.'
Haar ogen gingen wijd open. 'Tuurlijk. Waarom niet? Er was niks verkeerd aan Pearl Harbor, alleen verknoeiden ze het. Als ze verder waren gegaan en de vliegdekschepen hadden uitgeschakeld en daarna waren geland, zou de geschiedenis er heel anders hebben uitgezien. Je zou "Pearl Harbor" hebben gezegd zoals je nu "Normandië" zegt, alleen in het Japans.'
Ze scheen heel zelfvoldaan te zijn, maar toen aarzelde ze. Ze zocht een droog plekje en ging zitten voor ze eraan toevoegde: 'Maar ik wil tegenover twee goede oude vrienden uit Bulgarije best toegeven dat ik op dit ogenblik bang ben, en moe, en niet wat je gelukkig zou kunnen noemen over de manier waarop het

allemaal marcheert. Ik – wat is er aan de hand met dat ding?'
De Krinpit kwam wankelend dichterbij, kreunend en krassend. Ana luisterde. 'Hij is heel moeilijk te volgen. Hij heeft het over Gifgeesten en Geesten Boven – dat zijn wij en de ballonvaarders. Hij schijnt ons door elkaar te halen.'
'Na een tijdje lijken alle vijanden op elkaar, denk ik. Zeg dat hij achteruit gaat. Ik vind hem heel onplezierig ruiken.'
'Ja, kolonel Menninger.' Maar voor Ana het over kon brengen in Krinpit-Urdu, legde Margie een hand op haar arm.
'Wacht even. Wat was dat?' Door de luidsprekers had een stem geklonken, door het gedreun van de muziek heen.
'Ik kon het niet verstaan,' zei Dalehouse, 'maar ik hoor wel iets. Daar, in de bossen. Of in de lucht . . .'
Toen zweeg de dansmuziek abrupt en een bange stem schalde door het kamp. 'Kolonel Menninger! Iedereen! Vliegtuigen in aantocht!'
De geluiden waren nu duidelijk te horen, twee verschillende: het kletterende geronk van een helikopter en een sneller, hoger geluid. De dansenden stoven uiteen.
Boven de bomen verschenen twee vliegtuigen. Geen van tweeën vlogen ze erg snel, maar ze kwamen zonder voorafgaande waarschuwing: de helikopter die ze al eerder hadden gezien en een onbekend vliegtuig met stompe vleugels, dat zo te zien verticaal kon opstijgen en landen. Ze kwamen niet in vrede. Soldaten die aan de ski's van de helikopter waren vastgemaakt, schoten brandraketten af, terwijl machinegeweren op de vleugels van het vliegtuig het kamp mitrailleerden. Het vliegtuig maakte een brullende bocht over het water, keerde en dook weer omlaag. De tweede keer schoten niet de machinegeweren, maar vier kleine raketten sprongen van onder de vleugels naar voren en troffen een voorraadhut en een rij tenten, die onmiddellijk in brand vlogen.
Zo langzaam waren de Vetpotters dus niet geweest.
Hier en daar begonnen wachtposten en feestvierenden die sneller reageerden dan anderen al terug te schieten. Margie sprong overeind en begon naar de dichtsbijzijnde raketwerper te rennen en het vliegtuig, dat nu bezig was aan zijn derde aanval, schoot haar kant op. Het gebruikte nu de machinegeweren en een vlammenwerper. De inslaande kogels kwamen in een rechte rij op haar af toen Margie weg probeerde te duiken en bijna pal naast de Krinpit viel; en het wezen rees hoog boven haar op en stortte zich, tweehonderd kilo zwaar, bovenop Marge Menninger.

Sharn-igon wist dat dit de laatste keer zou zijn dat zich een nieuw pantser zou vormen – voortijdig, martelend, zinloos. Hij zou nooit meer het voldoening gevende jeuken voelen van een nieuw pantser terwijl het hard werd en zich strekte, om het zachte binnenlichaam heen; zou nooit meer de geslachtsdrift voelen die in Krinpit met een nieuw pantser ontwaakte en met een hij-echtgenoot op zoek gaan naar een vrouwtje dat ze konden bevruchten. Terwijl de Gifgeesten Boven op het kamp afkwamen, probeerde hij deze nieuwe bondgenoten nog te waarschuwen. Maar ze waren doof voor de heldere geluiden boven de bomen, doof voor zijn waarschuwingen.
De pijn was te erg.
Hij was van plan geweest om ze te helpen elkaar te doden, om zoveel mogelijk Gifgeesten door andere Gifgeesten te laten ombrengen en dan zelf de overlevenden te doden. Maar misschien was hij niet meer tot iets in staat. De kwelling van dit nieuwe pantser, dat alweer begon te scheuren, beheerste zijn gedachten. De verblindende geluiden van de vliegtuigen en de explosies verdoofden hem.
Er was maar één Gifgeest over die hij kon doden. Dat moest maar genoeg zijn. Hij verhief zich op zijn meelijwekkend zachte ledematen, knakte voorover en stortte bovenop haar, net toen de zachte, dodelijke tong van de vlammenwerper aan hen beiden likte.

Het hele kamp schoot inmiddels op de vliegtuigen – dat wil zeggen, iedereen die daartoe nog in staat was. Maar de vliegtuigen waren buiten bereik van de wapens. Ze hingen boven het water, een kilometer of nog meer van het kamp. De helikopter lichtjes dansend, het vliegtuig ronddraaiend in kleine kringetjes, en zetten de aanval niet voort.
De volgende aanval kwam ergens anders vandaan.
Een gil uit een van de machinegeweerstellingen en de twee soldaten erin zakten in elkaar, aan flarden gereten, en uit het gat kwam een lange, slanke, zwarte gedaante met een brilletje op die op zijn twaalf ledematen naar het dichtstbijzijnde groepje mensen toe rende, en achter hem aan kwam een tweede, en een derde.
De Gravers wisten meer dan tien overlevenden te doden. Maar dat was alles. Zelfs met de brilletjes waren ze niet opgewassen tegen geoefende soldaten die bovengronds vochten. Als de vliegtuigen hun aanval hadden voortgezet . . . Maar dat deden

ze niet. De verdedigers kwamen snel bij hun positieven en aan het eind lagen er vijftig Gravers languit op de grond en verkleurden ze het zand met hun waterige zwarte bloed. Er kwamen er niet meer, omdat er niet meer waren. De hele nederzetting was uitgeroeid.
Dan Dalehouse staarde uit over zee terwijl een van Chiche Arkashvili's helpers een diepe snee in zijn arm verbond. De vliegtuigen waren verdwenen. Tijdens de aanval van de Gravers waren ze stilletjes verder gevlogen langs de kustlijn en nu waren ze uit het zicht. 'Waarom hebben ze ons niet afgemaakt?' vroeg hij. En er was geen antwoord.

21

Toen ze merkten dat Margie Menninger nog leefde, was het gevecht achter de rug en functioneerde het kamp weer bijna.
Ze had ruim twee uur onder de dode, stinkende Krinpit gelegen, verdoofd, half stikkend, niet bij machte om het kadaver van zich af te schuiven, haar armen en benen pijnlijk gedraaid, maar ongedeerd. Net als de geest in de fles had ze eerst haar redder een koninkrijk en schatten willen schenken. Toen men eindelijk haar in het zand verstikte pogingen om te schreeuwen hoorde en haar uitgroef, wilde ze alleen nog de dood schenken.
Ze ondersteunden haar een paar stappen, hun hoofden afgewend van de stank. Ze kokhalsde en vloekte ze uit en toen ze haar overeind probeerden te hijsen, zakte ze in elkaar en gaf over op het zand. De dokter kwam aangerend, maar een dokter was niet wat Marge nodig had. Ze moest de smerige stank van de Krinpit van haar lichaam wassen. Ze liet Chiche haar coverall uittrekken en haar naar de rand van het water brengen, en daar poedelde ze rond tot de stank weg was en ze weer kon lopen. Hinkend, ja. Maar zonder hulp. In een beha en een slipje, haar munitiegordel over haar schouder, zo liep ze het strand op, langs de dode Krinpit, tot iemand aan kwam lopen met een velours ochtendjas, en onder het lopen deelde ze series orders uit.
Waarom hadden ze de aanval afgebroken?
Het kamp was aan hun genade overgeleverd. Met grote precisie hadden ze bij de eerste aanval de zware wapens uitgeschakeld. Er was geen raketwerper of machinegeweer dat nog functioneerde; het Voedselblok beschikte alleen nog over handwapens. Van de honderdacht mensen in het kamp waren er tweeëntwintig dood, bijna vijftig gewond. De vliegtuigen hadden geen schrammetje opgelopen. De gravers waren allemaal doodgeschoten, maar als de vliegtuigen hun vernietigingswerk hadden afgemaakt, zouden de gravers moeiteloos met de overlevenden hebben kunnen afrekenen. Waarom? De timing van de aanval was perfect geweest. Zodra de vliegtuigen ophielden met schieten, kwamen de Gravers te voorschijn. Dat kon geen toeval zijn en de brillen die ze ophadden waren het bewijs dat de Vetpotters ze hadden georganiseerd voor de aanval. Maar toch hadden ze de aanval niet voortgezet.
Waarom niet?

Een van de gewonden, die op britsen in de open lucht waren gelegd omdat er geen tent groot genoeg was voor de hele groep, kwam overeind toen Margie bij haar kwam: luitenant Kristianides, de hele zijkant van haar lichaam in het verband en bedekt met brandzalf. Maar ze functioneerde nog. 'Kolonel,' zei ze, 'ik moest de radio aan z'n lot overlaten . . .'
Marge keek naar de dokter, die haar hoofd schudde. 'Terug in bed, Kris. Vertel het straks maar.'
'Nee, met mij gaat het best. Toen ze de tent onder vuur namen, ben ik ervandoor gegaan. Maar ik heb de recorder laten staan. Ik ving hun gesprekken op, alleen waren het allerlei talen door elkaar.'
'Bedankt. En nou je bed in.' Marge keek om zich heen. 'Dalehouse! Ga eens kijken bij de radiohut! Als de recorder nog werkt, geef je maar een gil.'
Hij zag er zelf ook niet al te best uit, dacht ze, toen hij het blad met verbandmiddelen neerzette en zonder iets te zeggen de heuvel opliep, maar eigenlijk zag niemand er best uit. Vooral zij zelf niet. Margies eigen tent was in vlammen opgegaan en het uniform dat ze nu droeg, was van een vrouw geweest die het nooit meer nodig zou hebben. Niet dat het zo vreemd was dat ze andermans kleren aanhad, maar de dode vrouw was langer en zwaarder geweest dan Marge Menninger.
Toen Dalehouse haar riep, was ze de recorder alweer vergeten. Maar ze liep naar de hut, niet verbrand en vrijwel onbeschadigd, afgezien van wat kogelgaten. Onderweg kwam ze Dimitrova tegen en nam haar mee. De band was stemgestuurd, en Dalehouse had al een goede plaats gevonden. Ana zette de koptelefoon op en begon te vertalen.
'Eerst zegt een van de piloten "Doel in zicht" en de basis bevestigt dat. Dan zijn er wat draaggolfgeluiden, alsof ze willen zenden en het dan toch niet doen, en dan zegt de basis "Staak operatie onmiddellijk. Niet aanvallen", waarna een van de piloten, ik geloof dat het de Egyptenaar is, zegt: "Aanval al begonnen. We hebben hun munitieopslagplaats opgeblazen. Aantal doden ongeveer vijfentwintig". Dan is er wat gemompel dat ik niet kan verstaan, alsof ze op de basis zitten te praten met de zender aan, en dan zegt de basis: "Urgent. Staak opera[illegible] onmiddellijk". En dan zegt de andere piloot, de Ier, da[illegible] observeren vanuit zee en op instructies wachten, en dan g[illegible] basis opdracht om terug te keren zonder de aanval [illegible] zetten. Dat is alles wat er op de band staat, tot ze [illegible]

dingsinstructies krijgen.'
'Is dat alles?' vroeg Margie.
'Dat heb ik toch gezegd, kolonel. Verder is er niets.'
'Waarom veranderen ze nou halverwege van gedachten?' vroeg Margie. Dalehouse en Dimitrova hadden geen van tweeën een antwoord klaar. Ze had er ook geen verwacht. Het maakte niets uit. De Vetpotters hadden hun de oorlog verklaard en als ze er halverwege mee ophielden dan was dat hun probleem, niet het hare. Zij zou dat heus niet doen. Voor Marge Menninger was de aanval op de basis – *haar* basis! – het antwoord op alle vragen. Het 'waarom' deed er eigenlijk weinig toe. De enige vraag was hoe – hoe ze het gevecht naar de Vetpotters kon overbrengen en het winnen.
'Kun je graven met die schouder?' vroeg ze aan Dalehouse.
'Ik denk het wel. Hij bloedt in ieder geval niet.'
'Ga Kappeljoesjnikov dan helpen om de doden te begraven. Dimitrova, jij blijft bij de radio zitten. Niet zenden. Alleen maar luisteren. Als de Vetpotters iets zeggen, wil ik het meteen weten.'
Ze liet ze alleen en ging op weg naar de ene latrine die nog over was. Ze hoefde niet echt, ze wilde alleen even geen anderen om zich heen hebben en haar gedachten op een rij zetten. Ze liep langs de rij wachtenden, deed de deur dicht, ging zitten, stak een sigaret op en staarde de ruimte in.
Ze twijfelde er niet aan of ze kon deze oorlog winnen, ondanks de doden en gewonden, de verloren gegane munitie (maar dankzij haar vaders afscheidscadeau had ze nog een ton over), omdat ze nog een paar sterke kaarten achter de hand had. De voorraad plutonium, onbeschadigd gebleven, was er een van. De andere troef was het koffertje van majoor Vandemeer. Er waren nog vier satellieten en een daarvan kon het hoofdkamp van de Vetpotters raken, een andere hun basis aan de schaduwzijde, als ze daartoe een bevel gaf, en dat was dan dat.
Het probleem was dat ze de faciliteiten waarover de Vetpotters beschikten niet wilde vernietigen, maar wilde veroveren. De satellieten en de bom waren veel te grove wapens; daarvan gebruik maken was met een kanon op een mug schieten. In haar eerste woede na de aanval zou ze op de knop hebben gedrukt als een knop voorhanden was geweest, maar toen ze haar onder rinpit uithaalden had ze al besloten om te wachten.
Het moest een conventionele militaire aanval worden.
n met het plutonium, als het op precies de goede plaats
en aangebracht. Maar de raketten – nee. Het was

jammer dat de Vetpotters hun aanval hadden ingezet voor ze klaar was voor de hare. Maar een ramp was het niet. Het ergste was dat haar legertje drastisch was verzwakt. (Om nog maar te zwijgen van Nguyen Tree, die een been was kwijtgeraakt, en een hoop bloed.) Hoe moest ze een vergeldingsaanval opzetten zonder soldaten?
Marge Menninger had net de enige beslissing genomen die het menselijke ras een toekomst gaf op Jem, al wist ze dat zelf niet.

'Het enige goede eraan is,' zei Dalehouse tegen Kappeljoesjnikov, 'dat de meeste doden en gewonden militairen waren. We kunnen nu in ieder geval doorgaan met het echte doel van de expeditie.'
Kappeljoesjnikov gromde en gooide nog een paar schoppen aarde opzij voor hij antwoord gaf. 'Natuurlijk, is zo,' zei hij toen, terwijl hij zich het zweet van het voorhoofd wiste. 'Maar één vraag. Wat is echt doel van expeditie?'
'In leven blijven hier! En bewaren wat we aan waardevolle dingen hebben. God mag weten wat er op Aarde aan de hand is. Misschien zijn wij wel alles wat er nog van de mensheid over is en als er iets over is van pakweg vijfduizend jaar wetenschap en literatuur en muziek en beeldende kunst, dan is het hier.'
'Ontmoedigend grote verantwoordelijkheid voor twee doodgravers,' zei Kappeljoesjnikov. 'Natuurlijk heb je gelijk, Danny. We hebben een gezegde in Sovjet-Unie: langste reis begint met één enkele stap. Welke stap doen we nu?'
'Tja . . .'
'Nee, wacht, was retorische vraag. Eerste stap is duidelijk. Zijn klaar met graven dichtgooien van nu afwezige vrienden, dus nu ga jij, Danny, naar het hoofdkwartier van kolonel en vertel je haar dat begrafenis officieel kan beginnen.'
Hij stak zijn schop in de grond en ging zitten, een neerslachtiger uitdrukking op zijn gezicht dan Danny ooit had gezien.
'Ach, Kappy, we zijn allemaal behoorlijk moe en van de kaart.'
De piloot schudde zijn hoofd, keek toen op en grinnikte. 'Ben niet alleen moe, beste Danny, ben ook erg Russisch. Zware last om te dragen. We hebben een tweede gezegde in Sovjet-Unie; over duizend jaar maakt het niets meer uit. Maar nu zeg ik je de waarheid, Danny. Alle gezegden zijn gelul. Ik weet wat we doen, jij en ik en wij allemaal. We doen ons best. Is niet veel, maar meer is er niet.'
Dalehouse legde zijn spade neer en slofte de heuvel op naar de

hut waar het hoofdkwartier gevestigd was. Hij dacht ingespannen na. Een zware verantwoordelijkheid! Als je de zaak op de keper bekeek, was het onmogelijk om alles te bewaren; een heleboel dat onvervangbaar was zou onherroepelijk verloren gaan. Was waarschijnlijk al verloren gegaan; de kans was niet groot dat de Arc de Triomphe, het British Museum en het Parthenon er allemaal nog stonden, om nog maar te zwijgen van een paar miljard tamelijk onvervangbare mensen. Danny vond het een moeilijk te verteren gedachte dat hij nooit meer naar een balletuitvoering zou gaan, nooit meer naar een concert. Dat hij nooit meer in een clamjet zou vliegen of zou eten in een draaiend restaurant bovenop een wolkenkrabber. Er was zoveel voor altijd verloren gegaan! En er was zoveel dat onvermijdelijk zou verdwijnen bij hun pogingen om de zaak hier te herbouwen . . .
Maar één groot goed was niet vernietigd: hoop. Ze konden hier in leven blijven. Ze konden hier een nieuwe beschaving opbouwen. Ze konden zelfs een betere beschaving opbouwen, leren van de vergissingen uit het verleden, op een maagdelijke planeet . . .
Een groepje mensen stond om het hoofdkwartier geschaard en Marge Menninger draafde er met twee assistenten heen. Dalehouse zette er de sokken in en was net op tijd om Ana te horen zeggen: 'Dit bericht is net binnengekomen, kolonel Menninger. Ik zal de band afdraaien.'
'Vlug wat!' snauwde Marge, buiten adem en doodmoe. Dalehouse ging wat dichter bij haar staan. Ze leek de ineenstorting nabij. Maar toen de recorder begon te zoemen en kraken, vermande ze zich en luisterde gespannen.
Danny herkende de stem. Het was de zwarte air vice marshal, Pontrefact, en wat hij te zeggen had, nam niet veel tijd in beslag. 'Dit is een officiële boodschap van de Brandstof Exporterende Landen aan het Voedselkamp. Wij bieden u een onmiddellijk ingaande en permanente wapenstilstand aan. We stellen voor dat u binnen een afstand van twintig kilometer van uw kamp blijft, in de richting van ons kamp; wij zullen dezelfde afstand in acht nemen. We verzoeken u om binnen het uur te reageren.'
Even bleef het stil, alsof hij paperassen schikte, en toen begon de welluidende Jamaicaanse stem weer.
'Zoals u zult beseffen, was de luchtaanval tegen uw kamp een direct gevolg van het feit dat u onze satellieten hebt vernietigd. We zijn er slechts na een diepgaand onderzoek van alle alter-

natieven toe overgegaan. Ons plan was uw basis volledig te vernietigen. Maar zoals u weet hebben we de aanval gestaakt nadat vrij onbelangrijke schade was aangericht. De reden hiervoor is de reden dat we u nu deze wapenstilstand aanbieden. Onze ster, Kung, is instabiel. Binnenkort kunnen we een zonnevlam verwachten.

We zijn er al enige tijd van op de hoogte dat het stralingsniveau van Kung fluctueert. Binnen de afgelopen vierentwintig uur is de straling drastisch toegenomen. Toen onze aanval net was ingezet, hoorden we van onze astronomen dat in de nabije toekomst een belangrijke uitbarsting van zonnevlammen te verwachten valt. We weten niet precies wanneer deze uitbarsting zal plaatsvinden, maar hij kan, vermoeden wij, al binnen achtenveertig uur beginnen en het is vrijwel zeker dat hij binnen de eerstvolgende twee weken komt. Als u ons aanbod tot een wapenstilstand aanvaardt, zullen we meteen daarop onze technische gegevens overseinen, dan kunnen uw specialisten zelf een oordeel vellen.'

De stem aarzelde en ging toen minder formeel verder: 'We weten niets van de huidige situatie op de Aarde, en vermoeden dat ook u daarvan niet op de hoogte bent. Maar het is duidelijk dat we op onszelf zijn aangewezen, hier op Jem, dat we in feite alleen zijn in het heelal. We hebben denk ik alles wat er is nodig om ons kamp voor te bereiden op de zonnevlam. Als we het gevecht voortzetten, wordt het ons aller dood. Ik stel niet voor dat we samenwerken. Maar ik stel voor dat we ophouden met vechten, in ieder geval tot deze crisis afgelopen is.' Weer bleef het even stil. Toen: 'Antwoord alstublieft binnen een uur. Moge God ons allen bijstaan.'

Margie sloot een ogenblik haar ogen, terwijl iedereen wachtte. Toen deed ze ze open en zei: 'Roep ze op, Dimitrova. Zeg ze dat we hun aanbod accepteren, vraag meteen om hun technische gegevens en zeg dat we weer contact opnemen wanneer we iets te zeggen hebben. Mensen, de oorlog is voorbij.'

Tien minuten later wist het hele kamp het. Margie had de band van Pontrefact over de luidsprekers gedraaid en verteld over de wapenstilstand. Ze had een bijeenkomst voor iedereen afgekondigd die anderhalf uur later zou beginnen. Aan Alexis Harcourt, die doorging voor de astronoom van het kamp, al was dat eigenlijk zijn vakgebied niet, werd opdracht gegeven om de cijfers van de Vetpotters na te gaan en voor die anderhalf uur

om waren rapport uit te brengen. Toen draaide ze zich om naar Danny Dalehouse en zei: 'Ik heb geen bed meer, maar een uur slaap heb ik hard nodig.'
'Er staat een extra bed in mijn tent.'
'Ik hoopte al dat je het zou aanbieden.' Ze tuurde omhoog naar de norse rode gloed van Kung achter de wolken en schudde haar hoofd. 'Het is me waarachtig het dagje wel geweest. En hij is nog niet voorbij. Weet je wat ik ga doen straks?'
'Moet ik raden?'
'Probeer het maar niet, want je komt er toch nooit achter. Ik ga meedelen dat kolonel Marjorie Menninger zich binnenkort uit actieve dienst gaat terugtrekken.'
'*Wat?*'
'Raap je gebit op, Danny, en blijf daar niet staan,' zei ze, terwijl ze hem meetrok. 'We gaan hier een burgerregering instellen die begint te functioneren zodra deze toestand achter de rug is. Of misschien wel eerder. Het kan me niet schelen. Misschien heeft iedereen die loopt te kankeren over de manier waarop wij van het leger de zaken regelen, wel gelijk. Ik moet toegeven dat mijn manier al met al niet te best heeft gewerkt. Dus ik denk dat we verkiezingen moeten houden voor een nieuwe regering en als je mijn raad opvolgt, stel je je kandidaat.'
'Waarvoor? Waarom ik? Margie, ik begrijp niks van je!'
'Jij, omdat je vrijwel de enige bent die van de eerste expeditie over is, weet je dat? Alleen jij en Kappy. Omdat niemand de pest aan je heeft. Omdat je de enige bent met de leeftijd en de ervaring die nodig is om leiding te geven – afgezien van de militairen. Ik wil je niet onder druk zetten, hoor, de beslissing ligt aan jou. Maar mijn stem heb je. Als,' voegde ze er op andere toon aan toe, 'iets wat we nu doen nog enig verschil maakt.'
Ze stonden nu voor zijn tent en Marge bleef bij de flap staan en staarde omhoog naar de hemel. 'Barst. Het begint te regenen.'
Het waren grote druppels, die een lange, zware bui beloofden.
'De gewonden!' zei hij.
'Ja. We zullen ze onder dak moeten brengen. En dat is jammer, Danny, omdat ik hoopte dat we ons even met elkaar konden vermeien, zoals de uitdrukking luidt, voor de bijeenkomst begint.'
Ondanks alles wat er gebeurd was, schoot Danny hartelijk in de lach. 'Marge Menninger, af en toe ben je volkomen maf. De tent in en slapen.' Maar voor ze naar binnen ging, sloeg hij nog even zijn armen om haar heen. 'Ik had dit nooit achter jou gezocht.

Wie heeft je bekeerd tot de waarden van de burgermaatschappij?'
'Wie is er bekeerd?' Toen zei ze: 'Misschien was het die idiote Krinpit wel. Als hij er niet geweest was, hadden jullie zoëven ook mij kunnen begraven. Ik vertrouwde hem ook niet, maar hij offerde zich op om mij te redden.'

Nu er zo weinig over waren, hadden ze eigenlijk de luidsprekers niet meer nodig om de vijftig tot zestig mensen te bereiken, maar ze zetten er één neer voor de gewonden die verderop in hun tenten lagen. De rest zat of stond op de natte planken van de dansvloer, in de gestage druilregen, terwijl Marge Menninger hen vanaf het kleine podium verwelkomde en toen het woord gaf aan Harcourt.
'Een groot deel van de gegevens van de Vetpotters is niet astronomisch, maar geologisch. Ze hebben een hoop graafwerk gedaan. Ze zeggen dat er om de twintig, dertig jaar zonnevlammen voor schijnen te komen. Er zit geen vast patroon in, maar uit de hoeveelheid as en verkoolde resten leiden ze af dat de gemiddelde vlam zorgt voor vijfenzeventig procent meer straling, en dat gedurende een week of zoiets. Dat is voldoende om ons te doden. Voor een deel is het warmte, voor het grootste deel ioniserende straling.
Wanneer komt het? Zij gokken op tien dagen – plusminus tien dagen. Langzaam toenemende warmte, een paar weken lang; dat maken we nu al mee, en misschien is daarom het weer ook zo slecht. Dan de zonnevlam zelf. De oppervlaktetemperatuur loopt op tot zo'n driehonderdvijftig graden. Als iets kan branden, brandt het. Blijkbaar verbranden de bossen, maar niet meteen – waarschijnlijk moeten ze eerst uitdrogen. Dan wordt de vlam minder, zakt de temperatuur, valt het verdampte water weer neer als regen en doven de branden. Waarschijnlijk een hoop regen, weken of maanden lang. Dan is de toestand weer normaal.'
'Alleen ben je dan dood!' riep iemand. Harcourt hief afwerend zijn handen op.
'Misschien niet. In een schuilplaats overleef je 't misschien.' Hij wilde verdergaan, maar deed zijn mond weer dicht. Margie kwam naast hem staan. 'Ik geloof niet dat je daar al te veel vertrouwen in hebt.'
'Nee, dat is zo. De – eh, de geologische gegevens zijn niet erg hoopgevend. De Vetpotters hebben bodemmonsters genomen

op meer dan honderd plekken en overal kwamen ze hetzelfde patroon tegen, om en om as en aarde, over een periode van duizenden jaren.'
Dalehouse stond op. 'Alex, waarom hebben die zonnevlammen niet allang alle leven op Jem uitgeroeid?'
'Tja, ik sla er maar een slag naar, maar ik denk dat dat wel gebeurt, ja. In ieder geval alle flora. Die verbrandt en komt dan weer op, waarschijnlijk omdat de wortels de vlam overleven. En zaden redden het ook wel, denk ik. Plus dat de regens erna de nieuwe begroeiing een goeie kans geven om aan te slaan, en in vruchtbare grond – de verkoolde plantenresten zijn prima meststof; de primitieve mens ging bij het verbouwen van zijn land op dezelfde manier te werk. Fauna – ik weet het niet. Ik denk dat de Gravers het wel redden in hun tunnels, als ze tenminste niet verhongeren, want het zal wel even duren voor hun gewassen weer gaan groeien. Waarschijnlijk verhongeren er inderdaad een hoop. Misschien geldt hetzelfde voor de Krinpit, omdat er heel wat voor nodig is om hen uit te roeien. Ze hoeven zich geen zorgen te maken dat hun ogen verbranden door de straling, omdat ze helemaal geen ogen hebben. En hun pantser is een goede bescherming voor hun edele delen. Waarschijnlijk krijg je een hoop mutaties, maar op de lange duur is dat een even groot voordeel als nadeel voor het hele ras.'
'En Charlie?'
'Ik weet het niet. Moeilijker. Een felle vlam roeit denk ik vrijwel alle volwassenen uit. Maar een zonnevlam stuurt ook de voortplanting en de bevruchte eitjes zouden het best kunnen overleven. Ook met een hoop mutaties, natuurlijk. De evolutie gaat hier behoorlijk snel, vermoed ik.'
'Maar als zij allemaal in leven kunnen blijven,' interrumpeerde Margie, 'waarom kunnen wij dat dan niet?'
Harcourt haalde zijn schouders op. 'Zij zijn aan Jem aangepast, wij niet. Bovendien heb ik het nu over het overleven van een soort, of een ras, niet van individuen. Misschien blijft maar één procent van alle individuen in leven. Misschien nog wel minder.' Hij keek het groepje rond. 'Eén procent van ons is hoeveel?'
'Ja,' zei Margie langzaam. 'Ik geloof dat we het wel begrijpen. We moeten onder iets kruipen dat groot genoeg is om hitte en straling tegelijk tegen te houden, en vlug ook. Heb je enig idee wat we kunnen gebruiken als afdakje?'
Harcourt aarzelde. 'Geen flauw idee,' bekende hij. 'De tenten zijn in ieder geval niet bruikbaar. O, ik ben vergeten het over de

wind te hebben. Die wordt waarschijnlijk behoorlijk hard. Dus als we iets bouwen, moet dat bestand zijn tegen orkanen met een windsnelheid van tweehonderd kilometer per uur. Misschien nog wel meer. Ik, eh, ik dacht er even aan om de tunnels van de Gravers te gebruiken, dat zou misschien wel gaan. Voor een paar mensen. Maar ik betwijfel of een grote groep twee tot drie weken onder de grond zou overleven, zonder veel ventilatie en in ieder geval zonder airconditioning – en de lucht daar zal verrekte heet worden.'

Het bleef even stil, terwijl iedereen nadacht over de mogelijkheden. Toen kwam Kappeljoesjnikov naar voren. 'Is één ding dat we kunnen doen. Niet veel mensen. Tien, twintig misschien. Kunnen in capsule stappen en drie weken in baan om Jem draaien.'

'Het is daar oven heet,' protesteerde Marge Menninger.

Kappy schudde zijn hoofd. 'Is alleen maar straling. Stalen huid weerkaatst negenennegentig procent, misschien. Hoe dan ook, hoop. Enige probleem is: wie bepaalt welke twintig gelukkigen omhoog gaan?'

Marge Menninger dacht een ogenblik na en zei toen: 'Nee, dat is een wanhoopsmiddel, Kappy. En er is nog een probleem: wat doen deze fortuinlijke lieden als ze weer landen? We zijn nu al met te weinig mensen. Met twintig mensen red je het nooit. Als we met de capsule vertrokken – nee, sorry, ik zeg niet dat ik een van die twintig zou zijn. Als er van de capsule gebruik wordt gemaakt, zou je net zo goed door kunnen gaan. Proberen de Aarde te bereiken. Of misschien een andere kolonie. Dan maak je een even goede kans als wanneer je hier weer landt, terwijl de hele planeet geroosterd is.'

Harcourt knikte, maar verbeterde automatisch: 'Niet de hele planeet.'

'Wat?'

'Ja, alleen maar de helft. Onze helft. De helft die naar Kung toegekeerd is. De andere kant zou waarschijnlijk niks merken van een zonnevlam. Dat helpt ons niet,' ging hij vlug verder, 'omdat we daar niet kunnen wonen; we hebben geen tijd om een luchtdichte, verwarmde koepel te bouwen en alles te verhuizen – wat is er?'

Margie was in lachen uitgebarsten. 'Wel, godverdomme! Zo zie je maar hoe je ernaast kan zitten als je mensen begint te vertrouwen. Die schofterige Vetpotters spelen geen open kaart! Ze zijn niet opgehouden met vechten omdat ze vrede wilden slui-

ten. Ze zijn opgehouden omdat we toch al zo goed als dood waren.'
'Maar – maar dat geldt voor hen toch ook?'
'Mis! Omdat zij wél een basis aan de andere kant hebben!' Spijtig schudde ze haar hoofd. 'Mensen, ik wilde zoëven een prachtige toespraak gaan houden dat ik de teugels overgaf aan een burgerbewind, maar dat zal nu nog even moeten wachten. Eerst moeten we een militair karwei klaren. Als deze helft van de planeet in vlammen opgaat, hebben zij altijd nog dat knusse nestje aan de andere kant, beschut tegen welke hoeveelheid straling dan ook. Dat wordt een plezierig oord, de eerstvolgende paar weken. En wij gaan die basis van ze afpakken.'

22

Dit waren de bergen en kloven van de hoge woestijn. Danny Dalehouse was er al eens in minder dan een uur overheen gevlogen, en had ze alleen gezien als vreemde patronen in een onbelangrijk tapijt.· Eroverheen trekken was een heel andere zaak. Kappeljoesjnikov had ze zo dichtbij het hoofdkamp van de Vetpotters gebracht als hij durfde, drie per keer, een keer vier man tegelijk, zodat het angstig lang duurde voor het vliegtuigje zich waggelend van de grond verhief. Hij maakte meer dan twaalf vluchten en bespaarde hen honderd kilometer jungle. Toch was het nog een mars van drie dagen. En elke stap kostte hard werken.

Ondanks de vermoeienissen had Dalehouse zich in weken niet zo lekker gevoeld. Al was hij dan werkelijk doodop. Al kon de ster elk ogenblik gaan vlammen. Al was hij reservelaarzen vergeten en hinkte hij nu op een rechtervoet die één massa blaren was. Hij had wat dat betreft meer geluk gehad dan anderen. Drie leden van de groep hadden de mars moeten staken. 'We zullen terugkomen en jullie ophalen,' had Margie beloofd, maar Dalehouse vermoedde dat ze loog en in de ogen van de gewonden kon hij zien dat ze er zeker van waren.

Maar toch: hij zou onder het lopen hebben gezongen als hij er de adem voor had gehad.

Het regende nu al bijna veertig uur, een gemene, door de wind voortgejaagde regen, die hen doorweekte in de vochtige hitte en door en door verkilde. Ook dat kon hem niet schelen. Het was alleen jammer dat Charlie en de twee ballonvaarders die nog van de zwerm over waren, nu niet in visueel contact met hem konden blijven. Hij zag zijn vriend niet, hoorde zijn lied niet, al wist hij wel dat hij ergens in de hemel was. Maar het slechte weer had ook voordelen: Charlie kon hen dan wel niet waarschuwen voor gevaar, maar de Vetpotters zouden zich wel twee keer bedenken voor ze iets ondernamen in deze regen.

Ze waren nog met z'n twaalven. De rest was in het kamp achtergebleven en moest zich twee keer zo talrijk voordoen als ze waren. Margie zelf had het laatste bericht aan de Vetpotters verstuurd: 'We beginnen aan het graven van ondergrondse schuilplaatsen. Als de vlam voorbij is, kunnen we gaan praten over een permanente vrede. Ondertussen zullen we op u vuren als u ons kamp probeert te naderen.' Toen was ze in Kappy's vliegtuigje gekropen voor de laatste vlucht naar het vertrekpunt. Ze hadden nog minder dan tien kilometer voor de boeg, maar de afstand zou hen een hele dag kosten. Langs de ene kant van een ravijn omlaag glijden en aan de andere kant weer omhoog klauteren, over de rand van een heuvelkam kijken en snel naar beneden lopen. En het was niet alleen het terrein waar ze doorheen trokken. Ze waren allemaal zwaar beladen. Met voedsel, water, wapens, andere spullen. En het ergst van al waren nog de rode cilinders waarop stond 'Brandstofelementen - Reserve'. Elke cilinder bevatte honderden minuscule naaldjes en woog meer dan een kilo. Twaalf cilinders waren een hele lading. Plus nog twintig kilo mantelmateriaal om ervoor te zorgen dat het plutonium niet voortijdig ontplofte. En dat alles voor een wapen dat niet zou worden gebruikt.

Hij was degene die het had voorgesteld en Margie had het onmiddellijk overgenomen. 'Natuurlijk,' zei ze. 'Ik wil hun kamp niet vernietigen. Ik wil het hebben, helemaal, niet alleen voor ons, maar voor de toekomst van de mensheid op Jem. Ik kan de bom het beste gebruiken als chantagemiddel, en daar wordt hij ook voor gebruikt.'

Hij gaf haar woorden hoopvol door aan Ana, toen ze een laatste rustpauze hielden. 'Ze houdt rekening met toekomstige generaties. In ieder geval vindt ze het de moeite waard om onze chromosomen intact te houden.' Hoe beroerd de situatie ook was, hij had hoop. Die hoop gaf hem genoeg energie voor het laatste stuk, driehonderd meter door de modder, in de stromende regen, naar het hol waar zich de ingang bevond van de tunnels van de Gravers, onder de basis van de Vetpotters. Die hoop hield hem staande toen majoor Vandemeer en Elena Kristianides voorzichtig de onderdelen van de detonator aan elkaar bevestigden en de plutoniumstaven op hun plaats brachten. Die hoop bleef leven toen Margie en Vandemeer en twee anderen de verlaten tunnel in kropen en uit het zicht verdwenen. Het deel van hun leven, van hun aller levens, dat ze op dat ogenblik doormaakten was ellende en angst. En, misschien nog wel erger, wroeging. Dalehouse kon niets edels zien in wat ze deden, of het zelfs maar tolerabel vinden. Het was chantage. Een gewapende overval. Niks beter dan iemand onverhoeds neerslaan. Maar dan zou het *voorbij* zijn. En zou een betere tijd aanbreken. En die hoop hield hen gaande, twee uren nadat Margie en de anderen uit het gezicht waren verdwenen. Tot Elena Kristiani-

des, haar gezicht bang en afgetobd, op haar horloge keek en zei: 'Oké. Van nu af aan blijft iedereen binnen. Kijk naar de wand. Handen voor je ogen. Als de vuurbal komt, *kijk dan niet op*. Wacht op z'n minst tien minuten. Ik heb een bril. Ik zal wel zeggen wanneer je . . .'
Toen overstemden ze haar, Dalehouse het eerst en het hardst. 'Ze gaat 'm laten ontploffen! Maar ze heeft beloofd . . .'
'Jezus, Dalehouse, hoe kon ze zich nou aan die belofte houden! De Vetpotters zouden denken dat het blufpoker was. Ze schakelt hun wapens en hun voedselvoorraad uit, precies zoals we steeds van plan zijn geweest, en dan gaan wij verder en rollen het zaakje op.'
'Wat een waanzin!' riep Ana. 'Er is niets meer als de bom ontploft! De fall-out wordt onze dood als we het kamp ingaan!'
'Misschien. Ik heb een Geigerteller, we houden het stralingsniveau in de gaten. Het belangrijkste zijn de vliegtuigen. Als we die te pakken krijgen, kunnen we de basis aan de schaduwzijde bereiken.' Ze aarzelde. Haar rol in deze affaire was haar duidelijk ingeprent en ze had het geheim meer dan een dag met zich meegedragen. Maar dit ogenblik had ze gevreesd. Als ze geen brandwonden had opgelopen, zou ze samen met de kolonel en de majoor in de gangen hebben rondgekropen en een stuk gelukkiger zijn geweest dan ze nu was. 'Hoe dan ook,' besloot ze, 'we kunnen er nu toch niets meer aan doen. Over tien minuten laat ze de bom ontploffen. Hou je gezicht omlaag!'
En toen, ten slotte, was de hoop dood.

Ook voor de Broedselmoeder was alle hoop verdwenen. Blind en alleen bewoog ze zich langzaam door de tunnels, naar de enige plek waar ze nog heen kon.
Het dertig-meterniveau was voor jongen en uitgestotenen. Het was een oord waar je halfvolwassen spelletjes speelde of, als alle spelletjes waren afgelopen, een oord om te sterven. Moeder dr'Shee was er nog nooit geweest. Ze was een gezeglijk jong geweest en haar was al vroeg verantwoordelijkheidsbesef bijgebracht. Als klein jong had ze het huiveringwekkend spannend gevonden om naar de verhalen van de halfvolwassenen te luisteren, rillend van verrukking terwijl ze naar de tepel tastte in haar zoogmoeders beschuttende vacht. Maar zelf had ze die avontuurlijke niveaus nooit verkend. Ze had geweten dat het er toch eens, in een niet te verre toekomst, van zou komen, dat ze zich aan het eind van haar leven naar die oude niveaus zou

slepen, waar nu niemand meer kwam, en daar zou sterven. Dan zou ze die gangen eindelijk zien.
Hierin had ze voor een deel ongelijk. Het ogenblik om te sterven was aangebroken en ze was in de tunnels. Maar ze zien kon ze niet.
Waardig hief de Broedselmoeder het voorste deel van haar lichaam op en riep: 'Is er iemand in de buurt?'
Er kwam geen antwoord. Geen geluid. Geen geur behalve de muffe, bedorven lucht van allang dode soortgenoten. Ze probeerde het nog een keer, niet omdat ze enige hoop koesterde dat er antwoord zou komen, maar omdat ze methodisch te werk wilde blijven gaan: 'Persoon of jong, kan iemand mijn stem horen?'
Niets. Als er een antwoord gekomen was, zou het alleen een van de wilde jonge mannetjes kunnen zijn geweest die in de bovenste gangen rondzwierven, en alleen wilden doden. Maar zelfs zij waren niet hier.
Een volgende zintuig was dus onbruikbaar geworden. Horen was zinloos als er geen geluiden waren die je kon horen.
Het was jammer dat ze blind was, maar ze koesterde geen haat jegens de Twee-Benen die haar ogen hadden weggebrand met hun stroboscopische lampen. Ze had zich trouwens bij voorbaat al gewroken op een aantal van hen – wraak genomen voor het vergiftigen van haar tunnels, voor het misbruiken van haar jongen voor nieuwe, slechte dingen, voor het feit dat ze haar leven hadden verstoord – dat laatste telde nog het zwaarst. Ze had tegen dit alles gevochten, tegen de Twee-Benen en soms tegen leden van haar eigen broedsel die tegen haar waren opgezet door de nieuwe dingen die de Twee-Benen leerden. En nu waren de tunnels leeg, en was zij blind. *Tsshie!* Het zou minder – minder *onherroepelijk* zijn geweest om hier te zijn, alleen, als ze toch af en toe het fosforiserende gloeien had kunnen zien van mos of verterende vegetatie. Wat was er nog over van haar zintuigen? Haar smaak telde niet meer mee. Er was maar weinig te eten. Haar reukvermogen leverde ook weinig op, want ze kon niet meer aan mannetjes of jongen snuffelen. Voelen kon ze nog wel, de poederige aarde onder haar, de gebogen wand aan haar zijde. dr'Shee vond het behaaglijk om aan alle kanten door aarde omsloten te zijn. Dat was ze in de gelukkigste dagen van haar leven ook geweest . . .
Een leven dat nu voorbij was.
Ze rekte zich uit en zuchtte, een katachtig snorrend geluid van

wanhoop. Ze begon erge honger te krijgen.
De Twee-Benen hadden het grootste deel van de voedselvoorraad vernietigd toen ze de tunnels hadden vergiftigd om haar en haar paar overgebleven bondgenoten te pakken te krijgen. Maar de tunnels strekten zich tien kilometer ver uit, alle kanten op. Ergens in dit immense gangenstelsel dat haar wereld was geweest, moest toch wel iets te eten zijn. Ze dacht er niet aan om ernaar op zoek te gaan. Een Broedselmoeder verlaagde zich niet tot het rekken van een leven dat voorbij was.
– woemp –
De tunnel om haar heen bewoog.
Het was geen trilling, geen schok, maar een zware, bijna peristaltische beweging. Moeder dr'Shee had zoiets nog nooit meegemaakt. Soms bezweken gangen, Krinpit drongen binnen, de regen spoelde een dak weg. Maar dat de gehele aarde bewoog – dat was niet mogelijk! Voor de Broedselmoeder was dit een even verbijsterende gebeurtenis als voor een vis die met zijn staart bewoog en toch niet vooruit kwam, of voor een mens die plotseling de lucht om zich heen glazig voelt worden en ziet versplinteren.
En toen, van dertig meter boven haar en meer dan een kilometer weg, hoorde ze het geluid dat volgde. Het was meer dan een geluid, het was een druk in de lucht die haar oren pijn deed en ze vulde met een ver, disharmonisch gekwetter, als het piepen van een stel hongerige jongen. Maar er waren geen kinderen die om haar riepen, en ze zouden er ook nooit meer zijn.

Om de een of andere reden was Margies rechterknie alleen maar geschramd en een beetje pijnlijk, terwijl de linker kapot was en bloedde. Het werd steeds moeilijker om het tweetal voor haar bij te houden. God had haar niet gemaakt om uren achter elkaar door negentig centimeter hoge tunnels te kruipen . . . welke God ze bedoelde was niet helemaal duidelijk. Om haar knie te ontzien, probeerde ze een tijdje vooruit te komen door een beetje gewicht op haar linkertenen te laten rusten en de rest op haar rechterbeen en haar handen. Dat ging niet. Na een paar minuten kreeg ze in haar kuit de ergste kramp die ze ooit had gehad. Ze moest stilhouden om hem weg te drukken, zodat Vandemeer, achter haar, haar bijna inhaalde en haar achterstand op het tweetal voor haar nog groter werd. Ze verhoogde haar tempo, maar toen ging de knie weer verder kapot.
Ze hield stil en keek op haar horloge. Nog meer dan een kwar-

tier voor het ding ontplofte. Daarvóór zouden de twee granaten ontploffen die ze hadden achtergelaten bij bochten in de tunnel en die genoeg aarde naar beneden zouden laten komen om de explosie te smoren; en ze waren nu al een kilometer van de plek vandaan. Waarschijnlijk ver genoeg om de ontploffing te overleven, al zouden ze voor het mooi eigenlijk nog verder moeten zijn. 'Even rusten!' schreeuwde ze. Ze liet zich onderuit zakken en zoog de muffe, stinkende lucht diep in haar longen. Vreemd genoeg was het niet echt donker in de tunnels. Dat had ze niet verwacht. Toen haar ogen zich aan het duister hadden aangepast, kon ze kleine vlekjes licht zien, zo zwak en bleek dat ze vrijwel kleurloos waren. Moeraslichtjes, fosforescentie, wat het ook was, welkom was het wel.
Ze hoorde een snel, steels geritsel in de tunnel, achter haar, toen *twok.*
Toen was het weer stil.
'Van?' riep ze. 'Majoor Vandemeer?'
De aarden wanden slokten haar woorden op en er kwam geen antwoord. Moeizaam kroop ze overeind, draaide zich om en kroop terug.
De stank van muizekeutels was heel sterk. Ze raakte de schakelaar van haar helmlampje aan en zag dat de majoor dood was. Een van de Gravers was hier geweest en de korte stompe pijl die uit Vandemeers gezicht stak, was er het bewijs van.
'Barst,' fluisterde Margie en dacht er toen pas aan om haar hoofd op te tillen en haar pistool te trekken. In het licht van de lamp was in de bochtige, oneffen tunnel niets met zekerheid te zien – was dat een glinstering? de weerkaatsing van een oog? Ze schoot twee keer.
Toen ze weer keek, was er niets. Maar om de paar meter waren er zijgangetjes en inhammen, en misschien lagen er wel tien Gravers te wachten tot ze zich weer om zou draaien.
Ze deed haar mond open om de anderen terug te roepen, maar deed hem toen weer dicht. Waarom? Ze konden het lijk van de majoor toch niet meenemen. Hij lag ineengedoken, alsof hij zich net omdraaide toen hij werd doodgeschoten, en nu blokkeerde hij bijna de tunnel. Dat was misschien wel het laatste wat hij voor zijn medestrijders kon doen: het achtervolgers moeilijk maken.
Er was een betere manier. Ze had nog twee granaten over. Ze haalde er een van haar riem, stelde hem in op tien klikken en kroop toen zo snel ze kon achter de anderen aan. Toen ze tot

honderd had geteld, liet ze zich plat op de grond vallen, vouwde haar handen over haar achterhoofd en wachtte op de verre gesmoorde klap die zou beduiden dat ze de majoor onder een deel van het tunneldak had begraven.
Toen de granaat ontplofte, besefte ze opeens dat het vreemd was dat ze de anderen nog niet had ingehaald. 'Sam! Chotnik! Roep eens wat!' Ze gaven geen antwoord; ze hadden haar opdracht om te pauzeren niet gehoord. Ze liet het helmlampje branden en haastte zich achter hen aan, zonder nog te letten op de pijn in haar knie. Toen de rode cijfers op haar horloge aangaven dat de kernexplosie moest plaatsvinden, had ze ze nog niet ingehaald. Weer ging ze plat op de grond liggen. Voor deze explosie maakte het niet uit of ze haar nek beschermde. Ze zou omkomen of ze zou in leven blijven, en het enige wat van belang was, was of er voldoende aarde was tussen haar en de bom. Ze verwachtte van wel. Als de drijvers de rijen plutoniumnaalden met elkaar in contact brachten en een kritische massa ontstond, zou een atoomexplosie volgen. Maar geen zware. De naalden zouden niet meer dan een paar microseconden met elkaar in contact blijven. Als ze ze op de juiste plek had opgesteld, zou de energie omhoog gaan door het dak van de tunnel en de wapenvoorraad van de Vetpotters wegvagen, en verder maar heel weinig. *Als* ze ze op de juiste plek had opgesteld. Daar was ze veel minder zeker van dan ze Vandemeer en de anderen had doen voorkomen. De kaarten waarvoor Tinka en de Indonesiër hun leven hadden gegeven, waren uiterst volledig en duidelijk. Maar ze in de open lucht lezen was één ding, ze proberen te volgen als je onder de grond van het ene niveau naar het andere kroop was iets heel anders. Ze was er niet eens zeker van dat ze op de terugweg dezelfde route hadden gevolgd als op de heenweg. Ze hadden een zijden koord mee moeten nemen, of stukjes brood moeten strooien . . .
Toen kwam de explosie. Precies op tijd. En ze leefde nog.
Het was niet eens angstaanjagend. Het was, dacht ze, net als het in haar moeders baarmoeder moest zijn geweest als haar moeder een keer viel. Buiten was iets gebeurd. Maar hier in de tunnel bewoog ze met de grond mee, en zelfs het geluid van de explosie was te gigantisch en te traag om angstaanjagend te zijn. Dus dat deel van het plan had gewerkt. Als Kris de patrouille nu maar zover kon krijgen dat ze aanvielen . . . Als ze maar dachten aan hun stralingsponcho's en de wind niet al te ongunstig was . . . Als de Vetpotters zich maar niet snel genoeg herstelden

om zich te verzetten . . . Als de bom maar op de goede plek was ontploft . . . Als, als, als . . . Haar plaats was bij de soldaten, niet hier.
Een zuchtend, glijdend geluid een paar meter achter haar trok haar aandacht. Ze richtte de lamp van haar helm erop en zag dat een deel van de tunnel was ingezakt.
Losgetrild door de explosie? Misschien. Maar waarschijnlijk niet. Het was al eerder voorgekomen dat Gravers een vijand probeerden in te sluiten door de tunnel te blokkeren. Ze was heel gemakkelijk te vinden en te volgen dankzij het bloedspoor van haar knie.
Ze moest deze doolhof van tunnels uit. Ze zette koppig de pijn uit haar gedachten, en ook de angst dat een Graver haar stilletjes van achteren besloop en kroop verder.
Na tien meter stuitte ze op aarde.
De Gravers hadden allebei de uiteinden van de tunnel afgesloten.
Ze knipte haar helmlamp weer aan. Het was verse aarde. Ze draaide zich snel om. Niets bewoog zich achter haar. Ze was alleen.
Marge Menninger zei tegen de wand van de tunnel: 'De meest diepgaande angst van een mens is dat hij levend wordt begraven.' Ze wachtte even, alsof ze hoopte dat iemand antwoord zou geven. Toen trok ze met de ene hand haar pistool en tastte met de andere naar haar pioniersschopje. Niets. Toen herinnerde ze zich dat ze dat had laten liggen op de plek waar ze de bom hadden geassembleerd.
Vingers dan.
Ze liet het pistool vallen en begon met haar blote handen aan de aarde te klauwen. Wild. Toen doodsbang. Ten slotte omdat haar niets anders restte.

Van horizon tot horizon, zover Charlie kon kijken, was het wolkendek ongebroken, en stapelwolken reikten er aan alle kanten bovenuit. De storm werd nu aan de kant van de oceaan minder, maar hier, ergens boven het kamp van de Vetpotters, was het al uren geleden dat hij een glimp van de grond had opgevangen, en het groepje van zijn vriend 'Anny had hij in geen dagen gezien. En het was onmogelijk om op dezelfde plaats te blijven! Op alle niveaus, tot op een hoogte van tienduizend meter en meer, trok de wind meedogenloos en onophoudelijk naar de warmtepool. Charlie zag de wolkenflarden aan de bo-

venkant van de aambeeldvormige cumulonimbus en wist dat er op een hoogte van vijftienduizend meter een anders gerichte stroming stond. Maar hij en de twee vrouwen die alles waren wat nog van zijn zwerm over was, waren uitgeput en niet meer tot veel in staat. Ze waren veel stijgvermogen kwijtgeraakt en het kostte ze een eeuwigheid om zo hoog te komen.
Terwijl ze moeizaam stegen, kwam een nieuwe zwerm omlaagglijden uit de richting van de pool en Charlie leidde zijn groepje erheen, want hij verlangde naar een nieuw gehoor voor zijn liederen over de nieuwe vrienden van de Aarde, hongerde naar liederen die hij nog nooit had gehoord. Het was lang, heel lang geleden dat hij had meegezongen in een koor en zijn ziel snakte ernaar. De nieuwe zwerm was maar klein, minder dan zestig volwassenen, maar er waren stemmen bij die hij nog nooit had gehoord en hij zong een vreugdevolle groet.
Wit licht zinderde langs hen heen.
De flits verraste hen allemaal. Charlie had geluk – hij was een van de ballonvaarders die niet in het witte vuur van de explosie keek en daarom werd hij niet meteen verblind. Hij zag de hoge cirruswolken messcherp afsteken, blauwwit tegen de nors-rode hemel van Jem, zag de nieuwe zwerm afgetekend in helderder, scherpere kleuren dan hij ooit had gezien. Minuten later hoorde hij het geluid en achter en onder hem kookte een nieuwe donderwolk door het grijze dek omhoog.
Het koor van welkom werd een klaagzang van pijn en angst. Charlie kon alleen maar reageren met een stijglied. De oudste volwassenen van de nieuwe zwerm namen het over en de zwerm loosde ballast, stuwde extra waterstof in de buidels en begon te stijgen. Een paar bleven waar ze waren. Ze waren niet alleen blind, hun pijn was zó groot dat ze niet konden reageren.
Al waren ze een heel eind van de explosie verwijderd, toch slingerden de heftige windvlagen die volgden hen de halve hemel door. Charlie had nog nooit zo'n storm meegemaakt. Anders waren er altijd waarschuwende voortekenen geweest, dreigend opeenbotsende wolken en het dodelijke spel van de bliksem, zodat ze wisten dat ze waterstof moesten slikken om de storm zo goed en zo kwaad als het ging te trotseren, of om er bovenuit proberen te komen. Dit keer kwam de storm onverhoeds en was ontsnappen onmogelijk. Het leek wel of zijn voedvliezen en vleugeltjes uit zijn lichaam werden gerukt. Willoos werd hij meegesleurd, door de nieuwe zwerm heen, kaatste tegen hun volwassenen aan en vaagde tientallen kleintjes uit de weg.

En toen, zonder voorafgaande waarschuwing, voelde hij de vertrouwde huiverende spanning van zijn ballon en herkende hij de zoete, bijtende geur van de vrouwen. Oestrus, tijd om je voort te planten, de draadvormige ova te bevruchten die de vrouwen nu uit hun spinners loosden.
Maar het was verkeerd, verkeerd!
Charlie zong zijn vraag en zijn angst en de nieuwe zwerm zong met hem mee. Was dit wel het juiste ogenblik om je voort te planten – de lichtvlam kwam van de grond, hun vijand, en toch niet uit de hemel? Wat was dit voor hitte, die hen trof als een vuist, volgend op de donder en de wilde orkaan? Charlie zag dat in het tumult het grootste deel van de zijden sporen was gemist door het hom van de mannen. Ze waren door de hele hemel verspreid. Binnenin zijn eigen lichaam kon hij voelen dat er iets mis was. Waar was het borrelen van de waterstof om zijn ballon te vullen, door de straling uit zijn lichaamsvloeistoffen gehaald? En wat – wat was deze monsterlijke, omhoog kolkende wolk die zo snel groeide dat hij hen allemaal naar zich toe trok? En dat was de vraag die alle andere vragen beantwoordde en voor altijd een einde maakte aan Charlies vragen, want de verschroeiende hitte van de paddestoelwolk verteerde zijn oogstukken, deed zijn ballon scheuren, liet de waterstof die eruit stroomde ontvlammen en stilde zijn liederen voor immer.

23

Als kernexplosie was het niet veel bijzonders. Hij was minder dan één kiloton zwaar en zou nauwelijks zijn opgevallen in de gigantische megatonregen die de Aarde had verteerd. Toen de imploderende granaten de glanzende plutoniumnaalden met elkaar in contact brachten, duurde het maar een paar microseconden voor hun eigen immense reactie dat contact weer verbrak.

Maar toen had de explosie al plaatsgevonden. De naalden, het omhulsel, de wanden van de tunnel waren opgegaan in een massa heet gas, miljarden atmosferen druk, een druk die hoe dan ook een uitweg zocht. En een uitweg vond. Binnen een paar duizendsten van een seconde was een kleine vuurbal ontstaan, vijftig meter groot, die met een snelheid van vijfhonderd kilometer per uur omhoog schoot, helderder dan Kung, helderder dan de zon van de Aarde, helderder dan honderden zonnen bij elkaar. De vuurbal groeide en raasde omhoog, eerst helrood door zijn lading salpeterzuur, toen wit wordend en minder schel en heet.

Zelfs al hadden ze hun ogen dicht, de witte gloed bleef zichtbaar voor de groep in het hol en de schokgolf die over hen heen schoot, deed het hol en henzelf heen en weer schudden. Het lawaai was oorverdovend. Erna, boven de echo's uit, schreeuwde Elena Kristianides: 'Liggen blijven! Doe je ogen niet open! Wachten!' Bijna tien minuten hield ze hen in het hol en toen tuurde ze lang met halfgesloten ogen door de donkere bril en zei dat ze overeind konden komen.

Voorzichtig staken ze hun hoofd over de rand. Met hun ogen nog dichtgeknepen zagen ze wat Marge Menninger had gedaan. De paddestoelwolk kolkte omhoog, door de lagen stratuswolken heen. Hij had een opening gemaakt in de regenwolken, maar de paddestoel zelf was uit het gezicht verdwenen. Dichterbij hen lag het kamp van de Vetpotters, dat nauwelijks getroffen leek te zijn: een schuurtje was omgewaaid, een paar tenten stonden in brand, mensen liepen verbijsterd rond.

'Ze – ze heeft de basis gemist!' riep Kris, en Dalehouse kon niet zeggen of uit haar stem woede sprak of blijdschap. Maar wat ze zei was wel waar. De bom was een halve kilometer van het kamp ontploft. Marge was onder de grond verdwaald. De luchtdruk,

die de helft van de explosieve kracht uitmaakte, ging verloren in de ruimte van de steppe.
Maar de hitte, een derde van de kracht van de bom, had een verwoestender uitwerking. De mensen in het kamp van de Vetpotters die het dichtst bij de explosie hadden gestaan wankelden rond, blind, gekweld door martelende pijn. Hun had niemand brillen gegeven. Zij waren door niemand gewaarschuwd dat ze niet naar de explosie mochten kijken.
'Controleer jullie wapens,' zei Kristianides. Ze had de donkere bril afgedaan en eronder waren haar ogen rood. Maar haar stem was vastbesloten. 'Trek je poncho's aan. Vooruit. We gaan er opaf.'

Dalehouse stond op en trok als een robot zijn poncho over zijn hoofd. (Zou die nou werkelijk bescherming bieden tegen fall-out?) Hij raapte zijn wapen op en deed een patroon in de houder. (Waarom doe ik dit?) Hij zette zich samen met de anderen in beweging, in een onregelmatige rij, alle negen, en liep in de richting van de Brandstof-basis.
Bij elke stap zei hij bij zichzelf dat dit verkeerd was. Tactisch verkeerd: de explosie had maar een paar man uitgeschakeld en de rest zou hen waarschijnlijk moeiteloos neerleggen. Strategisch verkeerd: ze hadden zich nooit in deze positie moeten laten manoeuvreren. En wat het belangrijkste was: moreel verkeerd. Wat voor wereld was de wereld waarvoor ze vochten als ze zomaar, zonder voorafgaande waarschuwing, mensen dood gingen schieten?
Onbehaaglijk keek hij naar de anderen in de rij. Ze staarden allemaal recht voor zich uit naar het Brandstof-kamp. Was er nu niemand die er net zo over dacht als hij?
Hij bleef staan. 'Kris,' zei hij, 'ik wil dit niet.'
Ze draaide zich om, zodat de loop van haar automatische geweer op hem was gericht. 'Kop dicht en lopen, Dalehouse.'
'Nee, wacht, Kris. Ik wil . . .'
Met een strak gezicht zei ze: 'Ik verwachtte dit al van jou. We gaan verder. Allemaal. Kolonel Menninger heeft dit georganiseerd en ik ben niet van plan om het in het honderd te laten lopen. Vooruit.'
De anderen waren blijven staan om naar hen te kijken. Niemand zei iets, ze wachtten alleen maar, terwijl Dalehouse zag hoe de loop van het geweer zich op de brug van zijn neus richtte. Hij zuchtte diep en zei: 'Nee, Kris.' En toen bleef hij staan

terwijl de uitdrukking op haar gezicht veranderde en hard werd en hij besefte dat ze, ja, dat ze de trekker over ging halen
'Leg uw geweer neer, luitenant,' riep Ana.
Ze stond schuin achter Kris en haar eigen wapen was recht op de rug van de luitenant gericht. 'Ik wil niet doden,' zei ze, 'maar ook ik wil dit kamp niet aanvallen.'
Dalehouse wachtte niet af wat er zou gebeuren. Hij stapte naar voren en trok het automatische geweer uit Kristianides' handen. Hij smeet het de heuvel af die ze net hadden beklommen en gooide er zijn eigen wapen achteraan. Na een ogenblik deed Ana hetzelfde, en toen, een vóor een, de anderen. 'Stomme idioten!' raasde Kris. 'Ze schieten jullie als ratten neer!'
Dalehouse gaf geen antwoord. Hij staarde naar het kamp van de Vetpotters, waar een paar mensen die niet blind waren of op andere wijze buiten gevecht gesteld, te voorschijn waren gekomen. Ze hadden wapens in hun handen en ze staarden naar het drama op de heuvel.
Dalehouse hief zijn handen boven zijn hoofd en begon kalm naar ze toe te lopen. Vanuit zijn ooghoeken zag hij Ana hetzelfde doen. Misschien had Kris wel gelijk. Misschien zou een van die gewapende mensen die geknield in de beschutting van een smeulende tent zaten, wel beginnen te schieten. Maar hij had daar niets meer mee te maken. Wat er ook aan schuld was, hij zou hem niet meer hoeven dragen, en voor het eerst in maanden voelde hij vrede in zijn hart.

24

Wat kunnen we nu ten leste over hen zeggen? Wat kunnen we zeggen over Marjorie Menninger en Danny Dalehouse en Ana Dimitrova – en over Charlie en Ahmed Dulla, of over Sharn-igon en Moeder dr'Shee. Ze deden wat ze konden. Meestal deden ze wat ze zagen als hun plicht. En wat er over hen kan worden gezegd is hetzelfde wat uiteindelijk van iedereen kan worden gezegd, menselijk of niet: ze stierven. Een deel van hen overleefde de gewapende strijd. Een deel van hen overleefde de zonnevlam. Maar op de lange duur zijn er geen overlevenden. Er zijn alleen maar plaatsvervangers. En de tijd gaat voorbij, en generaties komen en gaan.

En dan, wat kan men zeggen van die mooie, machtige vrouw, Bisamrat Groenwolk An-Guyen?
Je kunt zeggen dat ze elementen in zich verenigt van Margie en Nan en een aantal anderen. Sommige via het doorgeven van DNA-ketens, andere alleen maar door wat ze deden of waren. Ze heeft natuurlijk niemand van hen ooit gekend, omdat ze allemaal al zes generaties dood zijn; ze is een plaatsvervanger. Net als wij allen is ze niet één persoon. Ze heeft drie personae, of zes, of honderd, als je de subjectieve herinneringen en stereotypen meetelt die anderen met zich meedragen, met het etiketje 'Bisam An-Guyen' erop. Voor een vroegere minnaar is ze de zoete, zweterige metgezel tijdens een weekend aan het Hellemeer. Voor haar kleinkinderen is ze de docent die ze de musea laat zien en de dierentuin. Voor de gemiddelde ingeschreven Republikatische stemmer van de Boyne-Feng Metropool is ze de keuzerechter die toezicht houdt op het reilen en zeilen van de regering. Of eigenlijk de non-existente regering. Bisam staat voor honderd procent achter de Zes Voorschriften van de Jemmiaanse Republieken, en *Geen sterke centrale regering* is het laatste en misschien wel het belangrijkste Voorschrift. 'Regering' is voor Bisam een dood kwaad, verbrand in de Vlam en verhongerd in de Wanhoop. Op Jem is het instituut 'regering' al anderhalve eeuw onbekend. Niemand wil die antieke verschrikking terughebben, Bisam nog het minst van al. Hij is even achterhaald en uit de tijd als legers en luiheid en verspilling, en Bisam zal ervoor zorgen dat het zo blijft, al kost het haar haar

laatste druppel bloed en grote offers van haar militie-vrijwilligers en geschenk-aanvaarders.
Maar om te zien wie Bisam is, dienen we te kijken naar de drie voornaamste gezichten waarmee ze de rode, warme, tevreden wereld van Jem confronteert, en het eerste gezicht van deze drie is Bisam de voedster.
Ze zorgt voor meer dan een tiende van al het voedsel dat Boyne-Feng verbruikt, en bijna al dat voedsel komt van onder de grond. Ze doet het niet zelf, natuurlijk. Zie haar staan in de galerijpoort als de ochtendploeg aan het werk gaat. De slechte oude tijd van 'eigenaars' stierf toen het concept van 'regering' stierf. Bisam is geen eigenaar. De anderen zijn gelijkwaardig aan haar. Maar ze is wel een primus inter pares.
Als je haar ziet, denk je misschien aan een plantage-eigenaar uit Virginia, die toezicht houdt op zijn slaven, of misschien aan een Shensi-pachtheer die de boeren die voor hem werken hun geld afhandig maakt. Dat zou misleidend zijn. 'Bezit' bestaat niet. Zelfs dwang bestaat niet. De fiches die de Krinpit-arbeiders haar geven, stuk voor stuk, als ze langs haar heen lopen naar de ondergrondse boerderijen, worden hen niet afgedwongen. Het zijn geschenken die de Krinpit vrijwillig geven. Als Bisam niet tevreden is over het geschenk dat een van hen geeft, wijst ze hem niet terecht en gelast hem niet om meer te geven. Ze weigert het gewoon. Dan kan de Krinpit vrijelijk teruggaan naar zijn dorp, waar hij vrijelijk kan verhongeren. Een meter of twee voorbij de plek waar Bisam staat, besproeien de opzichters, Gravers, de Krinpit met een lak die allergische reacties tegengaat. Hier wordt ook geen enkele dwang uitgeoefend. Als de Krinpit de opzichters geen geschenken verkiezen te geven, hoeven ze niet weg te gaan. De opzichters verkiezen dan de Krinpit niet te besproeien. De Krinpit krijgen dan last van jeuk, of verliezen hun pantser, of sterven doordat ze bij hun werk worden blootgesteld aan aardse gewassen. Het is het recht van de Krinpit om dit te verkiezen als ze dat wensen. Er is absoluut geen dwang, van niemand, voor niemand. Dat maakt deel uit van de Zes Voorschriften.
De Krinpit weten dit en genieten van hun vrijheid – om maar te zwijgen van de radio's waarvan ze genieten, de vrolijke rumoerige trommels en cithers, de chemische roesmiddelen, kralen en metalen werktuigen waar ze zo van houden. Die worden hun vrijelijk gegeven wanneer ze vrijelijk de fiches afstaan die Bisam hun vrijelijk heeft gegeven aan het eind van elke vrijwillige

arbeidsperiode. De Gravers zijn hiervan ook op de hoogte. Ze zijn ook dankbaar, vooral voor de verbeteringen die de Twee-Benen hebben bedacht voor hun primitieve oude gangen, en ze helpen uit vrije wil de sterkere, grotere Krinpit-arbeiders door ze te vertellen waar ze de vloeroogst van paddestoelen moeten planten en de dakoogst van aardappelen en zoete knollen. Ook zij kennen nu het bezit van kralen, werktuigen en roesmiddelen die hun voorouders nooit gekend hebben. De ballonvaarders zijn hiervan ook op de hoogte – wat hebben ze een plezier met hun muziekbanden en talloze orgasmes! En Bisamrat Groenwolk An-Guyen is er heel goed van op de hoogte. Ze heeft alles wat ze begeert. Misschien is het beste van wat ze bezit wel de zekerheid dat de Zes Voorschriften altijd worden opgevolgd en er daarom altijd gerechtigheid is, en alle andere bewoners van Jem – echt iedereen, Krinpit,ballonvaarder, vreemdeling of zoon – ook alles hebben. Zij het meestal niet in die mate als zij.

Verder is er Bisam de vrijwillige participant. Niet alleen een medespreker of mededoener, dat is iedereen. Zij is een van de keuzerechters die vrijelijk een deel van hun tijd opofferen om de gemeenschap te dienen, zelfs op dagen dat anderen vrij hebben. Ze verlaat de landbouwgangen en komt boven de grond, in de warme, heldere koepel van Fat City. Bisam is nog steeds een robuust mooie vrouw. Haar huid is gebruind door de ultraviolette lampen van de poel-grot. Ze is lang, stevig zonder zwaar te zijn, ze weegt zestig standaard-kilo, maar ze heeft een taille van vijftig centimeter en haar minnaars geven aan haar de voorkeur boven vrouwen die half zo oud zijn als zij. Ogen volgen haar als ze glimlachend de Herinneringszaal binnenkomt, haar lange broek en korte jasje uitdoet, iedereen een Ring-Groet geeft en zich op een schuimbank vlijt. 'Ik zou graag beginnen,' zegt ze zonnig. De andere zes vrijwillige keuzerechters knikken instemmend – ja, ook zij willen graag beginnen te discussiëren over de zaken van die dag.
De meeste dingen zijn routinekwesties en de keuzerechters zijn het vrijwel onmiddellijk met elkaar eens. (Ze houden zich allemaal in voor de belangrijkste zaak.) Van zijn bank onder de buste van Moeder Kristianides, haar brede gezicht sereen op hen neerkijkend, beschrijft Roanoke t'Schreiber de vooruitgang die wordt geboekt bij het zuiveren van het Hellemeer. Alles wat in het rioolstelsel van de stad terechtkomt, wordt het meer in

gepompt. De inheemse fauna wordt op bevredigende wijze uitgeroeid, omdat de menselijke darmflora dodelijk is voor de meeste vormen van het Jemmiaanse leven. 'Nog twee miljoen keer naar het toilet en het meer is gezuiverd,' zegt hij. Zodenhuis Vlamgeboren heeft haar tien centimeter lange nagels zitten bestuderen, maar kijkt nu op en vraagt zich af of de militie niet vrijelijk extra fiches moet worden gegeven, omdat zovelen van hen helaas (zij het vrijwillig) hun leven hebben gegeven bij het verkennen van afgelegen complexen van Gravers en het bevrijden van even afgelegen nederzettingen van Krinpit. Iedereen geeft te kennen dat dit wenselijk is. De vrouw in het militieuniform die zich bij de deur heeft opgehouden, loopt met een tevreden glimlach om haar mond weg.

Dan betrekt Bisams gezicht en ze zegt: 'Ik heb gehoord dat er alweer een tactran is binnengekomen van Alphabasis.'

Stilzwijgen volgt. Dit is de kwestie die een kiem van onenigheid in zich draagt, verandering zelfs. Eigenlijk wil niemand er op ingaan. Alle rechters schuiven onbehaaglijk op hun banken heen en weer, onder de borstbeelden van de voorouders, en wachten tot de anderen iets zeggen.

Ten slotte geeft t'Schreiber zijn mening. '*Ik* denk dat het onverstandig was van onze voorgangers om te proberen de verkenning van de ruimte weer op te nemen. Ze hebben vrijelijk veel van waarde gegeven om nieuwe tactran satellieten in een baan om onze wereld te brengen. Wat hebben we ermee gewonnen? Smart en verwarring.' Hij zet de contacten op een rij. een onverstaanbaar bericht dat *misschien* afkomstig is van de Martiaanse kolonie. Zielige smeekbeden om hulp van de oude Aarde zelf. Een tiental brutale berichten van de basis op een planeet van Alpha Centauri, waarin men steeds weer terugkomt op een plan om Jem te bereiken. Van de rest van het heelal: niets.

Bisam wacht onbehaaglijk, verschuift even en krabt net boven de vlek van haar minikini. Dan zegt ze: 'Moeten we nog wel reageren op berichten van Alphabasis?'

Niemand reageert.

En dus stemt men met haar woorden in en de rechters spreken nu over de tot dankbaarheid stemmende groei van de menselijke bevolking, van honderdtachtig overlevenden tot achttienhonderd in de derde generatie en nu, in de zesde, bijna een kwart miljoen. Niemand koestert nog de angst dat de mensheid uit zal sterven. Op Jem doet de Mens het heel goed.

Dit herinnert Bisam eraan dat haar laatste kind op het punt staat om te worden geboren. Zacht spreekt ze via haar telefoon met het ziekenhuis. De merrie is in de operatiezaal. Maar het nieuws is slecht. Het kind is doodgeboren. 'De schuld ligt bij mij,' zegt Bisam spijtig tegen de arts. 'Sarah Gloeizak – zo heette ze toch?'
'Mary Gloeizak,' verbetert de arts haar.
'Ja, Mary. Ze was al bijna zestig. Ik had een jongere merrie moeten uitnodigen om mijn kind te dragen.'
'Laat uw dag er niet door bederven,' zegt de arts troostend. 'Af en toe kun je toch een mislukking verwachten. Bijna al uw kinderen zijn in leven gebleven, en denk eraan dat er nog drie op komst zijn.'
'Dat is heel vriendelijk van u.' Bisam hangt met een glimlach op. Maar het nieuws heeft haar uit haar gewone doen gebracht en dat uitgerekend met Kerstmis. 'Ik zou nu graag weggaan,' zegt ze tegen de andere rechters, en natuurlijk willen ook zij de discussie afsluiten en terugkeren naar huis.

En dan is er nog Bisamrat de Moeder, de geëerde vrouw die aan het hoofd staat van haar gezin.
Dit maakt geen klein deel uit van haar leven. Haar gezin is reusachtig groot. Vierenveertig kinderen, van wie de twaalf oudsten er allang voor hebben gezorgd dat ze vele malen grootmoeder is, terwijl de drie jongsten nog ongeboren zijn, in de geleende schoot van andere vrouwen. (Ze zegt bij zichzelf dat ze eraan moet denken om Sarah, of Mary Gloeizak een vrijwillig geschenk te geven omdat ze zo vriendelijk is geweest om haar laatste ingeplante ovum te voldragen. Niet zo'n groot geschenk als normaal, natuurlijk, omdat het kind tenslotte dood is geboren.) Als het Kerstmis is, komen ze haar allemaal hun Ring-Groet geven en ze ziet met genoegen naar die dag uit.
Maar niet alle zaken die in haar gezin spelen, zijn aangenaam. Terwijl ze door de prachtige tuin loopt, op weg naar de plek waar ze slaapt en haar bezittingen zich bevinden, werkt een kleine, bleke jongen zich door de struiken heen en loopt op haar toe. Dit is d'Dalehouse Dolfijn An-Guyen en het is een van haar zoons. Hij heeft hard gelopen. Hij hijgt. Bisam zucht en zegt: 'Wat aardig van je om je zo te haasten om me een Ring-Groet te geven, Dolf.'
Hij blijft staan en kijkt naar de mooie Kerstmis-veel-boom in het midden van de tuin met zijn ringvormige verlichting en gele Ster van de Aarde bovenin. Hij is het hele feest natuurlijk

vergeten. Bisam zucht weer. 'Toch een gelukkig Kerstfeest gewenst, Dolf. Ik weet dat je me van allerlei gaat verwijten. Ga zitten en kom eerst even op adem.'
Ze gaan op een bank van geperste graafsteen zitten, onder een woekerende druif. (Een paar rozijnen hadden de vuurstorm overleefd, onder een bed in de Voorpost van de Mensen, en uit de zes ontkiembare zaden die in die rozijnen waren gevonden, was alle wijn op Jem gekomen en ook deze struik.)
Bisam kijkt niet naar haar zoon. Ze weet dat hij, ondanks zijn fouten, te goed is opgevoed om te beginnen voor ze hem heeft aangemoedigd en ze wil dat hij de vredigheid voelt van deze plek. Om de hele tuin heen staan de standbeelden van de Eerste Generatie, de achttien Moeders in goud, de tweeënvijftig Merries in kristal, de negenenzeventig Vaders in graniet dat is gedolven onder de Warmtepool. (De eenentwintig overlevenden die geen genen hebben bijgedragen, zelfs met klonen niet, hebben ook standbeelden, maar die staan buiten het park. Er waren zelfs geen merries bij.) Er bestaat een verder onderscheid in de beelden. De namen van de eenentachtig die zijn teruggekeerd van de Schaduwkant zijn aangegeven in zilver. De tweeëndertig die in leven bleven in de gangen onder de Voorpost van Voedsel, toen die door de vlam werd overvallen voor iedereen kon worden overgebracht naar de Schaduwzijde, zijn aangegeven in robijnrood. En de zevenenzestig anderen – weinigen van hen levensvatbaar – die de vlam overleefden in gaten in de grond, onder machines, in ruimtecapsules of waar ze zich ook maar konden verschuilen voor de woede van de zon – zijn aangegeven in oranje chrysoliet, de kleur van vlammen. Dat was zes generaties terug. Bisam zou kunnen afstammen van 2^6 van hen, bijna een derde, maar in feite zijn slechts elf van hen werkelijk haar voorouders, waarbij heel wat lijnen samenvallen. Ze stamt bij voorbeeld via vijf lijnen af van Marjorie Menninger, Ana Dimitrova, Nguyen Tree en Eerstgeborene McKenzie, het kleine kind dat ter wereld werd gebracht door de enige vrouw die zowel de kernexplosie op de Voorpost van Brandstof als de vlam overleefde. Ze bleef net lang genoeg leven om haar beschadigde kind te baren, maar het kind was ondanks haar handicap wonderbaarlijk vruchtbaar.
Als Bisam voelt dat dit heilige oord zijn uitwerking op haar zoon niet heeft gemist, krabt ze zich onder haar broeksband en zegt: 'Goed Dolf, zeg het nu maar.'
Hij struikelt over zijn eigen woorden, zoveel haast heeft hij. 'U

hebt een vergissing begaan, Moeder Bisam! We kunnen niet nee zeggen tegen Alphabasis!'
'Kunnen we dat niet?'
Hij is koppig. Fel zelfs. 'Ja, precies, dat zei ik, we *kunnen* het niet! Het is een misdaad tegen de mensheid! Jem rot voor onze ogen weg, Moeder Bisam. Dit is de beste kans die we ooit hebben gehad om de zaak weer op poten te zetten. Op Alphabasis beschikken ze over energie, over een vergevorderde technologie! Weet u wat hun bericht inhoudt? Ze kunnen tien ton standaard in een tachyon-baan krijgen – dat zouden wij nog niet kunnen als ons leven er vanaf hing!'
'Lieve Dolf,' begint ze, vriendelijk en redelijk, 'we hebben hier, op Jem, dringender problemen. Weet je hoeveel wilde zwermen ballonvaarders er nog zijn? Krinpit die nog nooit in contact gekomen zijn met wat de beschaving kan bieden? Gravers, in primitieve gangen, die niet van ons bestaan afweten? We hebben een plicht ...'
'We hebben een plicht jegens de mensheid!' roept hij.
'Ja, zeker! En die plicht verzaken we niet. Onze voorouders hebben hun leven gegeven om ons te redden en wij houden ons aan de Zes Voorschriften. Er is geen tirannieke regering, geen dwang, geen wedijver tussen de rassen hier. We hebben Jem niet geschoffeerd, we hebben onze wereld het hof gemaakt. We leven van bodemschatten die we niet uitputten, die zich weer aanvullen, terwijl de Alphs niet verder gekomen zijn dan traditionele industrie en alle kwaad die de technologie met zich meebrengt.'
'Lieve God!' schreeuwt hij, *'bodemschatten?* We zijn maar met een kwart miljoen – we verbruiken bijna niks! Wist u dat fossiele brandstoffen zich sneller *vormen* dan wij ze verbruiken?'
'Goed zo! Zo hoort het ook! Zo blijft het evenwicht in stand. Maar wees toch redelijk, lieve Dolf. Waarom zou je ieders geluk bederven door iets te willen dat dwaasheid is? Als iedereen nu eens wilde wat je net zei. Wie zou dan deze fossiele brandstoffen voor ons uit de grond halen?'
'Krinpit. Gravers. Mensen. Machines! Kan mij wat schelen. Als ze niet willen, moeten ze er bevel toe krijgen!'
Bisamrat is geschokt. 'Je hebt mijn Kerstmis bedorven!' zegt ze bedroefd en loopt weg. Wat een ergernis! Een dwaze, koppige jongen en een incompetente merrie! Haar hele feest is bedorven, nog voor het begonnen is. Dolf is haar favoriete zoon, vaak tenminste. Ze heeft bewondering voor zijn kleine, vlugge li-

chaam en zijn al even vlugge geest. Maar wat een onzin! Wat een ergernis! Waarom kan hij het paradijs niet aanvaarden, zoals iedereen doet, en er gelukkig mee zijn?

Dolfs feest is ook bedorven en hij blijft op de graafstenen bank zitten, zó boos en gefrustreerd dat hij de eerste Kerstliederen niet eens hoort.

A'es'e fi'eles,
lae'i 'riumphanes.

Als hij het haar maar duidelijk kon maken, kon laten begrijpen wat hij bedoelde! Het winnen van Jem had zóveel bloed en pijn gekost. Niet alleen in dat eerste verschrikkelijke jaar. Keer op keer, elke keer dat Kung vlamde in die eerste tientallen jaren. Acht keer had de ster gevlamd sinds de dagen van de voorouders en alleen de laatste twee, drie waren ze vrijwel probleemloos doorgekomen. Genoeg tijd om voorbereidselen te treffen. Het haastige ionen-bestendig maken van de koepels, terwijl alles wat brandbaar was naar binnen werd gebracht. Een week opgesloten zitten terwijl de ster woedde, een jaar lang gebrek aan het een of het ander, tot de planeet zich hersteld had. Maar afgezien van de laatste paar keer was het zes keer diepe ellende geweest, de eerste keer het ergst, maar elke keer weer een catastrofe. Was dat alles voor niets geweest?

Veni'e a'oremus,
'Ominum.

Kwetterend schiet een Graver-opzichter langs hem heen naar de veel-boom gevolgd door vier luidruchtige Krinpit-tuinlieden in hun felrode en groene Ring-Groet laklaag. Eindelijk hoort hij het koor.

-save us all from Sa'an's 'ower
When we were gone as'ray-

Een feest van vreugde? Het mocht wat, zegt hij bij zichzelf. Een ellendige tijd! Het ervan nemen op Jem, het bezadigde Jem, terwijl de rest van het heelal de ene triomf van technologie en avontuur na de andere beleeft! Neerslachtigheid en Kerstfeest vechten in zijn hart tegen elkaar. Geleidelijk aan verliest de neerslachtigheid het. Hij herinnert zich opeens wat de Graver bij zich had – bleek gloeiende ultraviolette flitsers – en besluit naar de Kerst-veel-boom te lopen.

De Krinpit schuiven banken en tafeltjes weg om ruimte te maken, in zichzelf kreunend en ratelend, en lopen dan weg. De Graver stelt zijn flitsers op en wacht tot hij opdracht krijgt om ze te ontsteken. De ballonvaarders die aan de boom zijn bevestigd, zingen uit volle borst

Schlaf im heilige Ruhe,
Schlaf im heilige Ruh'.

Overal trekken nu jonge mensen zoals hij hun kleren uit en glippen tussen de vrolijk versierde stammen. 'Tijd om te beginnen!' roepen ze, en de ballonvaarders beginnen aan het vrolijke, levendige *Good King Wenceslas.* Gehoorzaam steekt de Graver de stroboscoopflitsers aan. De ballonvaarders huiveren en zingen door en beginnen hun hom te sproeien, terwijl overal tussen de stammen en onder de reusachtige kroon paartjes zich verenigen tot de traditionele Ringen.

En Dolf kan het niet langer uithouden. Neerslachtigheid verliest. Kerstmis wint. Hij smijt zijn kleren van zich af en rent de veel-boom in. Waarom zou je je verzetten tegen Utopia? denkt hij bij zichzelf. En rondt daarmee het proces af dat opgroeien heet. En begint het proces dat sterven heet. Wat vrijwel hetzelfde is.

LEES OOK:

De langste tunnel van de Verenigde Staten, de Brooklyn-Battery tunnel... Eén man die het zwakke punt in de bouwconstructie kent...
Een vakantieweekeinde en de drie kilometer lange tunnel stampend vol met vakantiegangers... dan slaan de gangsters toe en begint voor 6000 afgesloten mensen een afgrijselijke nachtmerrie waaruit velen van hen nooit meer wakker zullen worden...

'Geloofwaardige, afgrijselijke opzet...'
—Library Journal

'Totale paniek en suspense waarvoor je verdomd stevig in je schoenen moet staan...'
—San Francisco Sunday Examiner

LEES OOK:

Wanneer Spenser op zoek gaat naar een gekidnapte jonge vrouw, komt hij in contact met een mysterieuze sekte, de 'Bullies', een dekmantel voor een bedrijf dat zich houdt met een boel dingen die God en de Wet verbieden. Het is de typische 'setting' voor Spenser om zijn cynische levensvisie én zijn vuisten los te laten, samen met die prachtige levensgezellin van hem, Susan Silverman.

'Robert B. Parker heeft een opvallende plaats veroverd in de analen van de misdaadroman' —THRILLERS & DETECTIVES.

'...Een eigen laconieke vorm...' —VRIJ NEDERLAND

'Origineel, geestig, boeiend en spannend...' —JOHN D. MACDONALD.

'Parker beheerst het idioom van het klassieke 'hard-boiled' misdaadverhaal' —GEORGE V. HIGGINS.

Robert B. Parker heeft tot nu toe twaalf Spenser-boeken geschreven. In Prisma verschenen onder meer

SPENSER EN ZIJN WRAAK
SPENSER EN DE SLOME PUBER
SPENSER EN DE FEMINISTE
SPENSER EN DE LINKSE STUDENTE
SPENSER EN HET WEGGELOPEN MEISJE